THÉOLOGIE HISTORIQUE

———

LES ÉGLISES APRÈS VATICAN II

OÙ EN EST L'ÉGLISE ?

Éditorial par
GIUSEPPE ALBERIGO ET GUSTAVO GUTIÉRREZ

Nous savons que le terme d'« ecclésiologie » est ambigu dans la mesure où, dans le développement de la théologie « latine », ce terme a souvent été l'équivalent d'ecclésiocentrisme, exprimant un sentiment de puissance et d'auto-affirmation de l'Église dans et sur la société. Dans cette perspective, Vatican I a dit tout ce qu'on pouvait dire, et plus encore. Avec Vatican II un changement en profondeur a commencé, qu'il faut développer avec patience et liberté, mais qui ne peut se réaliser d'une manière simpliste, c'est-à-dire en refusant de réfléchir sur l'Église. Il est plus délicat, mais aussi plus fécond, de chercher des voies nouvelles pour faire ce changement d'une façon adaptée à la conscience évangélique de l'aujourd'hui des communautés chrétiennes.

Extrait de l'éditorial

Concilium 166

BEAUCHESNE ÉDITEUR

THÉOLOGIE HISTORIQUE
COLLECTION FONDÉE PAR JEAN DANIÉLOU
DIRIGÉE PAR CHARLES KANNENGIESSER

61

LES ÉGLISES
APRÈS VATICAN II

DYNAMISME ET PROSPECTIVE

ACTES DU COLLOQUE INTERNATIONAL
DE BOLOGNE — 1980

édités par

GIUSEPPE ALBERIGO

BEAUCHESNE
PARIS

Pour toute documentation sur nos publications s'adresser
à BEAUCHESNE ÉDITEUR
72, rue des Saints-Pères — 75007 Paris

ISBN : 2-7010-1024-1

INTRODUCTION

L'ecclésiologie de Vatican II peut encore constituer un projet actuel pour l'Église à condition d'être valorisée, en ses termes « portants », selon une lecture globale — c'est-à-dire qui ne soit pas limitée à « Lumen gentium », et encore moins à son troisième chapitre — et une perspective de développement.

Après les incertitudes et les timides expérimentations qui se sont faites sous Paul VI, les deux évêques de Rome, successivement élus au cours de l'été 1978, ont inscrit dans leur programme comme étant d'une particulière importance la mise en œuvre de Vatican II, et spécialement la réalisation de la collégialité dans la direction de l'Église.

Il ne semble pas aventureux de prévoir que dans les prochaines années, on arrivera à des initiatives institutionnelles d'une très grande importance. Dans cette perspective, il est bon de clarifier au plus tôt l'horizon doctrinal du tournant ecclésiologique pris par le Concile, en en mettant en relief les lignes de force, les connexions avec le débat œcuménique, les contradictions et les difficultés non résolues.

Durant ces quinze années, la société humaine et également l'Église ont subi des mutations profondes, qui ont influé considérablement sur la façon de vivre la foi et sur la réalité ecclésiale. C'est à la lumière de tout cela, et en dehors de tout archéologisme, qu'il faut reprendre la réflexion sur Vatican II [1].

Dans cette perspective, et à la lumière de ces exigences, une quarantaine de théologiens, d'historiens, de canonistes, de sociologues invités par l'Institut des Sciences religieuses, se sont rencontrés à Bologne en 1980. Les facultés théologiques de

1. De la prémisse au programme du Colloque. La rencontre a été rendue possible par les financements de diverses organisations locales et bancaires ainsi que du CNR et du Ministère des Affaires étrangères ; la région d'Emilie-Romagne a accordé son patronage.

Louvain et Louvain-la-Neuve, de l'Institut catholique de Paris avaient pris part également à l'organisation de ce colloque [2].

La participation de spécialistes de diverses disciplines a permis une féconde approche interdisciplinaire enrichie par la différence d'origine culturelle et confessionnelle des spécialistes eux-mêmes. De plus, il a été très fructueux qu'interviennent aussi bien des clercs que des laïcs, qu'au moins deux générations de spécialistes soient représentées : celle qui a préparé et vécu Vatican II et celle qui est arrivée à l'âge mûr après la conclusion du Concile.

L'exposé final très riche et très complexe de J.M.R. Tillard rend superflue une re-considération de l'apport scientifique du colloque dont tous les rapports sont maintenant publiés dans leur texte intégral [3].

Je voudrais seulement souligner la complémentarité spontanée et surprenante des rapports. Leur lecture globale offre un

2. Sont intervenus au Colloque qui s'est déroulé du 8 au 12 avril 1980 dans la Villa Imelda à Idice de Bologne : A. Acerbi, Bologne ; G. Alberigo, Bologne ; D.S. Amalorpavadass, Bangalore ; R. Aubert, Louvain-la-Neuve ; E. Bianchi, Bose ; A. Black, Dundee ; P.C. Bori, Bologne ; Y. Congar, Paris ; E. Coresuco, Fribourg ; G. Deries, Rome ; S. Dianich, Caprona ; H. Dombois, Heidelberg ; P. Fraansen, Heverlee ; J. Grootaers, Bruxelles ; G. Gutierrez, Lima ; J. Hoffmann, Strasbourg ; A. Houssiau, Louvain-la-Neuve ; T.I. Jimenez-Urresti, Salamanca ; F.-X. Kaufmann, Bielefeld ; J. Kerrkhofs, Bruxelles ; J.A. Komonchak, Washington ; G. Kretschmar, Ottobrunn ; H.-M. Legrand, Paris ; J. Meyendorff, Crestwood ; V. Mulago, Kinshasa ; G. Pattaro, Venise ; E.J. Penoukou, Abidjan ; H.J. Pottmeyer, Bochum-Querenburg ; G. Ruggieri, Catane ; L. Sartori, Padoue ; U. Schnell, Minden ; J.M.R. Tillard, Ottawa ; J. Turowicz, Cracovie ; K. Walf, Nimègue ; F. Zanchini, Rome ; J. Zizioulas, Glasgow.

3. Parallèlement à cette édition française, une édition en langue italienne est publiée dans «Cristianesimo nella storia» (Christianisme dans l'histoire), 1981, 1-330, et une édition en allemand chez Patmos Verlag, de Düsseldorf. Sont aussi publiés les dossiers préliminaires, préparés par V. Cosmao, G. Defois, F. Kaufmann et G. Pattaro, envoyés au préalable aux participants, mais qui n'ont pas fait l'objet d'un débat direct. Le Père J. Lecuyer ayant été malade, sa réaction au rapport de G. Alberigo a été lue par le président de l'assemblée. Chaque rapport a été suivi d'un riche débat auquel tous les intervenants ont participé. La discussion s'est prolongée dans certains commentaires au Colloque lui-même : L. Prezzi, dans *Irenikon* 53, 1980, 196-208 ; D.S., dans *Herder Korrespondenz* 34, 1980, 220-222 ; L. Kaufmann, dans *Orientierung* 44, 1980, 112-113 ; S. Dianich, dans *Rassegna di teologia* (Revue de théologie) 21, 1980, 320-325 ; P. Fransen, dans *Tijdschrift voor theologie* 20, 1980 ; A. Black, dans *The Tablet*, 1980, 424-425 ; L. Sartori, dans *Cristianesimo nella Storia* 1, 1980, 531-544 ; A. Filippi, dans *Il Regno* 25, 1980, 277-285 ; J. Grootaers.

panorama particulièrement riche et précis, clairvoyant mais serein, du lent et incertain cheminement de l'Église post-conciliaire.

Il me semble encore pouvoir mettre l'accent sur l'engagement que l'on peut constater dans la recherche systématique d'une correspondance cohérente entre réflexion ecclésiologique, contexte ecclésial et organisation institutionnelle. C'est là une route qui commence à s'ouvrir, mais d'une fécondité indubitable.

L'ecclésiologie, dans les quinze années qui ont suivi Vatican II, a souffert d'une lassitude et peut-être d'un certain manque d'engagement. Le colloque a mis en lumière l'urgence d'une reprise de réflexion créative dans ce domaine. Il y faudra engagement et patience, et aussi un climat de confiance et de liberté. Enfin, beaucoup dépendra des décisions de l'autorité ecclésiastique suprême. En effet si — après les cuisantes frustrations éprouvées par l'épiscopat au Synode de 1980 — le nouveau Code de droit canon était promulgué maintenant, malgré le niveau peu satisfaisant d'adaptation aux décisions de Vatican II de la rédaction récemment envoyée à la Commission cardinalice compétente, cela constituerait un très grave obstacle au développement de la réflexion ecclésiologique, en plus d'une difficulté insurmontable sur la route de l'extension de l'Église catholique comme aussi du rapprochement œcuménique.

Dans les années 1970, le vaste débat sur le projet d'une « Lex ecclesiae fondamentalis » a eu un effet de clarification en montrant aux théologiens, aux canonistes et aux évêques eux-mêmes les risques que comportait une telle initiative.

Il est évident qu'il n'y a pas lieu de repousser une législation ecclésiastique ordinaire, et il est même indubitable qu'elle est un facteur nécessaire pour une vie ecclésiale saine. C'est précisément pourquoi il est vital que la liaison entre l'ecclésiologie conciliaire et la nouvelle législation ordinaire soit vérifiée avec soin et sans incertitude.

G. A.

TABLE DES MATIÈRES

ABRÉVIATIONS

AA   Apostolicam Actuositate
AG   Ad Gentes Dominus
CD   Christus Dominus
DH   Dignitatis Humanae
DV   Dei Verbum
GE   Gravissimum Educationis
GS   Gaudium et Spes
LM   Inter Mirifica
LG   Lumen Gentium
NE   Nostra Aetate
OE   Orientalium Ecclesiarum
OT   Optatam Totius
PC   Perfectae Caritatis
PO   Presbyterorum Ordinis
SC   Sacrosanctum Concilium
UR   Unitatis Redintegratio
NP   Nota Praevia
SH   Constitutionis dogmaticae Lumen Gentium Synopsis Historica, Bologna 1975

Jan KERKHOFS

PRINCIPAUX CHANGEMENTS
DANS LES SOCIÉTÉS CHRÉTIENNES ÉTABLIES
ET DANS LES ÉGLISES APRÈS VATICAN II

Cet essai de survol sera nécessairement incomplet. J'espère qu'il ne sera pas trop unilatéral et qu'il offrira quelques matériaux pour un honnête bilan des « signes des temps ».

I. CHANGEMENTS DANS LES SOCIÉTÉS

Entre 1965 et 1980 l'Occident aura connu à la fois son expansion économique et scientifique la plus forte et la plus rapide et l'expérience d'un doute profond, de plus en plus paralysant à propos de son modèle de société et de son anthropologie particulière. Pléthore et vide. Aussi contradictoire qu'elle paraisse, cette constatation est sous-jacente aux différents phénomènes majeurs que nous allons décrire très brièvement.

1. *Croissance économique et technologique aussi exceptionnelle que les défis qui s'en suivent*

De 1950 à 1972 environ, l'Occident, et surtout l'Europe, ont connu une expansion économique vraiment unique dans l'histoire. Grâce à la Communauté européenne, l'Europe de l'Ouest a même dépassé les États-Unis et, si on excepte quelques petits pays pétroliers arabes, ce sont des pays européens qui sont de loin les plus riches quant au revenu annuel par habitant. Cette richesse est le résultat d'une forte concentration de la production, par l'intermédiaire surtout des multinationales, d'une accélération de la productivité et d'une socialisation généralisée des marchés. La Communauté européenne est passée de six à neuf membres (et bientôt elle en comptera douze) sans parler des contrats d'association avec de très nombreux pays. La hausse du niveau de vie qui en est la conséquence a même influencé la vie politique : le modèle de la 'démocratie sociale' a effectivement supplanté les marxismes et libéralismes traditionnels ; elle a fortement contribué à répandre partout une atmosphère de consommation et d'hédonisme. Pensons seulement au rapide développement de la TV ; elle remplit le vide du temps libre, qui a été conquis par l'accélération de la productivité et la diminution du temps de travail ; pensons à l'expansion phénoménale du tourisme (des week-ends, des vacances d'été et d'hiver, y compris pour des écoles entières).

L'actuel développement de nouvelles technologies (microbiologie, micro-électroniques, mini-ordinateurs, télécommunications, vidéo...) semble annoncer une nouvelle mutation économique, suivie de conséquences encore plus directes pour le style de vie des individus et des groupes (e.a. par la mutation des emplois qui s'en suivra).

Un aspect du développement économique, bien qu'il ne soit pas nouveau en soi, est pourtant un « inédit » à cause de son ampleur : le travail féminin et l'accroissement de la participation des femmes aux cycles supérieurs d'études sont de toute première importance. A la longue, ce phénomène pourrait être des plus significatifs pour la recherche d'une nouvelle anthropologie en Occident.

Mais ce miracle économique n'a été possible que grâce à l'importation d'énergie et de matières premières à bon marché. Le développement économique a même changé fondamentalement les rapports de l'Occident avec les pays en voie de développement, devenus indépendants depuis la décolonisation récente. En partie grâce aux multinationales, un nombre croissant de pays jeunes sont devenus conscients de leur importance vitale pour l'Occident. Ils se sont organisés et font collectivement pression sur un Occident perdant chaque jour de son hégémonie absolue. Beaucoup de ces pays appartiennent à la sphère d'influence de l'Islam, antagoniste séculaire de l'Occident.

Déjà avant le déferlement de la crise énergétique, des groupes prophétiques avaient alerté l'opinion publique (p.ex. les rapports du Club de Rome et «Face aux Futurs» de l'O.C.D.E), mais ce sont les phases successives de la «guerre mondiale du pétrole» qui ont révélé à l'occidental moyen sa vulnérabilité et les limites de ses rêves. L'Occident, qui se réjouissait il y a quelques années encore d'un index de croissance économique d'environ 5 % par année se résigne actuellement à une «croissance zéro». Les pays industrialisés connaissent une stagnation relative, qui est la conséquence d'une certaine sclérose institutionnelle, du glissement des valeurs et de l'affaiblissement de la capacité des gouvernements à maîtriser les données de plus en plus complexes de leurs politiques. Un passage des conclusions de «Face aux Futurs» mérite une citation in extenso: «Ce dont souffrent beaucoup de pays industrialisés, c'est l'absence d'un projet autour duquel s'organise le consensus social. L'existence, implicite naturellement, d'un tel projet a joué un rôle essentiel dans la réussite des vingt-cinq dernières années qui ont suivi la seconde guerre. Qu'il s'agisse des États-Unis, gardien de l'ordre mondial et porteur d'une idéologie dans laquelle ils avaient foi, de l'Allemagne fédérale, de la France, de l'Italie, décidées à se redonner un avenir, ou du Japon, pour lequel la croissance économique était le moyen de retrouver le sens de son identité et de sa place dans le Monde. Ces projets n'ont plus de sens. En partie parce qu'ils se sont réalisés».

Peut-on espérer, comme nouvel objectif, un effort commun pour le développement du Tiers-Monde?

Alors que les records de production se succèdent, cette forte expansion économique crée elle-même de nouveaux problèmes. Aux États-Unis, le groupe d'immigrés hispanophones s'accroît d'année en année, commence à former un grand Etat latino-américain de plus de 20 millions de citoyens et interpelle, probablement beaucoup plus que la forte minorité noire, l'identité américaine. En Europe, les migrants de la seconde génération installent le tiers-monde et l'Islam au cœur des grandes villes, souvent suicidaires par l'absence d'enfants, et culturellement de plus en plus post-chrétiennes. Il y a là tout un potentiel à la fois de dialogue inter-culturel et d'explosifs raciaux. Enfin des deux côtés de l'Atlantique, le chômage interpelle gouvernements et syndicats d'ouvriers ou de patrons. Devant un avenir qui s'annonce fort incertain, le monde économique se trouve souvent désemparé et l'optimisme des années soixante fait place à 'un pessimisme croissant.

Citons pourtant deux faits économiques importants qui pourraient réactiver l'Occident : d'un côté les accords de Lomé, d'autre part l'entrée de la Chine dans les échanges économiques.

2. *Changements politiques :* planétarisation de tous les problèmes

a) *Fin du complexe de supériorité de l'Occident*

La guerre du Vietnam, perdue par la plus grande puissance militaire et industrielle du monde, la désorientation économique suite à la « guerre du pétrole » et l'escalade du terrorisme et de la criminalité ont humilié l'Occident. Le centre de gravité se déplace rapidement vers l'Asie, alors que la population de plusieurs pays européens commence à décroître.

b) *Planétarisation de tous les problèmes*

La mondialisation de la vie politique s'est accentuée depuis Vatican II. Les tensions Est-Ouest et Nord-Sud se compliquent, la Russie et la Chine étant de plus en plus omniprésentes en Afrique, en Asie du Sud-Est et au Moyen-Orient. Les questions d'emploi et de la division internationale du travail, de la pollution des terres, des eaux et de l'air, de l'exploitation de la mer, de la militarisation, du désarmement et des droits de l'homme sont désormais des questions mondiales. Entre-temps l'influence des Nations unies semble toujours trop réduite, par manque de conviction et d'instruments. Les démocraties déjà affaiblies sont encore menacées par un communisme quelque peu amoindri par son éclatement, par les différentes boutures de la 'Nouvelle droite' et par la crise des valeurs qui empêche tout consensus social. Le monde occidental n'est certes plus aussi homogène qu'il y a 15 ans.

3. *Changements culturels et anthropologiques*

Partiellement à la suite des mutations économiques et technologiques, partiellement à cause de processus profonds et difficiles à déchiffrer conduisant à un rééquilibrage d'accents (p. ex. la suraccentuation depuis la Réforme et la Contre-Réforme du rationnel, de l'efficacité, de l'aspect « yang » de la culture occidentale), nous observons des changements culturels et anthropologiques dont seuls les historiens du prochain millénaire pourront évaluer avec une certaine objectivité la réelle importance, mais qui semblent aller dans le sens d'une réactivation du « yin ». Nous en signalerons quelques traits.

a) *La mutation de la femme et donc du couple et de la famille*

En 1975, l'année de la femme, proclamée par les Nations unies, a symbolisé, surtout en Occident, l'entrée définitive de la femme dans des domaines où de tout temps l'homme, le mâle, était le maître. Ici encore l'expansion économique et technologique et la démocratisation de l'enseignement semblent les raisons principales. Pour en mesurer les dimensions, il n'y a qu'à comparer ce qui s'est passé en Scandinavie (luthérienne) et se qui se passe en Espagne (catholique). La femme changée change les rapports hommes-femmes et change la famille. Nonobstant les lois sociales et l'encyclique « Humanae Vitae », le nombre d'enfants par couple n'a cessé de diminuer partout pour se situer du Japon à travers la Russie européenne et l'Europe jusqu'aux États-Unis entre 1,5 et 2,5. Il n'y a pratiquement plus de différences entre pays orthodoxes, catholiques ou protestants. La cohabitation de jeunes sans mariage se pratique de plus en plus. Elle débute en Scandinavie à une échelle notable vers 1960, mais se pratique maintenant par la majorité des jeunes en Europe occidentale urbanisée. Beaucoup acceptent le mariage à l'essai. Ce qui est le plus frappant est la rapidité avec laquelle les filles changent de comportement sexuel et approuvent les rapports prématrimoniaux (voir les études de l'INED, France, de l'Institut Allensbach, Allemagne, de Gallup, Angleterre). Entre-temps les divorces augmentent partout, surtout en Europe centrale (Pologne comprise). Les Catholiques pratiquants exceptés, la majorité des Européens se prononce en faveur de l'avortement, du moins pour raisons médicales. Enfin les enquêtes révèlent une préférence croissante pour le travail à temps partiel pour hommes et pour femmes (voir Pro Mundi Vita Bulletin, n° 73, 1978, pp. 34-35).

b) *La « culture des jeunes »*

Mai 1968 a symbolisé en Occident l'éclatement d'un modèle
culturel unique. Bien que beaucoup de révolutionnaires de
l'époque soient sagement rentrés dans les rangs, il y a eu cassure.
Y compris en Europe centrale, les jeunes refusent de copier
simplement le modèle culturel traditionnel. De moins en moins
intégrés par la cohérence d'une idéologie ou d'une religion
unifiante, ils vivent « ponctuellement », dans l'immédiat, dans
l'expérience du vécu quotidien. Retour à la nature, chaleur des
relations interpersonnelles dans des clubs ou des bandes, évasion
vers la drogue, le sexe, la musique, la danse (les discobars) ou les
sectes sont leurs valeurs. Les meilleurs optent pour l'écologique,
le désarmement, la non-violence, des styles de vie alternatifs et
plus simples. Le sens de l'histoire semble leur échapper. Face à
un monde devenu incompréhensible, ils optent pour l'échelle
réduite ou pour l'individualisme. Le vide de la société des adultes
se reflète chez beaucoup par une atmosphère de résignation. Ils
vivent d'un mélange de peur et d'expériences émotives, et se
savent irresponsables et sans voix dans un monde d'adultes
devenant de plus en plus vieux où ils sont minorisés. Pour eux,
toute institution (État, famille, école, entreprise, Église) est de
l'organisationnel anonyme, étranger, du désordre établi à subir.
Les meilleurs sont à la recherche de communauté, de vie, de
service, mais à échelle humaine. (voir études Delooz, Rezsohazy,
Schoovaerts-Dobbelaere, Shell, Gallup, Allensbach).

c) *Changements des valeurs*

Selon les experts de l'étude de l'opinion publique —
R. Inglehart, *The Silent Revolution;* E. Noelle-Neumann, *Die
Stille Revolution;* R. Rezsohazy du service de diagnostic social
de Louvain-la-Neuve, et selon différentes études de A. Greeley
(USA), J. Stoetzel (France), J. Linz (Espagne) et de Gallup
(Angleterre) — une lente mais profonde mutation a lieu. La
sexualité change de sens, l'accent étant mis sur le symbolisme
interpersonnel. Le travail n'est plus la valeur centrale de
l'Occident, comme ce fut le cas depuis la Réforme jusqu'après les
années soixante. Une éducation prônant le sacrifice est remplacée par une initiation à un monde où le désir et le plaisir sont de
plus en plus valorisés. L'influence du nationalisme décroît pour

être remplacé à la fois par un universalisme et des régionalismes. Le corps et la nature (les mouvements écologiques) reprennent leurs droits dans un monde définitivement « rurbanisé ». Un phénomène est peut-être prédominant : les « autorités » sont démythifiées et remplacées par une volonté de participation absolue et, hélas aussi, — en partie à cause de l'anonymat généralisé, en partie à cause de la perte du sens de l'histoire — par l'irresponsabilité. Par conséquent, l'*expérience vécue* est la valeur centrale et non plus le rationnel et le « compréhensible » de l'époque positiviste. Ce qui conduit à une forte privatisation et à un individualisme permissif qui contrebalancent la socialisation de plus en plus omniprésente et toujours plus complexe et opprimante.

II. Changements dans les Églises

Vatican II étant un acte de l'Esprit enraciné dans l'Église catholique romaine, cette partie traitera surtout d'elle, mais pas exclusivement. Il est , en effet, impossible d'aborder dans un seul exposé toute la variété des évolutions des autres Églises. Nous nous concentrerons sur huit phénomènes.

1. *Essais de réappropriation de la Parole et des symboles par le Peuple de Dieu*

De la simple prière occasionnelle jusqu'aux grandes solennités pascales, la Parole rendue aux fidèles par la langue vernaculaire a causé une mutation en profondeur. Partout de nouvelles prières et de nouveaux chants sont nés. Partout les laïcs participent à la lecture, mais de plus en plus aussi à l'interprétation de la Parole. Pour la catéchèse d'un peuple, réalisant chaque jour davantage qu'il entre dans la diaspora, cette réappropriation de la Parole est une grâce, donnée juste à temps. Elle rend accessible à une minorité toujours plus nombreuse, une culture biblique, qui a si longtemps manqué aux catholiques.

D'autre part, le symbolisme sacramentel de gestes et de réalités qui est traditionnellement si nécessaire à la religiosité populaire, avait souvent été éclipsé par un discours trop abondant et trop rationnel. Le besoin d'un renouveau du symbolisme chrétien s'impose donc d'urgence.

Enfin, parce que parole et eucharistie touchent le centre de la vie d'une communauté, il n'y a pas à s'étonner que c'est précisément ici que la polarisation entre chrétiens est la plus marquée. Liturgies plutôt ouvertes, surtout lorsque la parole quelque peu prophétique touche aux réalités socio-politiques, et liturgies plutôt traditionnelles — pour ne pas parler de celles des disciples de Mgr Lefebvre — sont parfois davantage une légitimation religieuse d'idéologies de classes qu'un rassemblement ou une réconciliation et une communion dans la différence.

Notons enfin que de plus en plus de femmes prennent des responsabilités liturgiques et que le nombre d'assemblées dominicales en l'absence de prêtre augmente constamment en Europe occidentale et en Amérique du Nord, ce qui conduit à des célébrations animés par des équipes au lieu du seul prêtre, acteur séparé.

2. *Volonté et essais de participation*

A tous les niveaux se créent des corps intermédiaires et des regroupements horizontaux. La base affirme fortement sa volonté de participation et son droit à la différence. Bien que moins structuré que les autres conférences épiscopales continentales, comme le CELAM et la FABC, le CCEE (Conseil des conférences épiscopales européennes) se développe depuis un premier colloque de 1967 à Noordwijkerhout (Pays-Bas). Ce fut en mars 1971 que le CCEE fut officieusement constitué. Le conseil reçut en 1977 l'approbation de Rome. Il n'est toujours pas devenu aussi opérationnel que ses homologues latino-américain et asiatique. Est-ce la complexité européenne ou la proximité du centre romain ou encore l'absence d'une ou de deux langues prédominantes qui freine sa maturation ? Du côté des Églises orthodoxes et des Églises issues de la Réforme, la KEK (Konferenz Europäischer Kirchen) s'est constituée à partir de 1959 comme organisation œcuménique régionale pour l'Europe avec 110 Églises associées. Dès les débuts du CCEE, des contacts furent établis avec la KEK et des rencontres régulières ad hoc se font annuellement depuis 1972. Comme le CCEE, la KEK est davantage un forum de dialogue qu'une organisation. Une très importante rencontre de responsables d'églises, organisée conjointement par la KEK et le CCEE a eu lieu en avril 1978 à

Chantilly (Paris). Quarante évêques catholiques et quarante représentants des Églises anglicane, orthodoxe et protestante y ont pris part. Il faut noter qu'il y eut cinq femmes parmi les délégués de la KEK. Le thème était : « Qu'ils soient un 'afin que le monde croie' (Jean 17,21) ». Deux sujets y ont été traités, celui de l'unité et celui de la paix. Cette rencontre peut être considérée comme historique dans la mesure où c'est la première fois que les responsables des Églises, de l'Est comme de l'Ouest, conféraient sur un pied d'égalité. Les trois quarts des 350 millions de chrétiens européens, qui pratiquent plus ou moins régulièrement leur religion, étaient représentés à Chantilly. Le *message aux chrétiens d'Europe* est révélateur de l'impasse ressentie (à cause e.a. de la dramatique absence d'intercommunion) et de l'espérance proclamée (de l'unité dans la diversité et de la diversité dans l'unité).

A un niveau différent mais au moins aussi vital, Vatican II a donné naissance à un grand nombre d'organes de consultation : les conseils paroissiaux, les conseils presbytéraux, les conseils pastoraux diocésains. Il faut regretter qu'en de nombreuses régions, surtout d'Europe latine, ces conseils n'ont toujours pas pris forme ou bien connaissent une certaine fatigue après un départ plus ou moins enthousiaste. On devrait en examiner les causes profondes.

Caractéristiques surtout de l'Occident germanique et anglo-saxon, mais trop exclusivement de celui-ci, sont les efforts parfois gigantesques investis dans l'organisation de Conciles, de Synodes ou de Consultations pastorales au niveau d'un État ou d'une nation : le Danemark (en 1969), les Pays-Bas (1968-1970), l'Autriche (1973), la Suisse (1972-1975), l'Allemagne de l'Ouest (1975), différents diocèses de l'Allemagne de l'Est et bientôt l'Angleterre et le Pays de Galles (avec le National Pastoral Congress de Liverpool, mai 1980). Les États-Unis ont eu leur conférence nationale, 'A Call for Action' (1976), préparée par une consultation nationale, synthétisant quelque 800.000 dossiers envoyés par des individus, des groupes ou des diocèses. En Flandre belge, existe depuis 1969 une Consultation Pastorale Interdiocésaine (Interdiocesaan Pastoraal Beraad), sorte de Synode permanent, qui a partiellement inspiré la Consultation Pastorale Nationale (Landelijk Pastoraal Overleg) des Pays-Bas et le 'Pastoralforum' suisse, issus de leurs Concile et Synode. Ailleurs aussi, des formules synodales ont été pratiquées à une moindre échelle (comme p.ex. à Maribor, à Cracovie, au Luxembourg, à Bolzano, à Séville, en Galicie, etc.). Beaucoup de ces organes consultatifs font partie d'une structure euro-péenne, née après le congrès mondial de l'apostolat des laïcs à Rome en 1967. C'est ainsi que le «Forum européen des comités nationaux de l'apostolat des laïcs» organise tous les deux ans, depuis 1970, un congrès auquel le CCEE et le Secrétariat européen des délégués des conseils presbytéraux sont représen-tés. Ce dernier s'est constitué en 1971 à l'occasion du Synode romain sur le sacerdoce ; il a organisé deux rencontres : en 1971 à Genève, en 1976 à Vienne, et la 3me aura lieu la semaine prochaine à Fribourg (Suisse).

Nombreux sont les mouvements d'Action Catholique ou des organisations professionnelles à caractère chrétien qui se sont organisés au niveau européen (syndicats, dirigeants d'entreprise, Caritas, enseignants, formation d'adultes). Signalons aussi que les Assemblées de Supérieurs Majeurs (comme plusieurs grands ordres religieux) ont des rencontres régulières au niveau de l'Europe ; ils créeront cette année-ci un secrétariat européen.

Deux traits particulièrement significatifs de cette volonté de participation méritent une mention spéciale. D'un côté, surtout en Amérique du Nord, il y a de la part de nombreuses femmes, parmi lesquelles les religieuses sont très actives, un désir croissant d'équivalence sinon d'égalité dans l'Église : les congrès de Detroit (1975) et de Baltimore (1978) et les énergiques résolutions contenues dans le document qui a été publié suite à la consultation 'A Call for Action' en sont la preuve, comme aussi les réactions nombreuses durant et après l'année de la femme jusqu'à l'intervention à la fois courageuse et respectueuse de Sister Kane, présidente de l'Union des Supérieures Majeures, devant Jean-Paul II à Washington (1979).

D'autre part, des deux côtés de l'Atlantique les essais de pastorale en équipe tant dans les paroisses que dans les écoles et les hôpitaux se multiplient rapidement. Les rapports entre clercs et laïcs, entre hommes et femmes, entre pasteurs de différentes Ëglises chrétiennes en sont profondément affectés.

Faut-il, enfin, noter que le Vatican a freiné presque tous ces efforts de participation ? Ne mentionnons qu'à titre d'exemples le fait de ne même pas répondre aux demandes du Synode danois, de rejeter la demande suisse d'avoir un conseil pastoral interdiocésain, et le refus de prendre en considération la quasi-totalité des recommandations du Synode allemand, déjà fort prudent dans ses formulations, pour ne pas parler du blocage de tout dialogue concernant le rôle de la femme dans l'Église et plus particulièrement dans le Ministère. Entre-temps la curie vaticane a été fortement renforcée. Plusieurs initiatives ont même conduit à une centralisation progressive des finances de l'Église (l'étude des rapports entre Cor Unum et la Cidse, qui coordonne les activités des carêmes de partage nationaux — initiative des Églises de l'Europe de Nord — pourrait faire l'objet d'une thèse intéressante sur la politique économique d'une multinationale).

3. *Désinstitutionnalisation accélérée et mise en place de nouveaux tissus structurants (ou renforcement d'anciens adoptés aux nouvelles exigences)*

a) Il est inutile et fastidieux de citer ici les nombreuses statistiques qui — à l'exception de celles de la Pologne et, partiellement, de la Yougoslavie — vont toutes dans le sens d'une crise profonde des pratiques religieuses et du corps sacerdotal et religieux. Plusieurs observateurs qualifiés parlent d'éclatement, d'émiettement complet. Depuis 1965 — mais le mouvement était déjà entamé longtemps auparavant, souvent même avant la première guerre — la pratique dominicale en Europe et en Amérique du Nord diminue d'un à deux pour cent par an. Cette évolution caractérise surtout les jeunes et s'accélère parmi les femmes. Ce qui est dit de la pratique dominicale vaut aussi, différemment et avec des décalages, pour le baptême, le mariage religieux, les funérailles, la confession régulière. Tout un tissu traditionnel se défait, et rapidement.

Nous constatons un effondrement des vocations, non seulement sacerdotales, mais aussi — et quelquefois surtout — religieuses ; parmi ces dernières en plusieurs pays, davantage chez les femmes que chez les hommes. La Pologne et, tout récemment, l'Allemagne (?) se singularisent par rapport au tableau général en ce qui concerne les vocations masculines.

Dans les Églises de la Réforme en Europe, nous constatons une évolution équivalente. Pourtant depuis quelques années les candidats au ministère ont augmenté en Angleterre et en Allemagne, contrairement au Danemark. Aux États-Unis, où les vocations catholiques diminuent rapidement (avec de légères reprises régionales et dans quelques ordres religieux d'hommes), les vocations pour les autres Églises ont augmenté.

Quelles en sont les conséquences ? Bien qu'on remplace beaucoup de prêtres séculiers par des religieux, vers 1985 des milliers de paroisses en Europe occidentale n'auront plus de prêtre résidant (*Concilium,* n° 153, mars 1980).

Dès maintenant le corps sacerdotal apparaît aux jeunes comme un groupe typiquement composé d'hommes âgés. Et tout le tissu 'religieux' des écoles et des hôpitaux se décompose, alors que ces deux secteurs se sont énormément développés grâce à la démocratisation de l'enseignement et à la socialisation des services médicaux.

Vue sous cet angle, la « chrétienté » disparaît. La déchristianisation très nette des grands centres urbains ne peut plus être niée : selon des sources dignes de foi à Paris, à Munich, à Stockholm, moins de 50 % des nouveaux-nés ne seraient plus baptisés. Au Danemark, où 94 % de la population paient la taxe d'Église (luthérienne), seulement 50 % se marient à l'Église (et dans la capitale seulement 43 %). A Rome même, les mariages religieux ont diminué entre 1968 et 1978 de 96 % du total des mariages à 74 %.

La réalité est évidemment plus variée que ces statistiques générales. Il y a des régions où la « chrétienté socio-culturelle et politique » s'est renforcée, bien que pratiques et vocations diminuent. En Belgique par exemple, les syndicats chrétiens tout comme les grandes organisations catholiques féminines se sont fortement développés durant les quinze dernières années. La démocratie chrétienne (et les groupes affiliés qui entrent plus ou moins dans cette catégorie) s'affirme au Parlement Européen et fait preuve de plus de cohésion et donc de force que les autres familles politiques. En tout cas, ce sont toujours des chrétiens qui occupent les postes politiques les plus importants dans les pays de la Communauté européenne. Il s'agit de groupes qui se disent chrétiens, que je n'identifie pas avec la politique chrétienne ni avec des politiques chrétiennes.

b) Ce tableau, en partie déprimant, en partie ambigu, cache par sa globalité d'autres aspects de la réalité qui sont ou peuvent devenir porteurs d'avenir. Parfois à l'intérieur même des institutions qui se décomposent, parfois à côté d'elles, de nombreux regroupements de chrétiens ont lieu : communautés de base, groupes charismatiques, paroisses dites critiques, groupes de prière et de lecture de la bible, chrétiens pour le socialisme, chrétiens « écologiques » et beaucoup de groupes informels mais non dépourvus d'influence, autour de paroisses, de revues ou d'abbayes ou d'autres lieux de prière (comme Lourdes, Taizé, Assise, Tchestochowa, etc.). Dans les pays luthériens scandinaves surtout, nombreux sont ceux qui suivent les émissions religieuses à la radio ou la TV et se constituent en groupements invisibles, mais réels. Timidement des représentants de la hiérarchie, de l'Italie et de l'Espagne jusqu'en Angleterre et aux Pays-Bas, encouragent les chrétiens qui se regroupent en communautés de base ; ils se réalisent que beaucoup refusent les grandes assemblées trop anonymes et recherchent des communautés où la vie interpersonnelle avec sa spontanéité peut s'exprimer plus librement.

Pourtant on ne peut nier que, un peu partout en Occident, un assez grand nombre d'hommes et de femmes ne trouvent pas de milieu nourrissant et protecteur dans les structures paroissiales même rénovées ou dans les nouveaux tissus restructurants. Ceux qui ont soif de quelque chose de transcendant se tournent de plus en plus facilement vers des sectes ou vers des religions orientales (la croyance en la réincarnation est plus grande que jamais, p. ex.). Ces « ombres » des Églises s'étendent avec toutes les conséquences néfastes qui en découlent souvent. Bien qu'on parle beaucoup de religiosité populaire, les gens du peuple, ayant un sens religieux, trouvent de moins en moins de chaleur émotionnelle et de symbolismes signifiants dans ce que les Églises établies leur offrent.

4. *Polarisation profonde, souvent provoquée par la peur ou par les options sociales des chrétiens*

Vatican II n'est pas à l'origine de la polarisation que connaissent d'ailleurs toutes les Églises. Mais l'après-Vatican II a révélé plus ouvertement des tensions préexistantes. Les discussions au sujet du ministère féminin en Suède et aux États-Unis ou au sujet du programme antiraciste du COE chez les luthériens allemands, ou dans l'Église catholique, à propos du célibat, de la liturgie dite de Pie V, de l'infaillibilité comme de l'ouverture vers la « gauche » semblent trouver leur source dans des interprétations divergentes de la fidélité à la tradition. La plupart du temps, elles relèvent davantage des différences de choix socio-politiques, économiques ou d'éthique sexuelle que des convictions de foi. Intégristes et progressistes, qui sont souvent des agnostiques sans le savoir ou l'avouer, ont tous les deux peur, les uns de perdre un passé rassurant, les autres de rater un avenir également mythique. Les discussions et les excommunications mutuelles sur ce plan sont paralysantes et consomment trop d'énergie dans les curies épiscopales, les paroisses, les instituts religieux. Les vrais débats concernant la foi et les liens entre foi et engagement temporel sont trop souvent refusés. C'est surtout après Humanae Vitae (1968) et dans un contexte de débats politiques au sujet du divorce et de l'avortement que la polarisation entre chrétiens s'est accrue. Toute une éducation morale serait à refaire à tous les niveaux... mais une longue tradition inspirée par « le Dieu pervers » (M. Bellet) rend cette tâche particulièrement difficile.

Rares sont des Églises qui ont su trouver les pédagogies catéchétiques permettant de canaliser ce processus de polarisation vers une foi adulte et approfondie. Le recours à une tradition simplement répétitive ou à des décrets autoritaires purs et simples ne résout rien, comme beaucoup de diocèses profondément divisés le démontrent. Enfin, beaucoup d'observateurs sérieux des réactions post-synodales aux Pays-Bas sont peu optimistes sur ce qu'ils appellent « la trêve passagère ».

5. Œcuménisme actif au plan de la théorie, qui a trop peu d'incidence sur la pratique pastorale

Depuis Vatican II, des pas de géant ont été accomplis dans le dialogue œcuménique. La liste des documents officiels approuvés par des commissions inter-Églises concernant la foi, le ministère, le baptême, l'eucharistie et la mariage remplirait plusieurs pages.

Pourtant on ne peut nier qu'il y a un blocage pastoral. Les plus engagés et les plus concernés se trouvent dans une impasse et ne voient pas comment concrétiser ces accords ni comment progresser. De nombreuses enquêtes révèlent une volonté œcuménique du côté des croyants (p. ex. en Allemagne, en Angleterre, aux Pays-Bas, aux États-Unis). Il semble que c'est le corps sacerdotal qui résiste (davantage que les évêques). Entre-temps, le pourcentage des mariages mixtes s'est accru énormément pour constituer entre un tiers et deux tiers de l'ensemble. Beaucoup de ces mariages conduisent à un no-man's land ecclésial et ouvrent la porte à un indifférentisme total. Le problème concerne toutes les Églises. Souvent les enfants de ces mariages ne sont plus baptisés. Si la substance chrétienne en Europe veut être sauvée, il faudra d'urgence prendre des initiatives œcuméniques courageuses. Qu'il me soit permis de reprendre ici un passage du 'Panorama de l'évangélisation en Europe, aujourd'hui et demain', présenté par Mgr. R. Etchegaray, alors président du CCEE, au Synode de 1974 : « Nous avons des héritages différents entre Églises, mais nos vrais problèmes sont devant nous et ils sont si neufs que nous nous sentons tous plus démunis par la nouveauté qu'embarrassés par l'héritage. Nous efforçons-nous vraiment de dire et de faire ensemble tout ce que nous pouvons dire et faire ensemble ? Où en sommes-nous entre Églises d'Europe ? Pouvons-nous oublier que les plus grandes déchirures de la tunique sans couture du Christ portent une origine européenne ? ».

6. Dialogue toujours ambigu entre l'Église et le monde

Il faut constater immédiatement que le dialogue science-recherche théologique s'est sérieusement approfondi depuis que les menaces de censure ont disparu ou sensiblement diminué. Les sciences humaines ont stimulé la recherche en théologie fondamentale, en morale et en pastorale. La preuve en est fournie par toutes les grandes revues théologiques et les revues de haute vulgarisation — qui en grande majorité restent européennes — ainsi que par le grand nombre de congrès abordant aussi bien le dialogue avec les différents marxismes que les rapports entre Églises et multinationales ou les questions de bioéthique. Nous avons assisté à un immense effort scientifique permettant à la fois une interpellation en profondeur des interprétations traditionnelles de la révélation et des relectures souvent revigorantes, bien que nécessairement partielles (comme p. ex. au sujet de la divinité du Christ).

Pourtant on ne peut nier qu'à différents niveaux, avec sans doute de remarquables exceptions, le magistère de l'Église catholique a généralement réagi avec méfiance devant les interpellations provenant surtout des sciences humaines (sociologie de la connaissance, étude de la sexualité humaine, engagements politiques des chrétiens). «La Peur en Occident» (J. Delumeau) continue à caractériser une grande partie du clergé mais aussi des chrétiens pratiquants. Les catholiques plus que les autres semblent redouter les inédits et recourent trop facilement à la tradition non pas comme source vivifiante, mais comme refuge sécurisant.

D'autre part, dans le domaine des rapports Nord-Sud et de la défense des droits de l'homme, les Églises et surtout l'Église catholique, plus d'ailleurs par la bouche des Papes Paul VI et Jean-Paul II que par celle des épiscopats, ont insisté sur le besoin d'applications concrètes des grandes perspectives de «Gaudium et spes» et du Synode de 1971 sur la justice. Il faut également mentionner ici les plaidoyers répétés en faveur de la protection de la vie humaine dès sa conception. Mais entre-temps nombreux sont les chrétiens qui réclament plus de respect pour les droits de l'homme à l'intérieur même de l'Église.

La «doctrine sociale de l'Église», défendue surtout par des groupes allemands (et par leur intermédiaire en certains centres d'Amérique latine), est critiquée par beaucoup d'autres chrétiens qui constatent souvent qu'elle est inadaptée à la pluralité des situations nouvelles (ce qui est implicitement admis par la lettre 'Octogesima Adveniens' de Paul VI). Il faut reconnaître la réalité : malgré tout l'investissement de réflexion et d'organisation, le monde des ouvriers et des employés comme celui des cadres et des dirigeants d'entreprise en Occident n'ont pas été réellement influencés par la manière dont les Églises ont analysé leur situation. Ils continuent à préférer des solutions soit marxisantes soit néo-libérales. Cela a même conduit à de fortes tensions avec ce qui reste de l'Action catholique ouvrière des adultes et des jeunes et avec les prêtres-ouvriers dans les pays, plutôt rares, où ils existent.

La théologie dite politique et les théologies de la libération restent pour beaucoup de chrétiens en recherche des signes d'espérance. Les tentatives faites pour relier engagement politique et perspectives eschatologiques, salut et promotion humaine stimulent certains groupes dynamiques. Dans leur ensemble, elles restent toutefois périphériques et ne trouvent pas d'expressions typiquement occidentales, adaptées à une civilisation d'abondance. Elles contribuent, en outre, à la polarisation de chrétiens appartenant à des classes sociales opposées.

7. Désir d'intériorisation

Limitée à des minorités signifiantes — mais dont l'importance semble s'accroître — la recherche de spiritualité caractérise cette fin de siècle. Non satisfaits des réformes structurelles ou désillusionnés par elles, impuissants devant leur lenteur comme devant la lourdeur des institutions tant profanes qu'ecclésiales, beaucoup cherchent à enrichir leur « autre dimension ». Il suffit de signaler le mouvement charismatique et les nombreuses communautés de prière, le succès des différentes formes de retraite et de certaines revues de spiritualité (qui tirent à des dizaines de milliers d'exemplaires), le développement de pratiques orientales syncrétistes, de la méditation transcendentale, de la thérapie de groupe à couleur mystique, du yoga, et même du culte de la musique, etc. Sans doute, ce fleuve charrie-t-il beaucoup d'ambiguïté, mais il est indéniable qu'il est porteur d'une attente très profonde que nous devrions interpréter comme le besoin de guides spirituels, capables d'accompagner ce mouvement avec un grand discernement. N'est-il pas frappant de constater qu'à côté des leaders religieux (R. Schutz, Th. Merton, B. Hume, H. Nouwen) beaucoup de prophètes laïcs sont reconnus comme guides et révélateurs (M. Légaut, C. de Hueck-Doherty, etc.). Une certaine nostalgie de la spiritualité orthodoxe se développe également. Et, ne faut-il pas attribuer à cette attente profonde d'une portion du peuple de Dieu une part importante du succès de Jean-Paul II ?

8. *L'évangélisation mise en question*

A l'exception de la Pologne et de l'Irlande, l'immense effort missionnaire des Églises d'Occident s'est effondré, du moins dans ses formes traditionnelles. Plus encore que les autres congrégations religieuses, les instituts missionnaires sont confrontés, du moins dans leurs provinces du monde atlantique, à une crise des vocations telle que beaucoup disparaîtront bientôt. Trois raisons parmi d'autres peuvent expliquer ce renversement : la reformulation de l'«extra Ecclesiam nulla salus», l'extension impressionnante d'organismes de développement séculiers, ou l'accent mis en milieu chrétien sur l'aide au développement, et, tertio, la conscientisation en vue d'une réforme radicale des structures.

La crise missionnaire peut apparaître d'abord comme négative. Pourtant la réalité est beaucoup plus complexe. La phase de décolonisation a été suivie par un souci aigu de respect des jeunes Églises particulières dans leur authenticité propre ; le missionnaire est beaucoup moins le fondateur que l'accompagnant. Un grand nombre de jeunes ont choisi la vocation chrétienne de coopérateur et l'ont distinguée de celle d'évangélisateur direct. D'autre part, les réponses théologiques concernant le dialogue avec les autres grandes religions n'ont pas encore dégagé des motivations suffisamment fortes et nuancées pour convaincre d'éventuels candidats. Il y a sans doute aussi la crise de l'identité sacerdotale : pourquoi introduire ailleurs un style clérical qu'on refuse de plus en plus en Occident même ? Enfin, le matérialisme d'une société de consommation réduit la substance chrétienne en beaucoup de milieux.

Pourtant un immense effort de réflexion ne peut être sous-estimé. Ce sont surtout des théologiens d'Occident qui ont contribué à préciser courageusement les nouveaux rapports avec l'Islam ; ce sont eux qui ont commencé une approche théologique neuve et respectueuse de la réalité chinoise ; ce sont eux qui ont préparé la voie aux essais tâtonnants d'Indiens experts en hindouisme ; ce sont surtout eux enfin, qui ont aidé à structurer les différentes sessions de la « World Conference on Religion and Peace » qui réunit des représentants de toutes les grandes religions. Les résultats de tout ce travail se révèlent durant les générations à venir. Mais les revues missionnaires en reflètent déjà l'orientation ; bien qu'un certain triomphalisme superficiel, qui fausse souvent le sens de statistiques n'ait pas encore complètement disparu, la majorité d'entre elles sont beaucoup plus nuancées, ouvertes, plus respectueuses des altérités qu'avant le Concile.

CONCLUSIONS

Il faut bien dire avec Alain Woodrow que nous vivons une 'Église déchirée' (éd. Ramsay, Paris, 1978), et avec José Castillo qu'on cherche partout une 'Alternativa cristiana' (éd. Sigueme, Salamanca, 1978). Le dialogue ecclésial entre l'évangile relu par le croyant d'aujourd'hui, et le monde sécularisé et souvent séculariste s'avère beaucoup plus difficile que l'enthousiasme de l'immédiat après Vatican II ne l'avait laissé entrevoir. Et pourtant, à cause surtout du besoin persistant de religieux et de sens, il faut, avec J. Delumeau, repondre négativement à la question qui intitule son livre à succès : « Le Christianisme va-t-il mourir ? » (Hachette, Paris 1977). Mais avant qu'un Vatican III ne soit possible (*Toward Vatican III*, The Work that needs to be done, ed. Tracy, Küng, Metz ; Concilium, New York, 1978) une phase de réalisme humble, patient, lucide s'impose. Un redressement formel et autoritaire n'a aucune chance ; les jeunes, les femmes, les intellectuels ne suivront pas et les ouvriers resteront aussi étrangers qu'avant. Il faut accepter le double défi d'une foi beaucoup plus dépouillée, moins dualiste aussi , et d'une modernité complexe, souvent post-« chrétienne » et souvent annonciatrice d'une libération plus humanisante. Comme disait le cardinal Marty, il nous faudra vivre « en citoyen-pèlerin, sans avoir la nostalgie de la chrétienté » (La Documentation Catholique 1976, 135).

Gustavo GUTIÉRREZ

LES GRANDS CHANGEMENTS
A L'INTÉRIEUR DES SOCIÉTÉS
ET DES ÉGLISES DE NOUVELLE CHRÉTIENTÉ
APRÈS VATICAN II

Je voudrais dire dès le début que je parlerai surtout de l'Amérique latine. C'est certes une limite à mon exposé, mais il y a ici des personnes plus compétentes que moi pour parler de la réalité d'autres pays de « nouvelle chrétienté ». Je m'en excuse, mais c'est une question de respect pour des situations que je ne connais qu'indirectement ou par de brefs contacts. Mais il est évident que la réalité des peuples et des églises d'Asie et Afrique doit être présente dans nos travaux.

Je chercherai à dire dans un premier moment ce qui me semble être le fait le plus important de l'histoire récente de l'Amérique ecclésiale. J'essaierai ensuite de dégager certaines perspectives ecclésiologiques.

I. L'IRRUPTION DU PAUVRE

Il me semble que la vie et la réflexion de l'Église dans le contexte latino-américain vient à présent d'une nouvelle forme de présence des pauvres et opprimés. C'est une entrée en scène qui se fait avec agressivité, sans demander la permission à personne, entrée parfois violente. Le pauvre vient « avec sa pauvreté sur les épaules », comme disait déjà Bartolomé de la Casas au XVIe siècle à propos des Indiens, avec sa souffrance, sa culture, sa race, son odeur, sa langue, avec l'exploitation qu'il subit. (Je pense aussi aux mouvements d'indépendance et de décolonisation d'Afrique et d'Asie).

Je voudrais rappeler brièvement quelques traits de ce fait

majeur. Mais avant cela, permettez-moi une note quelque peu personnelle. L'année 1965 marquait la fin des travaux du Concile, c'était en même temps une année chaude dans les luttes pour la libération populaire en Amérique latine. D'un côté c'était pour pas mal d'entre nous, latino-américains, l'aboutissement d'un fait ecclésial de la plus grande importance et d'une perspective pastorale et théologique qui avait notre sympathie et notre adhésion ; mais de l'autre côté on voyait naître, confusément, une nouvelle situation. Et on sentait un certain décalage entre la mission de l'Église telle qu'elle était dessinée au Concile et les exigences qui venaient de notre réalité. Mais était-ce exactement deux univers ? Il n'y avait rien à voir entre l'ouverture de l'Église au monde postulé par le Concile et les mouvements de la libération des opprimés en Amérique latine ? Je ne le pense pas. Mais il fallait prendre concience de la difficulté, et à partir de là percevoir le chemin à suivre pour l'annonce de l'Évangile dans notre réalité.

1. Les « absents » deviennent présents

Celui-ci est le fait le plus important de l'histoire récente de l'Amérique latine. Bien sûr, les pauvres n'ont jamais été en dehors de l'histoire concrète de nos pays ; leur vie, leur sang, leur sueur ont toujours fait partie d'elle. Ce qu'on veut dire en parlant des « absents » c'est que l'histoire n'a pas été construite, et qu'elle n'a pas été lue, en fonction des pauvres. Ce n'est qu'en ces dernières années qu'ont peut parler d'une présence au sens fort de ceux que James Cone appelle « les victimes de l'histoire ».

Disons quelques mots, pour rappel, à propos du processus historique de l'Amérique latine en ces derniers temps, et ensuite à propos de la vie de l'Église. Ce sont des choses très liées, mais nous les distinguons pour mettre un peu plus d'ordre dans nos remarques.

a) Dans le processus historique

Cette présence du pauvre se fait sentir dans des luttes populaires pour la libération, ainsi que dans la conscience historique qui en a suivi.

Nous avons eu tout au long de notre histoire de nombreuses

expressions de la revendication des opprimés devant la situation qui leur était imposée. Mais elle n'avait jamais atteint l'ampleur et la profondeur qui ont commencé à prendre ces dernières 20 ou 30 années. Ces luttes populaires, non sans les ambiguïtés propres à tout processus historique, ont créé une situation nouvelle, variable bien sûr d'un pays à l'autre. La réalité d'exploitation des pauvres est ancienne, mais elle connaît aujourd'hui des formes nouvelles, et ceci a provoqué une réaction énergique de la part du peuple pauvre. La réponse des groupes privilégiés a été une brutale répression. Beaucoup ont souffert, prison, exil, tortures, mort. Le prix qu'on paye pour les efforts de libération populaire est très élevé.

C'est malheureusement un fait quotidien chez nous. On parle beaucoup des personnes séquestrées et des otages des ambassades, mais on le fait ainsi quand il s'agit des personnes connues ou appartenant à des pays importants. Les disparus, les morts parmi le peuple pauvre, c'est un fait de tous les jours dont on parle moins. Mais malgré cela il ne faudra jamais s'y habituer. Il est nécessaire de maintenir claire et saine notre capacité de refus d'une telle situation. Comme disait M. Oscar Romero, l'archevêque assassiné à San Salvador, « le plus grand danger devant cette violence c'est de devenir insensibles. J'essaie de penser devant Dieu qu'un mort représente une grande offense à Dieu, et que dans chaque homme ou femme assasinée, on tue Jésus-Christ lui-même » (Propos tenus à Rome en janvier dernier).

Mais il faut bien comprendre que la brutalité de la répression est une réponse aux efforts renouvelés des opprimés pour changer la situation d'exploitation dans laquelle ils vivent. Pour la première fois, peut-être, les groupes dominants sentent qu'ils pourraient perdre des privilèges séculaires.

Ces efforts de libération sont accompagnés d'une nouvelle conscience historique. Je veux dire d'une façon différente de connaître notre réalité sociale, économique, politique, culturelle. Condition obligée pour pouvoir changer cette réalité, car c'est bien ce que l'on cherche. Les opprimés prennent de plus en plus conscience de l'exploitation qu'ils subissent (c'est un élément important de leur identité comme peuple) et des causes structurelles de cette situation. Les conférences épiscopales de Medellin et Puebla l'ont rappelé fortement. La pauvreté, la misère, dans laquelle vit la majorité du peuple latino-américain est le résultat du système économique, social, culturel imposé par les nations riches avec la complicité des groupes dominants de nos propres pays[1].

b) *Dans l'Église*

Ce passage de l'absence à la présence de la part des pauvres a lieu aussi dans l'Église. Là aussi le peuple commence à faire sentir sa voix, ainsi que son droit à vivre et à réfléchir la foi dans ses propres termes. Le surgissement des communautés ecclésiales de base en est une expression, et celui de la théologie de la libération en est une autre. Ce sont deux manifestations de cette irruption du pauvre dont nous parlions ; à travers elle les opprimés disent, comme l'affirmait un document des hommes d'Église noirs, aux U.S.A., «nous existons». Et, j'ajouterais volontiers, «nous avons un droit à penser notre foi». Parce que c'est bien d'une «non-existence» des pauvres dans l'Église et d'un silence de leur réflexion qu'il s'agit.

C'est cela qui a commencé à changer. On a encore un long chemin à faire, mais cela a provoqué déjà de la méfiance et même de l'hostilité dans certains milieux ecclésiaux, mais aussi de la part de ceux qui tiennent le pouvoir politique dans nos pays. Certains se demandent si une Église qu'on construit à partir d'en bas, c'est toujours l'Église du Christ. Objection curieuse finalement, étant donné que l'Écriture nous dit que le Christ s'est fait esclave pour annoncer l'amour du Père à tout être humain (Cfr. *Phil.* 2).

Il se peut que cette difficulté vienne du fait que tout compte fait l'Église ne se sent pas chez soi dans le monde des pauvres. Son foyer, notre foyer, semble être en dehors de ce monde, dans un autre secteur social. Je ne parle pas seulement des notions, des catégories mentales, mais aussi des attitudes, des comportements affectifs et même des réactions émotionnelles. L'univers des pauvres demeure étranger et parfois hostile à l'Église.

Ceci constitue une exigence de conversion non seulement pour

---

1. Il y a de nombreuses études sur cette question. On peut toujours se référer à un travail classique : R. CARDOSO y E. FALETTO, *Dependencia y desarrollo*, 2e édition, Mexico, 1978.

les personnes mais aussi pour toute la communauté chrétienne. Autour du Concile on parlait de la nouvelle conscience que l'Église devait prendre d'elle-même. Mais on le sait, après Hegel, qu'on ne prend conscience de soi-même qu'en passant par la prise de conscience de l'existence d'autrui. Aujourd'hui cela signifie, pour l'Église en Amérique latine, passer par la « mauvaise conscience » d'être encore loin du monde des pauvres. Mais je l'ai déjà dit, une autre façon de faire est en œuvre, l'option pour les pauvres et les opprimés prise à Medellin et à Puebla en est une expression. En effet, de plus en plus la vie de l'Église se trouve axée sur cette option. Soit pour l'approfondir et pour trouver les chemins concrets pour en faire une réalité, soit pour diminuer sa portée ou même la rejeter en pratique. Nous sommes en plein processus, mais c'est un point de non retour.

2. *Un peuple exploité et chrétien*

Le peuple pauvre qui fait irruption dans notre histoire est un peuple en même temps exploité et chrétien. L'Amérique latine est, en effet, le seul continent parmi ceux qu'on appelle le Tiers Monde qui soit en majorité chrétien. Situation particulièrement douloureuse et qui constitue un grand défi pour la foi chrétienne et pour l'Église.

On a déjà dit un mot sur la situation d'exploitation et c'est d'ailleurs quelque chose de connu. Je voudrais en souligner à ce moment deux traits qui me semblent importants. Quand on parle de pauvreté on se réfère nécessairement à quelque chose de collectif. Le pauvre isolé n'existe pas, il fait toujours partie d'une race méprisée, d'une culture marginalisée, d'une classe sociale exploitée, du sexe féminin discriminé ; c'est justement cela qui fait tellement exigeante cette entrée en scène du pauvre. Il faut dire d'un autre côté, que parler de pauvreté implique toujours tenir compte de la conflictivité sociale. Dire « pauvre » ce n'est pas employer un terme rassurant. C'st plutôt signifier ce que Puebla appelle « la pauvreté inhumaine » qu'on vit en Amérique latine. C'est en plus rappeler que le pauvre est le produit — ou le sous-produit — d'un système économique et social construit par quelques privilégiés et pour leur propre profit. C'est le résultat de ce que Puebla nomme « un conflit structurel ». Mais il n'y a pas que cela, bien sûr, dans la situation d'exploitation, en prendre conscience amène à chercher les chemins d'une libération. Quand on dit pauvre on dit aussi souvent un pauvre en lutte pour ses droits les plus élémentaires.

L'autre versant de ce peuple pauvre c'est son caractère chrétien. C'est encore un fait bien connu, l'élément religieux joue un rôle très important dans la vie du peuple latino-américain. Il est vrai que certains veulent faire des croyances religieuses un facteur de justification de l'ordre social injuste ; mais ce serait faire preuve d'un manque de sens de la réalité que d'en rester là. En effet, il y a dans le peuple pauvre une potentialité immense d'une foi libératrice, je veux dire d'une foi dans un Dieu qui rejette le situation inhumaine que vivent les pauvres ; ceux-ci trouvent dans l'Évangile des raisons puissantes pour lutter contre des structures sociales injustes, expression en dernière analyse du péché humain.

Double situation d'un seul et même peuple cependant. Cela veut dire qu'on ne peut pas, comme certains le voudraient, tenir compte d'un aspect sans le mettre en rapport avec l'autre. Le caractère chrétien du peuple latino-américain est marqué par la condition d'oppression dans laquelle il vit, et vice-versa. Cela ne supprime pas la différence existante entre ces deux aspects, mais veut souligner comment ils se présentent dans sa vie concrète. Assumer ce point de vue veut dire être contre tout type de « réductionisme ». Soit à un spiritualisme desincarné qui accentue le versant religieux du peuple sans tenir compte des conditions matérielles de sa vie ; soit à une activité politique qui laisse pour plus tard les exigences et possibilités de la foi chrétienne parce que les questions économiques et sociales seraient plus urgentes.

Ces deux « réductionismes » ignorent la réalité du peuple et refusent de voir que le grand défi auquel nous devons faire face c'est de savoir rencontrer le Seigneur dans le pauvre d'aujour-d'hui ; c'est vivre une foi pleine d'espérance et de joie au cœur même d'une solidarité avec la lutte des opprimés.

Quelque mots pour finir cette première partie de notre exposé. Le pauvre qui fait irruption c'est ce peuple exploité et chrétien. C'est dans ce cadre que beaucoup ont entrepris en Amérique latine l'étude de la religiosité populaire. C'est le terrain concret d'où viennent les communautés ecclésiales de base. C'est de là que tâche de partir une certaine réflexion théologique. C'est la raison du souci que se font les groupes dominants, habitués comme ils étaient à compter avec le facteur religieux pour tenir le peuple en passivité. C'est un fait irréversible, mais ce n'est que le début d'un chemin difficile et long. Très long.

Cela peut sembler à quelques-uns un peu trop politique. Mais je voudrais dire qu'il en va de la vie et de la mort de millions de Latino-américains. Comme le disait Berdiaeff, réinterprétant des termes courants dans certains milieux chrétiens, « Si j'ai faim, c'est un problème matériel ; si l'autre a faim, c'est un problème spirituel »! Une question spirituelle est une question d'amour, et l'amour et le péché, accueil et refus de Dieu en dernière instance, ce sont des réalités historiques, qui se vivent dans des situations concrètes.

C'est cela que l'irruption du pauvre sur le plan du développement historique de nos pays, dans l'Église et dans notre propre vie personnelle, nous a fait voir avec clarté.

II. QUELQUES PERSPECTIVES ECCLÉSIOLOGIQUES

Notre intérêt pour l'ecclésiologie vient du dynamisme même d'un travail d'annonce de l'Évangile marqué par l'irruption du pauvre que nous tâchions de rappeler. En fonction de cela il est utile de dire quelques mots des pistes de travail qui se posent à nous.

1. L'Église des pauvres

Disons tout d'abord que nos soucis ont un rapport avec une question très discutée au temps du Concile, je veux parler de l'Église des pauvres indissolublement liée, comme le fait remarquer le P. Chenu[3], au thème de l'Église pauvre. On se souvient du mot de Jean XXIII dans son message du 11 septembre 1962 : « l'Église se présente telle qu'elle est et veut

---

2. « 'L'Eglise des pauvres' à Vatican II », in *Concilium*, N° 124, avril 1977, pp. 75-80.
3. On peut le trouver, entre autres, dans P. GAUTHIER, *Consolez mon peuple*, Paris, 1965, pp. 198-203.

être l'Église de tous et particulièrement l'Église des pauvres ».
Cette phrase lança tout un mouvement.

On se souvient aussi de l'intervention marquante du Cardinal
Lercaro, archevêque de Bologne. C'est un très beau texte qui
garde d'ailleurs toute sa valeur [4]. Là il disait avec toute la clarté
qu'on peut souhaiter, que l'évangélisation des pauvres n'était pas
l'un des thèmes du Concile parmi d'autres. Et il finissait en
disant : « Si en vérité l'Église, comme on l'a dit maintes fois, est le
thème de ce Concile, on peut affirmer en pleine conformité avec
l'éternelle vérité de l'Évangile, et tout à la fois en parfait accord
avec la conjoncture présente : le thème de ce Concile est bien
l'Église en tant qu'elle est surtout 'l'Église des pauvres' ».

Autour de ceci il se constitua un groupe de travail qui se
rencontrait au Collège Belge à Rome [5]. On voulait que le Concile
prenne ce point comme une question centrale. Les résultats ne
furent pas ce qu'on pouvait souhaiter. On a le beau texte le
LGn. 8 et d'autres allusions. Mais ce ne fut pas *le* thème du
Vatican II. C'était trop tôt peut-être. Et le Concile avait d'autres
soucis, on était à l'heure de l'ouverture au monde et du dialogue
avec la société moderne. La situation des peuples, races et classes
sociales marginalisées et exploitées par les tenants de cette
société moderne n'était pas dans la ligne de mire de Vatican II.

La question fut reprise à Medellin. S'agissant d'ailleurs d'une
Église vivant dans un continent pauvre, cela était inévitable. Le
fait est qu'à Medellin une voix prophétique se lève et on y parle
de libération, en même temps qu'on prend une option pour les
pauvres et opprimés du sous-continent. Medellin fut le début
d'une nouvelle route pour l'Église latino-américaine. Là, oui,
l'évangélisation et la libération des pauvres étaient au centre.

La préparation à Puebla n'a pas été facile. Deux positions
s'affrontaient. L'une soutenait que le grand défi à l'évangélisation en Amérique latine (c'était le thème de la conférence

---

4. On trouve des renseignements sur ces efforts dans P. GAUTHIER, *o.c.* Cf. le
petit mais précieux livre de Y. CONGAR, *Pour une Eglise servante et pauvre*, Paris,
Ed. du Cerf, 1963.

5. Pour un commentaire sur ces deux thèmes à Puebla qu'on nous permette de
nous référer à un travail personnel « Pobres y Liberacion en Puebla » et *La Fuerza
historica de los pobres*, Lima, 1979, pp. 237-302.

épiscopale) était constitué par le sécularisme résultat du processus d'urbanisation et d'industrialisation vécu en Amérique latine. Indifférence religieuse voire athéisme étaient les grandes questions parce qu'ils tuaient l'âme du peuple latino-américain en l'arrachant à ses racines culturelles. L'autre position affirmait que le défi venait de la misère et de l'exploitation subies par la grande majorité de la population, ainsi que de la répression brutale imposée à tout effort de libération. Cela posait également une question au genre de croyance en Dieu. D'ailleurs, déjà à l'époque, nombreux étaient les chrétiens à avoir donné leur vie pour témoigner du Dieu des pauvres.

Dans ses grandes lignes Puebla ratifia l'option de Medellin et relança la perspective de l'option préférentielle pour les pauvres et pour sa libération[6].

2. Les pauvres évangélisent

Le rapport entre l'évangélisation et les pauvres est plein de conséquences. Je voudrais ici me borner à quelques remarques.

a) La potentialité évangélisatrice des pauvres

Sous la mouvance de Vatican II et de Medellin on a beaucoup parlé d'évangéliser les pauvres, et on a lancé de nombreuses expériences dans ce sens. On voyait là un test d'authenticité de la mission de l'Église. Mais au fur et à mesure que ces expériences-là étaient approfondies et que les pauvres se faisaient de plus en plus présents sur le plan historique, on est devenu conscient de ce que les pauvres eux-mêmes étaient des artisans de leur propre destin et en même temps des sujets de la tâche d'annonce de l'Évangile. Beaucoup, en voulant apporter la Bonne Nouvelle aux pauvres ont eu l'expérience d'être évangélisés. On en est venu ainsi à se comprendre que les pauvres n'étaient pas seulement les destinataires de l'évangile mais aussi ses porteurs[7].

---

6. Le P. Congar écrivait déjà en 1964 : « Il nous est apparu ensuite que les pauvres peuvent être des révélateurs de Dieu. Ils peuvent être un moyen ou une voie pour trouver le Christ » (*Jalons d'une réflexion sur le mystère des pauvres dans* P. GAUTHIER *o.c.,* p. 509).

7. La bibliographie sur les CEBs est abondante, on peut consulter un travail d'ensemble : Almir Riberro GUIMARAES, *Comunidades de base no Brasil*, Petropolis, Vozez, 1979 ; et aussi l'intéressante étude de Alvaro BARREIRO,

C'est ce qu'a été dit à Puebla en toute clarté : « l'engagement avec les pauvres et les opprimés, ainsi que le surgissement des communautés de base ont aidé l'Église à découvrir la potentialité évangélisatrice des pauvres » (n. 1147).

C'est un texte intéressant et qui reflète bien un asppect de la vie de l'Église en Amérique latine. Disons un mot sur les communautés de base

b) *Les communautés ecclésiales de base*

L'existence des CEBs est sans doute l'un des faits le plus frappant de l'Église latino-américaine. Et non seulement de l'Église, parce qu'elles ont une présence très forte dans nos sociétés. Le point a été débattu à Puebla qui a vu en elles une grande espérance pour l'Église. Il ne s'agit pas ici d'examiner leur surgissement ou de suivre leur itinéraire, il s'agit d'ailleurs d'une évolution — c'est ma conviction — beaucoup plus complexe de ce qu'on pense. Il suffit à notre propos de prendre la situation présente et de souligner deux traits de ces communautés.

Qu'est-ce qu'on entend par *base*, tout d'abord. Les qualifier comme des groupes informels ne rend pas compte de leur réalité. Base ne signifie pas non plus nécessairement des personnes sans fonction d'autorité dans l'Église en vue d'une certaine contestation de cette autorité. Entre autres choses, cela reste sur une problématique trop intraecclésiastique et en tout cas ne répond pas à l'expérience des CEBs chez nous. Base dit avant tout un rapport avec le peuple pauvre, exploité et chrétien. Il s'agit de ce qu'on peut appeler la base dans la société, du monde où se trouve l'Église, c'est-à-dire les secteurs pauvres, les classes populaires. De fait, c'est parmi les paysans et dans les bidonvilles où sont surtout développés les CEBs, que pour celà même on appelle parfois communautés chrétiennes populaires. Cette dernière expression ne veut pas d'ailleurs enlever le caractère ecclésial de ces communautés.

Et j'en viens au deuxième point que je voulais souligner. On parle souvent des communautés de base comme des petits groupes (ce qui n'est pas toujours le cas d'ailleurs) ayant pour but

---

Comunidades eclesiais de Base e Evangelizaçao dos pobres, Sao Paulo, Ed. Loyola, 1977. Et pour une réflexion théologique à partir de cette expérience l'œuvre bien connue de L. Boff, *Eclesiogënese,* Petropolis, Vozes, 1977.

de créer des relations interpersonnelles. Et alors on ajoute qu'il s'agit d'une réaction contre une société massificatrice qui tend à l'anonymat. Encore une fois ce n'est pas ici que gît la question pour les CEBs. Ce qui est premier est la place que la tâche évangélisatrice a dans la vie de ces communautés. «Faire des disciples à toutes les nations» en partant de l'option préférentielle pour les pauvres, telle est la fonction de ces communautés. Seulement à partir de la place centrale de l'évangélisation il est possible de comprendre la dimension communautaire des CEBs en tant que lieu des relations interpersonnelles[8].

3. *A partir des non-invités de la parabole évangélique*

Assumer la perspective des pauvres conduit à reprendre certains thèmes traditionnels de la théologie. Je voudrais donner quelques exemples à titre purement indicatif, mais qui peuvent aider à voir les problèmes que nous nous posons.

a) *Une Église qui naît du peuple sous l'action du Saint-Esprit*

On emploie souvent cette expression en Amérique latine, on dit aussi une Église qui naît de la réponse de foi que donne le peuple pauvre. Ce qu'on veut dire par là, c'est quelque chose qui vient d'une expérience de construction d'Église.

Ce qui apparaît toujours plus clairement à de nombreux chrétiens c'est que l'Église, si elle veut être fidèle au Dieu de Jésus-Christ, doit prendre conscience d'elle-même, à partir d'en-bas, à partir des pauvres de ce monde, des classes exploitées, des races méprisées, des cultures marginalisées. Elle doit descendre aux enfers de ce monde et communier à la misère, à l'injustice, aux luttes et aux espérances des damnés de la terre, parce qu'à eux est le royaume des cieux. Au fond, il s'agit de vivre comme Église ce que vivent comme êtres humains une bonne partie de ses propres membres. Naître, renaître comme Église à partir de là signifie mourir aujourd'hui dans une histoire d'oppresion et de complicités ; sa capacité de vivre dépend de son

---

8. Cf. James CONE, *The God of oppressed,* New York, 1974 et Jon SOBRINO et autres, *La Lucha de los dioses*, San José Managua, 1979.

courage pour mourir à ces réalités. C'est là sa Pâque. Ce qui, à
beaucoup, apparaît comme un rêve est cependant le véritable
défi auquel est affrontée la communauté chrétienne aujourd'hui.
Il arrivera un moment où tout autre discours ecclésiologique
apparaîtra comme vide et sans signification. Actuellement,
beaucoup font pression dans cette ligne. Les formes sont diverses
et modestes (engagement auprès des pauvres, défense des droits
humains, africanisation de la foi chrétienne, rupture avec un
passé colonial, etc.) ; le but est une radicale fidélité à l'Évangile,
à la permanente nouveauté de l'appel de Dieu. De plus, peu à
peu on comprend mieux que, finalement, il ne s'agit seulement
pas que l'Église soit pauvre mais que les pauvres dans ce monde
soient le Peuple de Dieu, témoin inquiétant du Dieu qui libère.

b) *Grâce et exigence*

Le rapport entre Royaume de Dieu et Église est classique en
ecclésiologie. Je voudrais faire une remarque seulement. Prenons
l'évangile de Matthieu. La prédication de Jésus y est présentée
du chap. 5 au chap. 25. Cela commence et finit en établissant un
rapport entre les pauvres et le Royaume. La vie du disciple est
axée sur la dialectique grâce-exigence. Le Royaume est un don
mais il exige un comportement déterminé dans l'histoire. C'est le
temps de l'Église. Le Royaume juge l'Église, c'est un thème
traditionnel. Matthieu nous dit quel est le critère pour ce
jugement : ce sont les fruits (chap. 7), et ils sont le résultat de ce
que la Bible appelle avec une expression technique : « les œuvres
de miséricorde » (Mth. 5,16 ; 25,31-46). Ce sont des gestes
concrets adressés aux pauvres. Cela méritera aux disciples la
grâce de la rencontre avec le Seigneur lui-même et par
conséquence l'entrée au Royaume. Comment l'Église latino-
américaine doit-elle vivre cette dialectique grâce-exigence ?
Quels sont les fruits, les œuvres de miséricorde, qu'elle doit
donner aujourd'hui en Amérique latine, car c'est là qu'elle est
jugée dans le Royaume ?

c) *Le Dieu de la vie*

On se rend compte de plus en plus que ce qui est en question
en toute ecclésiologie c'est la façon de concevoir notre foi en
Dieu. Notre notion de Dieu est en relation avec la manière de

nous entendre nous-mêmes. En schématisant un peu, on peut dire qu'une certaine théologie traditionnelle a parlé d'un Dieu tout puissant et omniscient face à un être humain fini et limité. Dans la théologie moderne on a été frappé par ce qu'on a appelé le caractère adulte, mûr (mündig) de la personne humaine et alors on a parlé d'un Dieu souffrant et faible (Bonhoeffer, Moltmann, Kitamori). Ceci a permis dans une optique christologique de reprendre des points importants et riches en théologie.

A partir des pauvres et opprimés en lutte pour leur libération on parle d'un Dieu noir, Dieu des pauvres, Dieu libérateur, Dieu de la vie. Il ne s'agit pas de simples mots. Derrière eux pointe une façon de concevoir Dieu. Et ceci est aujourd'hui l'un des plus grand soucis d'une théologie de la libération venant des peuples marginalisés et exploités [8]. Nous sommes ici devant quelque chose de décisif, car parler de Dieu c'est toucher le fond même de notre foi.

CONCLUSION

Au risque de dire une banalité, il faudrait rappeler que le premier pas pour élaborer une ecclésiologie c'est d'être engagé dans la tâche de construire l'Église.

Il s'agit d'une Église enracinée dans le monde des pauvres, construite à partir de non-invités de l'histoire, solidaire avec les opprimés et leurs luttes de libération. Ce n'est pas un rêve, c'est un projet difficile mais qui commence à présenter certaines réalisations. Un début à peine, les CEBs en sont une expression.

C'est une Église qui a ses martyrs. Témoins de l'existence des pauvres dans le continent (il s'agit d'un fait que certains groupes tendent à nier) et témoins d'un Dieu qui aime les pauvres d'un amour de préférence. On a eu des difficultés, dans un passé récent, pour reconnaître le témoignage de nombreux laïcs (paysans, ouvriers, étudiants), religieuses et prêtres tués ces dernières années, mais cela deviendra de plus en plus clair.

On pourrait, peut-être, illustrer ces points avec le cas de M. Romero tué durant la célébration de l'Eucharistie. M. Romero avait pris clairement parti pour les opprimés de son peuple. Dimanche à dimanche à travers de longues homélies, très écoutées dans tout le pays et ailleurs, il prenait la défense des droits des pauvres. Son langage avait une telle clarté que personne ne doutait qu'il risquait sa vie à chaque sermon. Il reçut des menaces de mort, mais se refusa à avoir une protection en disant qu'il ne voulait pas avoir ce que son peuple n'avait pas. Je voudrais finir avec une simple phrase de M. Romero mais qui dit bien le type d'Église et d'ecclésiologie qu'on cherche : « Mon travail a consisté à maintenir l'espérance de mon peuple, s'il y a un petit reste d'espérance, mon devoir c'est de la nourrir » (Homélie du 11 novembre 1979).

Vincent COSMAO

DÉPLACEMENTS DE CENTRES D'ATTRACTION

La période de quinze ans retenue comme cadre d'une réflexion sur l'ecclésiologie de Vatican II a correspondu, dans l'histoire de l'humanité, à un double changement d'axe, politique et culturel, dont les conséquences pour la vie ecclésiale commencent à peine à apparaître mais sur lesquelles il importe dès maintenant de s'interroger. Une telle réflexion est, cependant, d'autant plus risquée que les analyses, sur la base desquelles il faudrait l'entreprendre, sont loin d'être acquises dans un univers culturel et politique largement déterminé encore par les évidences construites au long des deux, trois ou quatre derniers siècles.

Après des décennies de confrontation sur les modalités d'organisation de la vie collective dans les sociétés mises en mouvement par la révolution industrielle, confrontation qui devait atteindre son point culminant dans la « guerre froide », les contradictions du système mondial ont commencé vers le milieu des années 60 à « s'organiser » selon l'axe nord-sud ; leurs procédures de négociation sont loin d'être mises au point au moment où commence la décennie 80.

Au-delà de la critique de la religion qui constitue une des lignes de forces de la rationalité conquérante et une des conditions de la réorganisation des sociétés issues de l'éclatement de la « chrétienté », la « religion » réapparaît, dans toutes ses ambiguïtés, comme une des données des dynamiques sociales, dont ses manifestations contribuent à mettre en évidence l'irrationnalité moins aisément réductible qu'on ne l'avait pensé aux premiers temps de la modernité

Les rapports de l'Église au « monde », dont la prise en compte eut une telle importance à Vatican II, vont être profondément modifiés par ce double basculement qui remet au premier plan de la vie ecclésiale les « pauvres » et « Dieu », deux « interlocuteurs » dont les relations furent déterminantes à la naissance comme dans la préhistoire du christianisme.

Mesurant le caractère hasardeux de l'entreprise, je livre à la réflexion collective quelques éléments d'une tentative d'élucidation du moment présent selon la problématique ainsi esquissée à grands traits.

I. NORD-SUD

En 1964 se tenait à Genève la 1re CNUCED (Conférence des Nations Unies sur le Commerce et le Développement). Elle devait être suivie de quatre autres rencontres : à New-Delhi en 1968, à Santiago du Chili en 1972, à Nairobi en 1976 et à Manille en 1979. L'histoire de cette organisation correspond donc à la période de référence.

C'est en fonction de ces débats que les pays sous-développés se sont constitués en groupe dit des « 77 » qui réunit à ce jour 119 pays du « tiers-monde » ; plus ample que le groupe des « non-alignés », il est, peut-être, aussi plus significatif de la confrontation entre les pays qui ont participé à la première industrialisation et ceux qui s'en sont trouvés exclus. Tandis que le « non-alignement » situait les pays qui s'y engageaient par rapport aux contradictions internes du Nord, les « 77 » se définissaient d'emblée en confrontation ou, potentiellement, en négociation avec le Nord. Quoiqu'il dût en être, au fil des années, de leur intégration, diversifiée et souvent contradictoire, au système industriel, ces pays intervenaient d'abord dans le débat politique international comme fournisseurs de produits primaires. La détérioration des termes de l'échange à leur détriment devait être pendant longtemps au centre des discussions qui faisaient passer la problématique du développement de l'« aide » au « commerce », c'est-à-dire à l'organisation des échanges entre pays plus ou moins industrialisés. « Trade, not aid » disait-on au moment de ce tournant.

Prenant le relais à leur conférence d'Alger (1973) les « non-alignés » allaient poser en clair les questions qui cheminaient depuis que s'effritait l'« évidence » que le « développement» se réaliserait par le transfert des techniques et du savoir-faire des pays industrialisés. Concrétisant l'affirmation, à Bandœng (1955), du droit des peuples à l'autodétermination, ils proclamaient le droit des peuples à se réapproprier leurs ressources naturelles et à prendre le contrôle de leur transformation. Faisant, avec la « guerre du pétrole », la démonstration de la position de force qu'ils avaient conquise en s'organisant, ils faisaient adopter par la 6ᵉ Assemblée générale extraordinaire de l'O.N.U. (1-5-1974) la déclaration sur l'instauration d'un Nouvel Ordre Economique International. Ainsi prenait forme l'évidence de la nécessaire réorganisation des rapports entre les peuples. Dès 1964, à Genève, l'idée était dans l'air, lancée en particulier par le P. Lebret, porte-parole de la délégation du Saint-Siège. A Santiago, en 1972, au lendemain du Synode sur la justice dans le monde (1971), Paul VI et son porte-parole revenaient avec insistance sur la nécessité de poser les problèmes du développement en termes de structures et de système à transformer. Les « connivences » entre le Saint-Siège et les « 77 » ou les « non-alignés » mériteraient d'ailleurs d'être analysées pour elles-mêmes. Mais l'acteur principal de ce changement de phase fut incontestablement le « tiers-monde », agissant comme collectif, quoiqu'il en soit de ses contradictions. C'est le Sud qui affronte le Nord et lui propose la construction volontariste, dans la négociation, d'un système plus adéquat et plus équitable des rapports réciproques.

Au fil des années la négociation n'a guère progressé et le Nord a tout tenté pour reprendre le contrôle des opérations. Les progrès technologiques rendus nécessaires par la crise de l'énergie lui laissent d'ailleurs « espérer » à terme, à travers les inévitables modifications des rapports sociaux et des modes de vie, la reconquête d'un pouvoir, un instant ébranlé. Tout sera fait pour y parvenir mais rien n'est joué d'avance, la détermination du « tiers-monde » à se faire sa place dans la société mondiale à construire étant celle d'hommes et de peuples affrontés à des questions de vie ou de mort.

A l'horizon des débats en cours ce qui est en question c'est l'entrée effective dans une économie politique mondiale dont l'objet serait la gestion de l'ensemble des ressources, de leurs transformations et de leur mise à disposition de toute l'humanité.

L'ère industrielle s'était ouverte et organisée sur la base de l'évidence que les matières premières, l'énergie, les produits primaires ne valaient rien et que seule leur transformation en biens leur donnait valeur économique, sociale et symbolique. Certes c'est l'industrialisation qui a permis cette transformation de choses en biens : jusqu'à l'eau pure et l'air qui deviennent valeurs marchandes, comme la terre et tout ce qui s'échange sur le marché ; au stade ultime du processus tout se transforme aussi en armes, comme le blé qui fait contrepoids au pétrole.

Mais plus l'industrialisation progresse et se sophistique, au point que la matière première se dévalorise à la mesure même de la valorisation de la matière grise, et plus il devient évident que les ressources naturelles constituent un patrimoine dont on commence à savoir qu'il n'est pas inépuisable. Sans doute les réserves s'avèrent-elles d'autant plus importantes que leurs prix montent.Mais dans le même temps prend forme un sens nouveau de la responsabilité collective de l'humanité dans l'espace et le temps. N'existant et ne produisant ses conditions d'existence que sur la base de la planète sur laquelle elle est apparue, l'humanité est en train de commencer à comprendre qu'elle a à gérer cette assise qui lui demeure nécessaire pour longtemps encore.

En exigeant la rémunération équitable de sa production de matières premières ou de produits primaires, même quand il entre à son tour dans l'ère industrielle, le « tiers-monde » est en train de recentrer l'organisation globale de l'être-au-monde de l'espèce.

De ce point de vue le rapport Nord-Sud apparaît plus déterminant que le rapport est-ouest : celui-ci ne concerne en effet que les contradictions internes du système industriel. Le défi devant lequel se trouve l'humanité est bien plus radical.

Sans doute les deux axes continueront-ils longtemps encore à interférer entre eux dans la complexité des rapports sociaux, sans parler des structures mentales, dont les modifications sont infiniment plus lentes.Mais déjà se dessinent des scénarios de confrontations où les révoltes des peuples forcés à « se moderniser » pourraient donner lieu à des révolutions inédites : les prodromes en sont déjà observables et tout n'y est pas nécessairement rétrograde.

II. Religion

C'est aussi selon l'axe nord-sud que la « religion » redevient d'actualité d'une manière inattendue.

Sa disparition ou sa régression faisait partie de la modernité, en était même constitutive. La rationalité évacuait aux marges les conduites, les attitudes, les représentations contre lesquelles elle se conquérait en affrontant le pouvoir de clercs qui gouvernaient les consciences en les soumettant à leur « ordre divin ». Les « lumières » s'imposaient face aux forces obscures, à l'« obscurantisme », à la « superstition ». Le fonctionnement même du vocabulaire est représentatif de la contradiction entre le « progrès » et la « religion ». L'ordre qu'imposait la chrétienté était d'une telle cohérence que son éclatement ou son dépassement pouvait difficilement se faire sans un tel « manichéisme ». L'athéisme théorique était dans la logique de la « sécularisation » qui a constitué la principale ligne de forces de l'émancipation des sociétés où l'organisation de la vie collective et le pouvoir avaient été sacralisés au nom d'un christianisme devenu la « religion civile » des pays qui allaient s'industrialiser en devenant le « centre » du monde dont la « périphérie » entrait en sous-développement ou en destructuration du fait de sa polarisation par les sociétés ainsi dominantes : à l'exception du Japon, celles-ci avaient été « chrétiennes » et s'étaient constituées en « s'expliquant » avec l'organisation ecclésiastique qui leur avait imposé sa domination « religieuse ».

Quand le « développement » du reste du monde devint une « préoccupation » générale, à la fois parce que le marché devait s'élargir et parce que l'on comprenait et supportait mal que la majorité de l'humanité fût ainsi tenue à l'écart du « progrès », la « religion » apparut très vite comme un des obstacles au changement qui s'imposait dans les pays sous-développés. Le « développement » s'identifiait, en effet, à la modernisation dont la condition était le transfert des techniques et du savoir-faire qui avait permis la « réussite » des pays industrialisés. Le sous-développement n'étant « analysé » qu'en termes de retard technique, le « développement » ne pouvait être pensé et mis en œuvre que par la diffusion ou la vulgarisation technique. Parmi les résistances auxquelles on se heurtait dans une telle pratique, les attitudes et les représentations religieuses venaient en premier plan : les « vaches sacrées » de l'Inde ont ainsi souvent servi à désigner l'obstacle par exellence à tout « développement ».

En analyse du sous-développement et en théorie du développement cette phase est désormais dépassée. De plus en plus nombreux sont les praticiens et les analystes qui comprennent le sous-développement comme l'effet second ou le sous-produit du modèle de développement qui a permis les progrès des pays industrialisés et dont une des conditions a été la concentration des ressources, des activités productives et du pouvoir au détriment de la « périphérie » qui en était exclue.

Mais d'une manière générale la pratique du « développement » suit encore les schémas de la modernisation plus ou moins forcée, tandis qu'avec la diffusion de la réflexion sur le sous-développement se généralise la résistance au modèle ainsi imposé.

Parmi les forces de résistance, au sens positif du terme cette fois, à cette nouvelle domination, la religion apparaît de nouveau au premier plan, avec une connotation de mouvement de libération. L'expérience met en évidence que les traditions, les représentations religieuses sont parmi les structures mentales qui résistent le plus longtemps aux processus de destructuration. Quand l'« impérialisme » est identifié à la « mécréance » la religion peut devenir le principal facteur de la réaction de refus que des peuples peuvent opposer aux déterminations qui leur sont imposées de l'extérieur. La « révolte des peuples » était prévisible avec la « montée en conscience » ou la « conscientisation » des groupes humains que leur sous-développement conduisait au fatalisme ou à la résignation.

L'Islam n'est pas le seul agent d'une telle résistance sur laquelle il importe de ne pas se méprendre : le fatalisme et le fanatisme qu'on lui attribue volontiers sont à analyser de l'intérieur des mouvements populaires qu'il contribue à organiser ou à canaliser. Dans les aires où il a longtemps contribué à faire aller de soi l'ordre colonial, le christianisme commence aussi à fonctionner comme agent de résistance à la domination qui produit le sous-développement. Que ce soit dans les « syncrétismes » qui représentent à la fois la résistance à son imposition comme « religion étrangère » et des tentatives d'assimilation de son apport, que ce soit dans les « Communautés de base » où sa Bonne Nouvelle est effectivement entendue comme message de libération et contribue à la conscientisation et à l'auto-organisation des pauvres, le christianisme est à l'œuvre comme mouvement historique qui s'interprète lui-même comme mouvement de libération. Potentiellement subversif, ce christianisme, comme l'Islam, n'a plus les connotations de la « religion » qui fut opposée au « progrès », même s'il refuse ce « progrès » dans la mesure même où il le perçoit impérialiste.

Ces mobilisations religieuses n'en demeurent pas moins « inquiétantes ». La « religiosité » sourd, en effet, de l'« obscur » et les mouvements collectifs, « messianiques », qui prennent forme ainsi sont toujours redoutables. En l'occurrence, dans l'espace chrétien, traversé au long des siècles de tant de réflexion contradictoire sur le fonctionnement de la religion dans les dynamiques sociales, la régulation de telles résurgences a plus de chances de se produire. Encore faut-il que la réflexion ne reste pas bloquée dans les schémas « post-chrétiens », qu'au-delà des nécessaires désacralisations des sociétés figées du fait de leur « christianisation », elle puisse prendre en compte l'indispensable régulation de l'inertie qui conduit les sociétés à sacraliser l'organisation qu'il leur faut s'imposer pour exister.

III. ÉGLISE DE DIEU, ÉGLISE DES PAUVRES

Si la reconnaissance de Dieu comme unique Dieu permet, théoriquement, à la tradition judéo-chrétienne ou abrahamique de contribuer effectivement à la maîtrise de la tendance des sociétés à se fabriquer des dieux, elle permet aussi, ou exige l'organisation de la vie collective sur la base de la résistance active à sa dérive vers l'inégalité.

Ce qui apparaît au grand jour, sur l'axe Nord-Sud plus clairement que dans les contradictions des sociétés industrielles, c'est, en effet, une inégalité telle qu'il est impossible de la considérer autrement que comme une injustice, le critère du passage de l'irréductible inégalité à l'injustice étant que certains manquent du nécessaire. La Banque Mondiale a dû construire le concept de « pauvreté absolue » pour analyser le sort qui est ainsi fait à 780 millions de personnes. Dès lors est posé le problème politique qui, d'une manière ou d'une autre, déterminera désormais toute politique internationale. La « société mondiale » à construire dépendra de la « volonté politique » qui s'investira dans la réduction de cette inégalité.

Il est clair, en effet, qu'aucune « aide » ou aucune organisation de « transfert » de surplus, de capitaux ou de techniques, ne suffira pour résorber cette pauvreté absolue. C'est l'ensemble des rapports entre les peuples qu'il faudra réorganiser : problème politique s'il en est. C'est selon cette perspective que le « tiers-monde » propose l'instauration d'un Nouvel Ordre Économique International.

Si l'Église, comme « peuple de Dieu » et comme « hiérarchie », ne reste pas insensible au problème ainsi posé, même si elle tarde à le prendre en charge selon la « conviction » qui la conduisait à considérer « le combat pour la justice... comme une dimension constitutive de la prédication de l'Evangile » (Synode sur la justice dans le monde, 1971), il est prévisible qu'elle en sera profondément modifiée dans sa conscience collective et son fonctionnement.

L'observation de ce qui se passe en son sein, et en particulier dans les églises du « tiers-monde » où se rassemblent plus de la moitié des chrétiens, permet déjà d'augurer à la fois le recentrage de la vie ecclésiale sur les pauvres, premiers destinataires de la Bonne Nouvelle, sur la relation à Dieu garant de leurs droits, et sur le rapport à redécouvrir entre la reconnaissance de Dieu et l'organisation de la vie collective.

« Église des pauvres » avait été un des thèmes souterrains du Concile. Elle est en train de naître là où les pauvres sont évangélisés, c'est-à-dire invités à la libération et non à la résignation, et où ils deviennent par là-même, agents d'évangélisation et de construction de l'Église en même temps qu'agents de changement social. Ce mouvement des « communautés de base » est assez irrésistible pour déterminer une pratique ecclésiologique dont les effets, sans être « redoutables » comme le craignent certains appareils, n'en seront pas moins significatifs et opératoires.

La « réapparition » de Dieu dans le paysage n'est pas moins

importante : c'est un Dieu dangereux qui n'est ni le gardien des ordres établis, ni la projection fantasmatique des rêves inassouvis. En se révélant dans sa Transcendance Il fonde la transcendance de l'homme qu'Il crée à son image et ressemblance, ayant à se faire exister en organisant le monde et la conduite de sa vie collective.

L'expérience historique a mis en évidence que Dieu ne fournit pas de modèle pour l'organisation de la vie collective, confiant l'homme à sa propre responsabilité. Mais Il ne s'accommode pas d'une organisation du monde où des multitudes sont privées du nécessaire. La redécouverte de ce qu'exigeait la Loi, en ce domaine, en contre-partie de l'Alliance, ne restera pas sans effet dans l'histoire. L'exigence de la destination universelle des biens qui trouve son fondement dans l'unité de l'humanité en relation à Dieu peut contribuer à faire aller de soi la nécessaire instauration d'un Nouvel Ordre Économique International.

*
**

Si l'Église est constituée par sa mission qui est d'annoncer la Bonne Nouvelle « aux nations », il est inévitable que sa structuration et son interprétation soient tributaires de la modification des rapports entre les nations, les peuples, les groupes sociaux et de la nécessité qui se fait jour de construire une société mondiale.

La parole qu'elle a vocation à produire ne peut, en effet, être sans signification pour la tâche devant laquelle se trouve l'humanité. Elle n'a pas à assumer cette tâche qui relève de l'humanité en mal d'auto-production, mais elle doit dire Dieu de telle manière que sa parole contribue à rendre pensable et possible le sursaut créateur dont dépend l'avenir de l'humanité.

En se décentrant ainsi d'elle-même pour parler aux hommes, l'Église sera aussi conduite à se restructurer en fonction de la relation à Dieu selon la pratique et la prédication de Jésus. Les pauvres redeviendront ses « maîtres », eux qui savent, mieux que quiconque, que Dieu est leur libérateur, leur recours.

Mais dans la mesure même où l'Église sera ainsi « présente au monde », c'est-à-dire partie prenante de l'histoire en train de se

faire, elle sera aussi conduite à se laisser mettre en mouvement,
dans la réadaptation de ses structures à sa mission : sa tâche
déterminera son organisation interne ; elle se construit en effet
dans la pratique même de sa foi.

Gérard DEFOIS

CRITIQUE DES INSTITUTIONS ET DEMANDE DE PARTICIPATION

Les pages qui vont suivre concernent la société européenne et ses aires de diffusion ; le propos en est d'abord sociologique et fonctionnel. C'est dire combien les limites de l'analogie resteront étroites, eu égard aux dimensions théologiques et géographiques de la réalité ecclésiale. Nous n'aborderons pas cette dernière comme telle.

Remarquer qu'aujourd'hui les institutions sont critiquées et que les membres de nos sociétés exigent de participer aux tâches de direction, c'est faire une constatation empirique et banale. Traiter scientifiquement ce fait exige de prendre en compte les modifications culturelles, politiques ou économiques apportées par nos concitoyens dans *leur rapport aux institutions*. Ce qui fait l'objet de la recherche sociologique est alors moins étudié en termes de crise de l'obéissance ou de l'autorité que d'analyse du fonctionnement des rassemblements ou de la gestion des tâches collectives qui régulent les échanges dans ces institutions.

Là encore, nous devons nous méfier des évidences communes ; l'on parlera spontanément de « crise », notion qui comme l'arbre nous cache la forêt. En effet, les dysfonctionnements d'une organisation ne s'expliquent pas seulement par les sentiments d'inadaptation qu'éprouvent les acteurs sociaux. Il nous faut prendre la mesure des multiples systèmes de relations qui, en évoluant, provoquent des redistributions de rôles et des stratégies non conformes aux traditions normatives du groupe social. C'est le champ de ces nouvelles déterminations collectives que nous devons construire pour situer, avec une pertinence proprement sociologique, l'objet de la recherche.

Ces précisions épistémologiques sont ici particulièrement

indispensables. Il n'y a en effet de traitement scientifique qu'en rupture par rapport aux appréhensions spontanées parfois sacralisées en discours religieux. On se rend alors la tâche impossible et les commentateurs oscillent entre la critique morale ou l'idéologie fataliste pour légitimer les attitudes protestataires ou les soumissions résignées.

I. Les éléments culturels qui déplacent le rapport aux institutions

Depuis vingt ans, les principaux mouvements de critique des institutions se sont manifestés alors que trois dynamiques opéraient des déplacements dans le champ social de nos sociétés européennes.

1. La massification de l'éducation scolaire et de la diffusion du savoir. L'explosion des multiples formes et objets de transmission de connaissance a élargi très rapidement les facultés de jugement ou d'appréciation de nos contemporains. L'accès à cette information, naguère propriété exclusive des détenteurs patentés du pouvoir social, a banalisé tant le savoir que l'autorité. En effet, l'argument d'autorité, s'il peut s'imposer dans un contexte de dépendance culturelle acceptée, ne l'est plus dans la mesure où la plus grande partie des citoyens peut avoir connaissance des pièces du dossier.

Ceci n'est pas sans avoir favorisé l'éffondrement des notabilités traditionnelles qui se sont trouvées malgré elles en état de concurrence culturelle et donc soumises à critique à propos de la légitimité de leur statut dominant. Bien des positions, tant institutionnelles qu'idéologiques, sont alors apparues arbitraires, c'est-à-dire le fruit d'une conjoncture inégalitaire des chances permettant l'appropriation du savoir et du pouvoir au gré de logiques sociales implicites.

L'autorité est alors amenée à « faire ses preuves », c'est-à-dire à montrer les « raisons » de sa valeur, prouver sa crédibilité. Ce n'est pas la critique des rôles qui, contrairement aux apparences, est première, mais le besoin nouveau de vérifier la validité des assertions des responsables. Ils sont jugés au nom, soit des mythes collectifs du temps (démocratie, rentabilité, force symbolique), soit à la mesure du message et des valeurs mêmes qu'ils sont censés énoncer en vertu de leur fonction.

C'est ainsi que l'on multipliera les points d'interrogation : « Eglise, que dis-tu de toi-même ? Prêtre pour quoi faire ? » ou que se développeront des entreprises de vérification des assertions traditionnelles au nom de l'expérience individuelle. Nous avons vu cela très largement pratiqué dans la vie quotidienne des Églises depuis 15 ans.

L'enjeu de ce mouvement est dans un nouveau rapport polémique avec les vérités énoncées. L'appropriation et ses conditions d'effectuation l'emportent sur l'adhésion sans discours et sans procès. En vertu de la force sociale ou du prestige intellectuel des « faiseurs d'opinion » dans la société. Précédemment message et institution s'imposaient ; aujourd'hui la distinction permet la critique. Ce qui ne manque pas de mettre en tension le consensus social dont les principales composantes allaient précédemment « de soi ». Ceci atteint tant la foi que l'Église, tant le libéralisme ou le marxisme que l'État ou les partis.

2. Le développement de l'économie depuis plus de vingt ans a engendré « l'économisme », c'est-à-dire la croyance naïve au progrès. L'image linéaire d'un développement sans encombre s'est imposée à tous au point que le changement est devenu le test et le symbole de l'amélioration des hommes et des sociétés. Ainsi nous voyons la recherche, la remise en cause, l'extension des connaissances et des moyens de puissance promues au rang de bien universel, le scientifique étant tout à coup paré des privilèges du moraliste. Le rapport aux institutions est vécu en termes stratégiques d'action sur les structures pour les faire évoluer, ces procédures prenant le pas sur les finalités mêmes de ces institutions.

Toutefois, ce mouvement a été fortement ébranlé depuis dix ans par les soubresauts de nos économies : chômage et raréfaction imprévue de l'énergie. De ce déséquilibre sort un nouvel appel aux sécurités traditionnelles et aux points fixes, hors des mouvances récentes. Elles révèlent le caractère fragile et provisoire des nouvelles certitudes issues du changement social. Alors apparaît l'éclatement des consensus noués autour des mythes de progrès. Nous connaissons cette quête d'hommes ou d'images dans l'espoir de restituer au tissu social des repères de base.

Ce même mouvement de l'économie avait redistribué les formes de regroupement des hommes dans l'urbanisation contemporaine. Là aussi il a fallu accepter la dissolution des appartenances rurales où les valeurs et les activités étaient régulées par le même contrôle social. Cela s'est fait au bénéfice d'un art de vivre urbain. Et dans les campagnes elles-mêmes.

Cet « art de vivre urbain » se caractérise par la spécialisation des relations pouvant aller jusqu'à des formes de solitude tragique, la recherche de formes communautaires de rencontre et l'extension de la vie associative, la massification des relations et des objets de consommation dans les rassemblements, les déplacements et les commerces. Ainsi s'opère une prise de distance critique à l'encontre des représentations rurales qui liaient la foi et la vie, la participation aux activités écclésiales et la citoyenneté municipale ou locale. Il semble que ces institutions, ou ne remplissent plus leurs contrats d'hier, ou ne sont plus adaptées aux besoins d'aujourd'hui, du moins selon les critères de communication sans distance des communautés rurales. Dans les deux cas ce déficit de la communication favorise un rapport polémique avec les autorités religieuses dont on attend la consécration de ses vœux. On le voit dans les désaffections de certains publics de classe moyenne à l'égard des règles rituelles ou morales des Églises. Elles recherchent de nouvelles voies, de nouveaux rites, la nouveauté et l'innovation pour elles-mêmes, le refus des pratiques anciennes englobant toutes leurs expressions culturelles.

3. La contestation politique est le niveau le plus immédiat des critiques contemporaines de la société. D'où la propension à réduire tout l'objet de l'analyse aux caractéristiques de ce champ.

En ce domaine, l'événement le plus radical est certainement le mouvement de la décolonisation et de la revendication de l'autonomie des cultures par des pouvoirs « régionaux ». Or le mythe de la démocratie à l'européenne est empreint de la conscience de sa validité universelle, ce qui légitime le bien fondé des formes d'inculcation des cultures européennes aux peuples « à civiliser ». Il comporte la prétention de faire ainsi le bonheur d'autrui malgré lui.

En prenant conscience de leurs richesses matérielles ou culturelles, les peuples et les hommes que nous « protégions » ont ébranlé nos certitudes et notre confiance en l'autorité de nos valeurs. Il y eut une période de tolérance où il fut question de reconnaître aux autres un droit à l'existence, puis vint un temps pour la négociation où l'échange des richesses fut le modèle de la communication entre différentes cultures ; enfin on en est arrivé à la résignation dans l'indifférence, chacun devant être soi-même et sans projet pour autrui.

Ceci fut lourd de conséquences et mortifère pour l'idée de « mission ». Ce qui, il y a un siècle, motivait des milliers de « missionnaires » et des colonisateurs, apparut préjudiciable pour les cultures et les institutions autochtones. Elles avaient été alors détruites ou largement modifiées. D'où les appels au « simple » témoignage, à la non directivité, au partenariat qui traduisent un doute sur la validité de la culture de l'Europe et sur la supériorité de ses organisations, tant culturelles que religieuses. C'est l'autorité même du message et des institutions qui est en cause. Ils ne seraient plus crédibles-dit-on ; ils ne s'imposent plus d'emblée selon les modes qui régissaient les représentations dans la culture traditionnelle quand ils faisaient corps avec les évidences collectives de la situation d'alors.

Il est courant alors d'évoquer en Europe le mois de mai 1968. Or cet événement fut moins un départ qu'un produit conséquentiel. Il fut le « précipité » de ces dynamiques culturelles et politiques qui ont amené la crise de conscience de l'Europe moderne. La fin des autorités traditionnelles garantes d'un ordre des choses et des hommes, où le progrès était la norme obligée du développement des mœurs et des organisations, devint évidente. L'ère du désenchantement qui a suivi en Europe — et rarement en dehors des pays développés — amorce une autre étape dont on ne peut encore dire si elle sera l'heure du retour aux valeurs traditionnelles ou de la production de nouveaux équilibres entre les dynamiques culturelles, politiques et économiques de notre temps. Les facteurs spécifiquement religieux étant concernés par ces trois niveaux d'incertitudes.

II. Les variations organisationnelles de l'évolution de la
    société européenne

Le tableau précédent doit s'inscrire dans un mouvement plus
large, celui d'une unification bureaucratique de la société
mondiale. Cette évolution s'opère sur plusieurs fronts à la fois :
1. La centralisation des décisions économiques. L'effet le
mieux connu en est l'action dominatrice des multinationales.
Dans l'industrialisation familiale du siècle dernier, le pouvoir
était visibilisé par un homme : le patron. De nos jours, derrière le
président-directeur-général salarié, se profilent les actionnaires,
les banques, le fonds monétaire et les programmateurs anonymes. L'éloignement des centres de décision par rapport aux
exécutants est générateur d'un sentiment d'impuissance et de
résignation devant la « fatalité ». Le pouvoir politique est lui aussi
appauvri devant des plans d'action qui dépassent le territoire de
la Nation. Nous savons que la presse elle-même est « programmée » par des agences et des banques d'information qui
commandent l'uniformisation de l'information. La presse locale
est amenée à diminuer d'importance.
2. Les media imposent à la terre entière des références
communes. A l'encontre de la personnalisation précédemment
revendiquée et des tendances à l'éclatement de la Culture en
cultures régionales, la télévision et la radio importent des
stéréotypes dont les contraintes se répandent en tous points du
globe et cela en quelques heures. Cette dépossession que ressent
l'individu dans sa liberté et sa responsabilité individuelle est
ressentie comme une agression. D'autant plus que la culture
personnaliste a fait son œuvre en éveillant à la critique
subjective. Il y a là une tension exacerbée par les contradictions
entre l'éducation et la vie collective, elle nourrit des sentiments
d'impuissance et de rejet de la modernité.
3. Mais tout ce dynamisme unificateur est relayé par l'accès
généralisé à la maîtrise technique. De l'informatique à la
circulation automobile, de la manipulation de l'atome aux
thérapeutiques dans les hôpitaux, ce sont des standards « européens et nord-américains » qui s'imposent et président aux
évolutions des techniques dans le monde entier. Acquérir cette

maîtrise des techniques devient l'espoir des pays estimés « en voie de développement ». Là encore, la dépossession de l'initiative personnalisée apparaît comme inéluctable, et le rejet des pratiques locales ou ancestrales devient la condition de départ de l'accès aux biens des sociétés modernes. Il en résulte une universalisation des langages techniques dont l'imposition s'avère fatale. Ceci au détriment des pouvoirs individuels ou communautaires. Certes, la critique sera acerbe de la part de quelques groupes écologiques qui préféreront la marginalité à l'uniformité, l'ignorance à l'alignement des savoirs, mais le mouvement général dans sa force incontrôlée limite la contestation au sphères du privé ou du folklore.

4. Ceci culmine dans la symbolique du pouvoir. Les ruptures démocratiques et le jeu-spectacle parlementaire issu de la France de 1789, celle de la bourgeoisie d'après la royauté, ont exercé leur influence jusque dans les pays les plus reculés de la planète. Ils ne cèdent le pas qu'aux formes totalitaires où le « néoprince » décide pour son peuple. La critique est bannie ; camps de rééducation, génocides et hôpitaux psychiatriques ont tôt fait de la juguler.

Tout ceci entraîne une privation du pouvoir de décision personnel. Et si parfois des contre-pouvoirs peuvent subsister, ce n'est qu'en s'érigeant en rapports de force. Chaque pouvoir alors réclame l'adhésion des individus et leur appui légitimateur pour que les dirigeants puissent s'opposer efficacement. Ils en retirent le pouvoir d'interpréter pour l'ensemble des citoyens le bien et le mal, le passé et l'avenir. Les institutions sont alors des lieux de conflits et de centralisation.

L'Église n'est pas à l'abri de ces évolutions sociales et il n'est pas indifférent à un colloque sur la collégialité de traiter de cet environnement culturel ou politique. D'un part parce que nombre de critiques qui sont faites aujourd'hui aux responsables de l'Église sont d'abord la projection sur leur gestion des frustrations ressenties à l'égard des institutions de la société générale. D'autre part il est important de noter ici combien le rapport chrétien au pouvoir en termes évangéliques devrait suggérer des innovations dans les formes de gestion de la vie collective. L'Église témoigne aussi de ce qu'elle est dans la façon dont elle gère ses institutions et l'appartenance de ses membres.

La forte demande de participation au pouvoir et au savoir que reçoivent les prêtres et les évêques s'origine dans cette réaction d'hommes et de femmes qui ne se résignent pas à la dépossession moderne de leurs responsabilités individuelles. Sur ce point, l'immense effort accompli depuis quinze ans pour la catéchèse et la formation des laïcs débouche sur de nouvelles demandes de rôles dans l'animation des communautés. Il peut correspondre à la proposition institutionnelle de nouveaux ministères, mais à condition que ne soient pas déçues les attentes de participation aux décisions et aux informations dans l'Église. La collégialité doit s'inscrire dans un processus global de « responsabilisation » des chrétiens pour l'avenir de l'Église et de la société, sinon elles risquent de s'atrophier en lourdeurs administratives. Nous savons que celles-ci ne feraient qu'accroître les sentiments de dépossession de l'ensemble des fidèles.

Il y a là tout un champ de réflexion et d'action pour les prochaines années. L'hypersensibilité de nos contemporains aux questions de pouvoir est la traduction d'une situation culturelle fragile et contradictoire. La dépossession de l'initiative au nom des impératifs de l'efficacité technique et le sentiment aiguisé par l'éducation de la valeur individuelle dans nos sociétés seront générateurs de désenchantement dont les chrétiens auront à tenir compte pour définir à nouveaux frais leurs perspectives institutionnelles.

François-Xavier KAUFMANN

INSTITUTIONS ECCLÉSIASTIQUES
ET SOCIÉTÉ MODERNE*

1. La conception catholique de l'église est caractérisée actuellement par l'incohérence entre une grande tradition et les structures intellectuelles de la civilisation moderne.

1.1 La conception que l'église soit en même temps d'un caractère immanent et transcendant a des racines fortes dans la tradition catholique et remonte jusqu'aux luttes pour comprendre le caractère divin et humain de Jésus.

1.2 Cependant l'église ne commence à être un sujet de réflexion qu'au Moyen-Age ; en outre les morceaux les plus importants de l'ecclésiologie catholique ne datent que des temps modernes. La réflexion théologique sur l'église ne commence à se constituer comme un corps distinct («Ecclésiologie») qu'au XIXᵉ siècle. De plus il n'existe pas (ou peu) de relation entre la réflexion canoniste et la réflexion théologique sur l'église.

1.3 Ni l'ecclésiologie ni la canonistique ne prennent en considération le caractère historique et social de l'église, c'est-à-dire que l'immanence de l'église reste latente pour les modes dominantes de concevoir l'église. L'ecclésiologie actuelle interprète l'église d'une façon spiritualiste ou du moins idéaliste et néglige les aspects juridiques et d'organisation, sinon ils sont

---

* Les propositions suivantes forment un argument complexe que l'auteur a développé et justifié dans plusieurs publications. Voir notamment : «Kirche begreifen — Analysen und Thesen zur gesellschaftlichen Verfassung des Christentums» (Herder) Freiburg i.Br., 1979. La documentation des faits historiques et sociaux a été faite par H. Geller, M.N. Ebertz, H. Katz, U. Altermatt, L. Laeyendecker et K. Gabriel dans : «Zur Soziologie des Katholizismus» (Grünewald) Mainz 1980, édité par K. Gabriel et l'auteur. En langue française resp. italienne l'auteur a publié sur le même sujet dans *Concilium 10* (jan. 1974). Voir aussi «Teologia e Sociologia — rapporti e conflitti (Morcelliana) Brescia 1974.

considérés comme étrangers ou du moins contingents au caractère essentiel de l'église. Les canonistes préfèrent une argumentation juridique et n'établissent une relation avec la conception théologique de l'église que par la primatie du pape. Ainsi la conception actuelle de l'église est dépourvue de dimensions décisives pour comprendre les problèmes actuels des institutions ecclésiastiques.

1.4 Pour la conscience prémoderne la relation entre l'église visible et « l'église véritable » posait peu de problèmes. Cette relation était concue d'une façon 'symbolique' c.à.d. — d'un point de vue moderne — par une prétention diffuse, non clarifiée. Or les conceptions symboliques, qui étaient courantes dans le mode de penser prémoderne (et n'étaient pas du tout restreintes au domaine religieux) — ont perdu leur plausibilité, elles semblent incompatibles avec les structures cognitives qui se développent dans les individus au cours de leur socialisation sous les conditions de la civilisation moderne.

2. L'ecclésiologie explicite, telle qu'elle s'est développée au XIXe et XXe siècle, peut être interprétée d'un point de vue de la sociologie de la connaissance comme un effort continu de reconcilier la tradition de l'église catholique avec les provocations dues au développement de la société moderne.

2.1 La conception dominante de l'église au XVIIIe siècle était institutionnelle dans un sens plat, c.à.d. qu'on présentait les droits de l'église d'une façon naïve. Au cours du XIXe siècle une première synthèse 'rationnelle' du caractère immanent et transcendant de l'église s'est développée : Son élément « synthétique » consistait dans la sacralisation des structures organisatrices réformées de l'église. Ce processus peut être démontré par des aspects divers :

a) On insistait sur les éléments hiérarchiques et centralistes pour donner une légitimation aux efforts continus (depuis Pie VII) d'établir des liens plus directs entre le Saint Siège et les diocèses ou même le clergé subalterne. Les structures ecclésiastique du type féodal détruites notamment par l'activité de Napoléon étaient remplacées par des structures du type bureaucratique et des lignes de contrôle courtes, c.à.d. 'hiérarchiques' aux sens organisateur du mot. Mais on les interprétait comme 'hierarchiques' dans les sens théologique !

b) En parallèle avec la codification du droit national le droit canon fut systématisé et codifié. La réforme de l'organisation du Saint Siège sous Pie X était un autre complément de la modernisation de l'église.

c) Les détenteurs d'un office ecclésiastique sont pourvus d'un charisme sacré. Ce charisme se manisfeste par des coutumes diverses, liés notamment aux rites d'ordination. Tandis que l'autorité des «princes de l'Église» aux temps féodaux ne différait guère de l'autorité de la noblesse en général (et ne comprenait pas le clergé subalterne !) l'autorité fondée sur l'ordination sacramentale conduisit à une valorisation effective du clergé en général et par conséquence à un accroissement substantiel de son influence sur la vie quotidienne des croyants.

d) La conception de l'église comme 'societas perfecta', la primatie de juridiction et le dogme de l'infallibilité ont fourni la légitimation quasi dogmatique pour une ségrégation des catholiques au sein des sociétés modernes et pour la formation d'une culture particulière et d'un réseau clos de communications entre les catholiques (voir 2.2).

e) Le développement d'une vénération sentimentale du pape et de diverses manifestations de solidarité en masse des catholiques (pélerinages, procession de la Fête-Dieu etc.).

2.2 L'organisation sacralisée («La hiérarchie») en tant que synthèse plausible du caractère immanent et transcendant de l'église est liée à des conditions sociales particulières : Au cours du XIXᵉ siècle on assiste au développement du «catholicisme» c.à.d. d'un mouvement social et politique basé sur le fait d'appartenir à la confession catholique et destiné à promouvoir les droits des catholiques et de l'église dans les états à prédominance protestante ou laïque. Le fait social d'être minoritaire dans les sociétés nationales et modernisantes et le développement progressif de tendances anticatholiques et anti-cléricales (surtout après 1870) créaient des conditions favorables pour la stratégie de la hiérarchie en vue de séparer les catholiques des courants de la société dominante et d'établir une quasi-société de catholiques séparés avec des structures de plausibilité

particulières. Cette stratégie de ségrégation avait plusieurs
éléments :
    a) la propagation du traditionalisme,
        b) l'antimodernisme,
        c) la prétention d'un droit naturel, dont le magistère
serait l'interprète authentique,
        d) la proscription des contacts sociaux avec les non-
catholiques,
        e) l'établissement de cercles, d'associations et de fédéra-
tions ainsi que de services sociaux 'catholiques', c'est-à-dire
destinés à servir aux besoins divers des catholiques et
dirigés exclusivement par des catholiques.

2.3 En dépit des déclarations fréquentes d'auteurs non-
catholiques et des représentants de la hiérarchie catholique (qui à
ce point ont été assez unanimes) le catholicisme en tant que
phénomène social ne peut pas être conçu comme une simple
annexe ou une suite de l'église hiérarchique. Le catholicisme en
tant que mouvement social et politique a développé des
structures organisatrices propres (notamment sous forme de
partis politiques et de fédérations) et un dynamisme interne qui
n'étaient pas à contrôler par la hiérarchie. C'était ce dynamisme
interne aux sources diverses dans lequel reposait la vitalité du
catholicisme. Puisque son orientation ultramontane avait des
raisons fortes dans la situation historique, il n'y avait pas de
problème d'être fidèle au pape et à l'église dans sa forme
hiérarchique. Il ne s'agissait pas — du moins dans l'évidence de la
majorité écrasante des catholiques — d'une relation autoritaire
ou forcée.
    2.4 La conception de l'église comme organisation sacrée
(conception nouvelle, comme nous avons vu, mais prétendue
'essentielle' et par conséquent immuable) formait une configura-
tion stable avec la conception du monde ('Weltanschauung')
catholique, mais la plausibilité de celle-ci reposait essentiellement sur le fait de la ségrégation sociale des catholiques. Dans la
mesure ou d'autres éléments sociaux (p. ex. classe, profession,
formation, langage, nationalité)sont devenus plus importants que
la confession pour structurer les relations sociales, la base des
structures de plausibilité catholiques tend à se dissiper. Pour
autant que le catholicisme n'existe plus en forme de macrostruc-

ture sociale, il devient pratiquement impossible de maintenir une conception particulière du monde catholique à part de la culture dominante. Puisque la conception de l'église, telle qu'elle a été formée au cours du XIXᵉ siècle, faisait partie de cet univers particulier (l'idée d'un magistère infaillible en formait même l'élément central!), il faut constater que d'un point de vue sociologique la chance de maintenir digne de foi la conception de l'église sous forme de hiérarchie sacrée tend vers zéro. Ce qui reste, c'est l'organisation brute, fondée sur un droit positif, dont la légitimité tend à s'affaiblir progressivement (et non sans aide de l'écclésiologie des théologiens!).

3. En considérant Vatican II dans cette perspective, on constate que le concile a renoncé avant tout aux éléments de la conception traditionnelle qui ont justifié la stratégie de ségrégation, voir son programme d'ouvrir l'église vers le monde. Une telle ouverture et le renoncement aux formes majeures de l'antimodernisme devait provoquer des conséquences prévues plus clairement par le mouvement conservateur que par les 'réformistes'. C'est avant tout le pouvoir sacralisé de la hiérarchie qui est en cause et qui s'avère de plus en plus comme domination du type bureaucratique (au sens de M. Weber). L'accroissement des administrations ecclesiastiques en fournit l'évidence empirique. Les structures et les décisions ecclésiastiques font de plus en plus l'objet de discussions et on ne croit plus à une autorité transcendante de la hiérarchie. Ceci n'implique pas un défi absolu à l'autorité écclésiastique, mais on demande des justifications plus rationnelles pour l'exercice du pouvoir.

4. Une nouvelle synthèse du caractère transcendant et immanent de l'église va s'avérer difficile. La théologie et le magistère doivent user des conceptions plus complexes pour donner une idée passablement vraisemblable de la réalité du christianisme dans l'histoire et dans la société moderne ainsi que de la fonction de l'église (et de son droit) pour la réalisation de la mission du Christ. Les formules simples (tels que «le peuple de Dieu en pélerinage») permettent parfois une identification nouvelle avec l'idée de l'église, mais il faut bien réaliser qu'ils

sont d'un contenu très imprécis et aident peu à comprendre la réalité historique de l'église.

5. L'impasse de l'ecclésiologie romaine consiste dans la prépondérance absolue des droits de l'église sur les droits des individus. Bien que la conception de l'homme comme sujet et l'idée des droits de l'homme émanent de la tradition chrétienne, on n'a pas su intégrer ces idées de la société civile dans la conception de l'église. Or à l'heure actuelle la vie semble être menacée par le développement des grandes organisations qui imprègnent de plus en plus les relations sociales dans les sociétés avancées. L'extension des droits individuels et du contrôle juridique de l'exercice du pouvoir sont ainsi devenus des conditions évidentes pour une relation acceptable entre les individus et les institutions. Dans la mesure où l'église n'est pas seulement une communauté de sympathie (et ceci n'est possible qu'à la base et impliquerait une décentralisation massive du pouvoir ecclésiastique) mais une organisation extensive et relativement centralisée, elle doit se servir des moyens de l'organisation moderne. Mais une telle organisation ne semble justifiable que par les critères de la protection des droits de l'homme, par le contrôle (et par conséquence la division) du pouvoir et par l'aptitude de l'organisation aux fins de l'église. Le mélange d'une justification théologique et de la performance bureaucratique de l'exercice du pouvoir prend un aspect ambivalent voir immoral pour la conscience moderne.

6. D'un point de vue sociologique les « fins de l'église » (la formule mériterait elle-même une discussion approfondie) sont en rapport avec le problème de la tradition de la foi chrétienne. Cette tradition s'opère nécessairement par des processus sociaux dont on peut distinguer trois fonctions :

a) Maintenir le contenu du message du Christ à travers l'histoire et en s'accommodant aux contextes culturels divers ;

b) organiser les relations sociales dans lesquelles la tradition opère — p. ex. les institutions religieuses,

c) gagner de nouveaux adhérents à la foi chrétienne, étant donné que toute tradition du christianisme a pour condition de convaincre génération par génération de la vérité et de la valeur de la foi chrétienne.

Le sociologue peut donc analyser l'histoire du christianisme en se demandant, comment on est arrivé à résoudre ces trois problèmes au cours des différentes périodes de l'histoire occidentale. Nous avons esquissé la solution (d'ailleurs très effective !) qu'on a trouvée au cours du XIXᵉ siècle, solution qui se comprenait elle-même comme universelle, mais qui s'avère être liée étroitement à une certaine conjoncture historique. C'est pourquoi on ne peut plus restaurer les principes d'autorité jadis couronnés de succès, si on n'a pas le pouvoir d'en restaurer aussi les conditions sociales. Les troubles de la période post-conciliaires semblent la conséquence nécessaire de l'abandon d'une stratégie de la tradition du christianisme dorénavant surannée.

7. Une tâche primordiale pour la reconstruction de l'ecclésiologie me semble donc l'inclusion de la dimension historique et sociale de l'église. L'ecclésiologie doit permettre de discerner différentes réalisations sociales du problème de la tradition de la foi chrétienne et d'en discuter les solutions possibles à présent. L'église doit être comprise non comme immuable mais comme la réalisation variable (et toujours imparfaite) de la mission du Christ dans les circonstances changeantes de l'histoire humaine. Dans la situation actuelle il semble particulièrement important de questionner la fonction du droit canon et les modes du contrôle ecclesiastique pour la tradition du christianisme.

Germano PATTARO

LES DÉVELOPPEMENTS ŒCUMÉNIQUES
ET LEUR INFLUENCE SUR LES PROBLÈMES DES INSTITUTIONS
ECCLÉSIALES

Le problème exige que l'on donne quelques précisions, même si sa formulation, au moins intuitivement, laisse supposer de quelles réalités, appelées «institutions ecclésiales», on parle. Elles regardent certainement le mode historico-visible par lequel la qualité mystérique et communionnelle de l'Église se concrétise sous les formes de la «méditation» tant sociale qu'individuelle. «L'ecclésial» qui les qualifie est manifeste, et donc, en même temps qu'il définit, limite aussi. Mais, on suppose qu'il implique aussi «l'ecclésiastique», même en tenant compte de la distinction faite par le Père de Lubac. C'est-à-dire dans le sens que, tandis que «l'ecclésial» fait directement référence au «mysterium ecclesiae», cette référence, en se formulant historiquement, est inévitablement immergée — positivement ou négativement — dans «l'ecclésiastique». C'est pourquoi la question présente sa propre complexité dont les niveaux étant précisément historiquement dynamiques ne peuvent facilement émerger, de telle sorte que «l'ecclésiale» et «l'ecclésiastique» se présentent de façon concrètement distincte. Ce qui ne signifie pas que la distinction ne soit pas possible. Mais celle-ci s'élabore théologiquement sur le plan de la doctrine qui met en évidence les valeurs en jeu de fondement et de réflexion. Pour ne pas les confondre. Mais sur le plan du jugement et de la vérification historique, la distinction ne peut se présenter que dialectiquement. La complexité peut cacher des mélanges suspects, au point que «l'ecclésial» se

---

Les textes conciliaires : *Sacrosanctum Concilium, Lumen gentium, Unitatis redintegratio,* sont cités selon l'édition préparée par «l'Institut des sciences religieuses de Bologne», Florence, 1968 ; Bologne, 1978.

durcisse dans «l'ecclésiastique» et soit remplacé par lui. De même, si l'on considérait que seul «l'ecclésiastique» est ambigu, dans ce cas «l'ecclésial» deviendrait gnostique et a-historique. Qu'on pense à la question — ecclésiologiquement jamais évitable — de la tension entre institution et charisme, qui peut constituer la référence paradigmatique permanente pour une lecture de l'histoire de l'Église [1]. Qu'il suffise pour le confirmer des notes, seulement apparemment marginales, que L.Vischer a proposées à l'attention ecclésiologique sur la réalité du «Saint-Siège, l'État du Vatican», dans la brève étude critique d'un possible témoignage évangélique de l'Église face aux Nations [2].

Le problème est vigoureusement posé dans le contexte de la théologie et de la discipline de l'Église catholique. Est aussi présente dans le débat œcuménique dans le cadre de «Foi et Constitution», cette forme de conflit entre liberté et autorité, conflit thématisé au nom de l'obéissance due tant à l'unité qu'à la diversité dans l'Église [3].

---

1. Le problème a sa particulière importance si on dépasse la tendance à considérer le *Carisma* seulement comme le don qui «eschatologise» l'institution. Ce qui est possible si on rediscute le rapport *exousia-carisma*, de telle sorte que l'*exousia-potestas* soit toujours et seulement «libérante». On s'explique ainsi comment la *ekklesia*, dans sa manière de se différencier de la «synagogue», ait son titre non dans la seule acception de «réunion eschatologique» mais dans celle qui la fait être une «assemblée libérée». La «libération» devient constitutive si la *potestas* se concrétise à l'intérieur de la *ekklesia*, comme «charismaticité» toujours en action.

Cf.G. HASENHÜTTI, *Carisma, principio fondamentale per l'ordinamento della Chiesa*, Bologne, 1973; *(Charisma, ordnungsprinzip der Kirke)*, Fribourg, Br. 1969) pp. 52-58.

Cf. U.H.V. BALTHASAR,, «Kommentar zu S. Th. II/II» dans *Deutsche Thomas-ausgabe,* vol. 23, Graz, 1954, pp. 253-464.

2. L. VISCHER: «La santa Sede, lo Stato Vatican e la commune testimonianza delle Chiese» dans *Chiesa per il mondo* (aux soins de la faculté de théologie inter-régionale de Turin), Bologne, vol. II, pp. 123-146.

3. Au point de vue réflexion œcuménique, le thème se place dans le contexte des problèmes touchant la structure de l'Église avec une spéciale référence aux questions sur le ministère. De ce point de vue, il est présent dès Lausanne, même si l'importante difficulté du débat a renvoyé la confrontation à Montréal. Cf. L. VISCHER, *Foi et Constitution*, Genève, ¹1968, pp. 34-37, 166-167.

Le débat actuel se situe dans le même contexte, au niveau, par exemple, des dialogues bilatéraux entretenus par l'Église catholique avec les diverses familles chrétiennes non catholiques. Qu'on confronte en particulier le document anglican-catholique sur «l'autorité dans l'Église» (Venise, 1976) dans le *Regno-doc.*, 1977, n° 3, pp. 61-66. Il suit, en conséquence, le point atteint par la

Nous, ce qui nous intéresse, c'est d'établir quel est le degré de la confrontation et de l'expérience œcuménique sur les « institutions ecclésiales » de l'Église catholique.

Tout d'abord, il faut remarquer que le langage qu'emploie le Concile pour parler des « institutions » de et dans l'Église, s'il n'est pas ambigu est, dans son ensemble, général. Au moins, dans le sens que la signification varie en référence soit à la diversité même des « réalités » définies « institutions », soit à la diversité des contextes dans lesquels on en parle. Qu'il suffise d'aligner les termes « instituer », « institution », « institutum » des documents « Lumen gentium », « Unitatis redintegratio », « Sacrosanctum concilium », selon leur acception linguistique [4]. On remarque trois niveaux sémantiques et formels. Le premier regarde l'intention autoritaire de qui « institue » ; le second ce qui est « institué » eu égard à l'intention d'origine ; le troisième, « l'institutio » considérée dans son identité objective et dans son projet propre. Le premier niveau — par exemple — parle « d'instituer », soit que le sujet se réfère au Christ par rapport à l'Église, soit qu'il se réfère à l'Église par rapport à la décision qu'il avait projetée. Il est évident que le langage au sujet des « institutions » change de qualité selon la dépendance plus ou moins directe qu'elles ont par rapport au Christ. Quoi qu'il en soit, il est certain que l'Église estime au niveau de la décision pouvoir toujours motiver les « institutions » qu'elle lance en relation au Christ. Pour mieux saisir, qu'on pense au débat

---

Commission sur le thème du « Ministère » (Canterbury, 1973), dans *Regno-doc* 1974, n° 1., pp. 36-41. Significatif aussi est le document commun, signé par le Secrétariat pour l'Union des chrétiens et l'Alliance réformée mondiale, qui, dans un thème plus vaste — « La présence du Christ dans l'Église et dans le monde » — traite explicitement des problèmes relatifs à l'autorité de l'Église. » (Traduction italienne, Doc-Claudina, Turin, 1979, pp. 17 ; 48-52).

Le texte le plus important, parce que envoyé à toutes les Églises membres par la Présidence du WCC, est le texte préparé à Accra (1974) par « Foi et Constitution » sur le thème du « Ministère », avec les problèmes qui en découlent au sujet de l'autorité dans l'Église. Toujours dans la phase de consultation. Cf. *Regno-doc*, 1975, n° 5, pp. 118-124. Exemplaire est le débat amorcé par « Foi et Constitution » à Louvain (1971) sur le problème « Conciliarité et primauté » dans « Unité de l'Église et unité du genre humain, » Bologne, 1972, pp. 311-314.

4. « Indices verborum et locutionum decretorum Concilii Vaticani II », « Decretum de œcumenismo unitatis redintegratio », « Constitutio dogmatica de Ecclesia Lumen gentium », *(Institut des sciences religieuses de Bologne),* Florence, 1968 ; *Constitutio de Sacra Liturgia sacrosanctum Concilium* (par les soins de l'Institut des Sciences religieuses de Bologne), Bologne, 1978.

ouvert sur le « ius divinum » [5] Et combien il est difficile, dans le contexte de la conscience et de la discipline théologique et canonique des catholiques, de faire les justes distinctions. Le cas typique est celui posé par la question sur le « ius divinum » du « ministère », sous les trois formes de « l'épiscopat, la prêtrise, le diaconat ». Les textes conciliaires, surtout dans « Lumen gentium », en parlent d'une manière qui n'est qu'apparemment claire et cohérente. A travers eux, il apparaît que le Christ n'a « institué » directement que les apôtres « ad modum collegii seu coetus stabilis » (XIX, 23), («sous la forme d'un collège, c'est-à-dire d'un groupe stable»). Ceux-ci, à leur tour, en vue de la continuité de la « Missio divina », « curam egerunt de instituendis successoribus » (XX, 40). Les successeurs ce sont les évêques, lesquels ont assuré ces « teste traditione » en fonction de la « traditio apostolica » (XX, 47-53). Dans la ligne de cette continuité, les évêques instituent les « ministères ordonnés » (prêtres et diacres), dans la certitude d'un « ministerium ecclesiasticum divinitus institutum » (XXVII, 298) avec le titre défini « nomine Christi » (XI, 91). Le tout inséré dans une perspective générale qui parle de la réalité institutionnelle de l'Église comme d'« ordinatio » et de « moyen de salut », où le lien d'unité est donné par « la profession de foi, les sacrements, le gouvernement ecclésiastique, la communion », qui sont du ressort « du Souverain Pontife et les évêques », à travers qui le Christ gouverne son « organisme visible » (XIV, 184-187).

Il y a deux choses, au moins, à observer. La première certifie que la volonté institutionnelle du Christ regarde le « Ministerium » dont la forme directement voulue et créée est constituée par les « Douze ». La seconde certifie que la forme historique en

---

5. La réflexion, tant dogmatique qu'historique, s'intéresse à ce problème sans qu'on puisse imaginer pouvoir séparer les deux moments de l'unique question qui n'a pas d'autre façon de se manifester qu'à titre de praxis historique. Qu'on pense, par exemple, au thème du *ius divinum* de la Primauté et à celui de l'Épiscopat dont le sens, au moins sur le plan de l'exercice pastoral, ne peut jamais être donné comme définitivement résolu. A témoin, le débat de Vatican I si on le compare avec les affirmations de l'épiscopat allemand confirmées par Pie IX. Cf. J. NEUNER - H. Roos *Der glaub der kirke in den urkurden der lehrverkündigung*, Raisbonne, 1958, nº 388. K. RAHNER, *Épiscopato e Primato*. Brescia, 1966, pp. 73-83. « Il concetto di 'ius divinum' nell' accezione cattolica » dans *Saggi sulla Chiesa*, Rome, 1969, pp. 395-446.

laquelle s'est concrétisé le « Ministerium » en vue de la « Missio »
a été décidée par l'Église qui a interprété et assuré la continuité
sous l'aspect des « Ministri ordinati ». Cela pour dire que le « ius
divinum » regarde directement la « missio-ministerium », tandis
que les formes post-apostoliques qui la traduisent se tiennent à
un niveau différent et seulement dérivé. Ce qui signifie que le
Concile a privilégié le « Ministerium » sur les « ministri », de telle
sorte que c'est celui-là, et non ceux-ci, la racine de la formation
des « institutions » hiérarchiques. Ce qui a son importance dans le
cadre du travail œcuménique, en permettant de reprendre la
question des « ministères » à partir, justement, du « Ministerium » et non des « Ministri ». Et avec une influence, au moins
indirecte, sur cette mise à l'étude déjà amorcée par « Foi et
Constitution » depuis Lausanne [6] et, jusqu'à présent, à l'ordre du
jour, tant au niveau du Conseil mondial des Églises [7] qu'à celui
des diverses consultations bi-latérales de l'Église catholique [8].

Si on nous demande ici de quelle façon l'expérience œcuménique a influé, dans les années post-conciliaires, sur l'« Institution
hiérarchico-ministérielle » ainsi formulée, les commentaires à
faire sont, dans l'ensemble, très relatifs. Ils peuvent se ramener,
en principe, à une unique constatation : l'Église catholique a
présenté la doctrine conciliaire sans démarches ultérieures. Ce
qui signifie que, dans sa complexité, le développement œcuménique a aidé la conscience des catholiques à avoir foi en la parole
du Concile, en dépassant le reflux de la théologie traditionnelle
et canonique en faveur d'un renouvellement seulement structurel

6. L'influence du débat œcuménique à ce sujet est évidente. La tradition
Évangélique et Réformée a toujours privilégié la réalité du *Ministerium* par
rapport à la réalité des *Ministri*, en rendant celle-ci absolument secondaire par
rapport à la première. L'intention polémique, aujourd'hui résorbée, permet de
mieux équilibrer le rapport. Cf. L. VISCHER, « Foi et Constitution », *o.c.,*
p. 34-37. Mais on peut noter que, au moins du côté catholique, et dans l'ambiance
emblématique de la discussion au sujet de l'Eucharistie, la question touchant la
« présidence » est souvent moins importante que le « qui » du « président ». Cela,
en tout cas, dans le débat théologique et dans la discipline canonique.
Cf. A. GERKEN, *Teologia della Eucarestia*, Alba, 1977, pp. 302-306. L. SARTORI, *I
ministeri nella prospettiva ecumenica*, Rome, 1977, pp. 161-206.

7. Le long itinéraire de la discussion depuis Louvain (1971) a eu sa plus grande
influence à l'Assemblée mondiale de Nairobi (1976). Avec pour résultat une vaste
consultation critique et pertinente. « Verso un consenso su Battesimo, Eucarestia
e ministero » dans *« Regno-doc »*, 1977, pp. 479-483.

8. Voir n° 3.

de « l'institution hiérarchique » de l'Église. Plus, en tout cas, sur le plan de la réflexion théologique, et moins, certainement, au niveau du comportement, bien éloigné d'intégrer la doctrine du Concile. Il faut ajouter une influence indirecte là où on a retrouvé avec netteté la réalité du « Sacerdoce » de toute la Communauté ecclésiale, qui est un donné issu de toute la tradition confessionnelle évangélique. Mais ce n'est pas tant sous l'inspiration de l'œcuménisme que par la forte autoconscience critique que le laïcat catholique a retrouvé et souvent revendiqué son identité[9]

Une dernière précision peut expliquer les choses d'un point de vue plus pragmatique. Les deux problèmes institutionnels : d'une part, la primauté de Pierre, le collège des évêques, le rapport entre les deux, et, d'autre part, le presbytérat et le rapport de celui-ci avec l'évêque.

En ce qui concerne la primauté, on remarque que c'est devenu une question débattue liée à l'activité synodale. La doctrine qui la sous-tend dépend de la certitude que la réalité épiscopale est « chorale », en ce sens que l'épiscopat est « unus et indivisus » (L.G. XVIII, 12) et cela en relation avec le fait que le Christ a élu les apôtres « ad modum collegii seu coetus stabilis » (XIX, 23). La « collégialité » est donc à comprendre selon l'économie néo-testamentaire, laquelle est bien traduite par la « sobornst » de la tradition orthodoxe[10]. Ce qui signifie qu'elle s'inscrit dans la réalité de la « Communio ecclesiarum »[11] Ce qui veut dire que le Pape, comme successeur de Pierre, est un des Douze (U.R. II, 25), et qu'il exerce la « sollicitudo omnium ecclesiarum » depuis l'intérieur de la « communio episcoporum »

---

9. K. RAHNER, « Il fondamento sacramentale dello stato laicale nella Chiesa », dans « *Saggi nuovi* », II, Rome, 1968, pp. 417-443.

10. Cf. Y.-M. CONGAR, *Jalons pour une théologie du laïcat*, Paris 3, 1964, pp. 246-267.

P. EVDOKIMOV, *L'Orthodoxie,* Neuchatel-Paris, 1959, pp. 127-161.

11. Y.-M. CONGAR, « De la communion des Églises à une ecclésiologie de l'Église universelle » (Y.-M. CONGAR - B.-D. DUPUY, Paris, 1962, pp. 227-260). Cf G. DEJAIFVE «Peut-on concilier le collège épiscopal et la primauté ? » dans *La collégialité épiscopale, Histoire et théologie* (AA.VV.), Paris, 1965, pp. 289-303. Cf. *Tomos Agapis*, Rome-Istamboul, 1971, pp. 444. L'idée centrale est exprimée dans le concept « d'Églises sœurs ». Il s'agit de l'Église catholique et de l'Église orthodoxe.

et comme son expression personnelle et personnalisante [12]. Une relation qui, au moins indirectement, souligne son être d'«évêque de Rome», et, donc, de successeur de Pierre et de «primus» dans le «Collegio apostolico-episcopale [13]». Ce qui veut dire encore que l'Évêque se réfère avant tout au Corps épiscopal, si bien qu'on ne puisse plus fractionner le «potestas ordinis» et le «potestas jurisdictionis», et que l'Évêque soit en même temps Évêque pour l'Église universelle (L.G. XXIII, 141) et dans l'Église locale qui est toujours aussi l'Église universelle historiquement située (XXVI, 248) [14]. Ce qui veut dire enfin que la collégialité communionnelle de l'épiscopat exige à l'intérieur d'elle-même la manifestation du «principe synodal» dans les diverses formes où il peut s'exprimer historiquement. Cette certitude démobilise la tendance à considérer la «collégialité» en termes juridiques [15]. Il est évident que la référence de cette

---

12. G. Thils, *Le décret sur l'œcuménisme du 2ᵉ Concile du Vatican*, Paris, 1965, pp. 41-42.
Cf. M.-J. Le Guilou, «L'expérience orientale de la collégialité épiscopale et ses requêtes», dans *La collégialité épiscopale, o.c.*, pp. 167-181.
13. Précisément, la Constitution dogmatique *Lumen gentium* traite du «primat» d'une manière abstraite, en le considérant en fonction de «l'Église universelle», sans lien explicite avec l'Église locale de Rome. Malgré cela, le Concile ne parle jamais du Pape comme «évêque universel», évitant intentionnellement le contentieux seulement juridique qui en découle. Telle est précisément la nouvelle façon de considérer la question. A preuve, le discours de Paul VI à l'occasion de la présentation de la Nouvelle Constitution du diocèse de Rome, où il affirme la «Primauté» sur le fondement, du fait que le Pape est d'abord et surtout «évêque de Rome». Dans le même discours, Paul VI distingue la «fonction épiscopale» de la fonction pontificale» en faisant mûrir, au moins dans chacune des parties de son discours, ce que la minorité des Pères n'avait pas obtenu à Vatican I. (Cf. *Osservatore Romano*, 6-7 février 1977).
14. Y.-M. Congar, «Synode, primauté et collégialité épiscopale» dans *La collégialité épiscopale pour l'avenir de l'Église* (V. Fagiolo - G. Concetti), Florence, 1969, pp. 44-61.
15. Pour une plus vaste analyse de la littérature théologique sur ce sujet, cf.A. Acerbi, «Due Ecclesiologie. Ecclesiologia giuridica e ecclesiologia di communione nella Lumen Gentium» dans *Lumen gentium)*, Bologne, 1975, pp. 241-261. On peut remarquer que le débat était, dans son ensemble, très maladroit, en ce sens que les études, de caractère surtout introductif, se ressentaient de la spécialisation du secteur. Par exemple, celles à caractère historique et à caractère juridique. Le propos biblique était, dans l'ensemble, plus intuitif et amorcé que résolu. Ce qui explique que la réflexion des dogmatiques a fini par n'être plus qu'une intervention d'école entre le donné historique et le donné juridique. Ce qui est à l'origine de la difficulté post-conciliaire à changer, même pratiquement, la «qualité ecclésiologique» de l'Assemblée synodale.

auto-conscience de l'Église est l'expérience de l'Église orthodoxe et de sa tradition [16]. La question :« dans quelle mesure la rencontre avec l'orthodoxie a-t-elle influé sur l'expérience amorcée par l'Église catholique dans la période de l'après-concile? », cette question n'a donc pratiquement pas de réponse. Le maximum de concentration s'est réalisé dans le contexte du Concile, au moins au niveau de la doctrine explicite. La praxis post-conciliaire manifeste, surtout au niveau de l'activité syno-dale de l'Épiscopat, une conception qui vise à réduire et à borner à la seule « consultation ». Ce qui laisse supposer que la « mens », l'esprit avec lequel le siège romain accueille le texte conciliaire sur les « Évêques » se ressent encore d'une manière surtout juridique de poser le problème. En confirmation, on ajoute que les notes, présentées par Mgr. Zoghby au Concile, se sont avérées pertinentes, surtout si on les confronte avec le motu proprio « Apostolica sollicitudo » (1967). A quoi il faut ajouter la demande au sujet de la praxis de l'élection des évêques, à l'égard, au moins, des synodes des Églises orientales unies à Rome. Le cas de l'Église grecque melchite (1969) dans ses rapports avec la « Congrégation pour les Églises orientales » au sujet de l'élection d'un évêque pour l'exarchat des USA est , au delà de toute autre considération, symptomatique. La liberté et le droit revendiqués directement par le Concile (O.E. IX,470) n'ont pas empêché la Congrégation romaine d'imposer son « droit supérieur ». Il ne faut pas oublier, entre autres, que la conception synodale elle-même a, chez les catholiques et les orthodoxes, des motifs différents pour un contentieux impossible à résoudre [17]. Ce qui, en conséquence, déplace le problème et repose le thème du rapport entre le « Collège des évêques » et le « Primat du Pape », en mettant l'accent sur l'interprétation de ce dernier. Au point de vue œcuménique, la question s'est finalement posée avec clarté [18], surtout avec la théologie et la tradition évangé-

---

16. Cf. N. AFANASSIEF, « La Chiesa che presiede nell'amore » dans *Il primato di Pietro*. (AA.VV.) Bologne, 1965, pp. 487-55.

17. P. L'HUILLIER, « Collégialité et primauté », dans *Collégialité épiscopale, o.c.* pp. 331-344.

18. Cf. A. PRODI, « Il dialogo ecumenico e il problema del Primato » dans *Il primato di pietro, o.c.* pp. VII-LXXIV.

Cf. G. GASSMANN, « L'ufficio papale : una prospettiva ecumenica » dans

lique [19], et, au moins indirectement, dans le sens seulement
d'amorce, avec celle de la Tradition anglicane [20]. La question a
trouvé son lieu théologique dans l'analyse du « service de Pierre »
qui permet, surtout aux catholiques, de reconsidérer la « papauté » comme la forme historique en laquelle s'est concrétisé ce
« service » [21]. La distinction, en même temps qu'elle crée et
permet un espace pour la réflexion et l'évaluation, est bien loin
d'être prise en considération au niveau effectif de la vie de
l'Église. En tout cas, on suppose que le contentieux ouvert peut
avoir un avenir par rapport à l'exercice de la primauté
pontificale. Les textes qui en parlent se sont exprimés avec
compétence, et cela laisse supposer que les droits et devoirs de la
confrontation œcuménique laisseront, au moins à la longue, leur
marque. Cela pour dire, en conclusion, que la question relative à
l'exercice des « Institutions ecclésiales » regardant le ministère
hiérarchique, dépendra plus de l'exercice concret de la praxis
œcuménique que l'Église catholique et l'Église orthodoxe
sauront instaurer entre elles que des théologies. Comme — et
tout autant — on suppose que cela dépendra de l'expérience
même que l'Église catholique saura réaliser personnellement, là
où elle prend sérieusement et de façon critique acte de la volonté
du Concile à cet égard. Ensuite la relecture de la « Primauté »
dans le contexte du « service de Pierre » constituera, probablement, le catalyseur du fait de toute la problématique.

  Le second problème, le « presbyterium » et ses rapports avec
l'évêque, déplace la question et la situe dans l'économie de
l'Église locale ». On peut tout de suite remarquer que l'ecclésiologie conciliaire présente à cet égard une anomalie significative.
Comme on le sait, le thème de « l'Église locale » n'est sorti dans
le débat conciliaire que par ricochet, dans ce sens que la question

Papato e servizio Petrino, Alba, 1975, pp. 7-12. Édition allemande : « *Papsturn
und Petrusdienst* » Francfort, 1975.
  19. « Ministerio e Chiesa universale ». Texte du dialogue officiel luthérien-
catholique romain aux USA, dans *Papato e servizio petrino, o.c.*, pp. 107-165.
Cf. L. Vischer, « Pietro e il Vescovo di Roma. I loro rispettivi servizi nella
Chiesa » dans *Papato e servizio Petrino, o.c.*, pp. 41-59. Cf. H. Meyer, *L'ufficio
papale nelle visuale luterana, o.c.*, pp. 61-80.
  20. Cf. Voir le texte dit de « Venise » (1976), voir ci-dessus, n° 3.
  21. Cf. H. Stirnimann, « Papato e servizio Petrino. Riflessioni critiche » dans
Papato e servizio Petrino, o.c., pp. 15-40.

centrale était celle du profil « Apostolique » de l'Évêque (XXVI, 236-265). Avec cette conséquence que tandis que l'optique générale considère l'Église à partir du Peuple de Dieu, par rapport auquel le moment institutionnel est dépendant et consécutif, l'image de l'Église locale est présentée de haut en bas, à partir précisément de l'Évêque qui en est l'instance charismatico-institutionnelle. La concentration sur l'Évêque, même si elle se propose selon la logique du rapport de « communion », reprend de fait le modèle appelé « pyramidal », avec un déséquilibre inévitable que l'insertion de cette ecclésiologie dans la générale, ne réussit pas à compenser. Ce qui signifie que l'économie de l'Église locale finit par ne se décider, toujours et qualitativement, qu'en référence à l'Évêque. Le sacerdoce des prêtres est, en effet, le reflet essentiel de l'unique sacerdoce épiscopal, parce que c'est à l'Évêque « sacerdotali honore conjuncti » (auquel ils sont unis dans l'honneur du sacerdoce) (XXVIII, 301) que les prêtres font référence. Comme on dit, « solidairement », parce que de la même manière que l'Épiscopat est « un et indivisible » (XVII, 12), ainsi, en relation à l'évêque, le presbytérat est « unum cum suo Episcopo » et donc « presbyterium » (XVIII, 321). « Organum » (ib.) alors, de son ministère, « vi sacramenti ordinis » (ib. 302). Avec deux conséquences qui redisent la relation de l'Évêque par rapport à l'Église universelle et locale. Le prêtre, en tant qu'il se réfère au presbyterium, est avec l'évêque coresponsable de toute l'Église locale, et, en même temps, destiné, par cette co-responsabilité, à une de ses « portions » (ib. 325). Mais par rapport à celle-ci, son ministère est seulement subordonné, en tant qu'exercé « sub auctoritate Episcopi » (ib. ; cfr. 301). Tout cela pose divers problèmes à la réflexion théologique et à l'économie pastorale du ministère. Nous en indiquons trois.

Le premier constate que le Concile n'a pas trouvé le rapport qualitatif entre la « consécration » épiscopale et la « consécration » presbytérale pour en saisir et en établir la différence. Celle-ci n'est affirmée qu'en terme de fonction par la formule générale et négative « quamvis pontificatus apicem non habeant » (ib. 300) et par l'autre qui affirme que seuls les évêques « gaudent plenitudine sacramenti ordinis » (P.O. 1265), tandis que, et, en même temps, on affirme que les « prêtres » sont constitutivement

les « veri sacerdotes Novi Testamenti » (ib. 305). Ce qui laisse
ouverte une série de questions importantes dans le contexte de la
confrontation et de la réflexion œcuménique sur la figure et sur la
qualité du ministère presbytéral[22], sur lesquelles généralement
on ne porte pas l'attention dans la sphère de l'Église catholique.
En ce sens qu'on ne fait que répéter l'affirmation de la différence
qualitative du sacerdoce dit « pontifical » de l'Évêque par rapport
à celui dit « presbytéral » des prêtres. La contre-épreuve est
donnée par le fait que les « conseils presbytéraux »
(P.O. VII, 1264) remplissent un rôle de représentation par
rapport au presbyterium et ont voix seulement « consultative ».

Le second problème constate que, de même que l'Évêque se
réfère, par constitutionalité ministérielle, à l'Église locale, ainsi
le sacerdoce se réfère à une communauté ecclésiale. On dit
habituellement qu'un « ministre » sans « ministère » n'est pas
pensable, et que celui-ci n'est pensable que par rapport à une
communauté. En effet, on dit que le « ministère » « ordonné » a
une mission de « présidence » (L.G. XXVIII, 342). Pour annoncer la Parole, célébrer le Mystère et servir dans la Charité. Ce qui
est mis en évidence par la voie suivie par le Concile dans la
formulation du Décret « Presbyterorum ordinis ». Dans une série
successive de textes ainsi formulés ; « De disciplina cleri et populi
christiani », « De clericis », « De sacerdotibus », « De vita et
ministerio sacerdotali », « De ministerio et vita presbyterorum ».
Les passages mettent l'accent sur deux variantes ascendantes. La
première indique le dépassement du « clericus » dans le « sacerdos », et, de l'un et de l'autre, dans le « presbyter » ; la seconde
inverse le rapport « vita-mysterium » dans le « ministerium-vita »
correspondant. Les variantes sont théologiques et non linguistiques et indiquent que ce qui définit le « Ministre », c'est le
« Ministère », si on dépasse une conception essentialiste du
Ministère à partir du Ministre, conception propre à l'ecclésiologie post-patristique et bellarmienne. Elles indiquent aussi le
dépassement du Ministre entendu comme séparé, parce que ou
représentant de la Caste sacerdotale (clericus) ou « consacré aux

---

22. Cf. « Il ministero ordinato » dans *Unita della Chiesa e Unità del genere
umano, o.c.,* pp. 397-430.

choses saintes » (Sacerdos). Le « Presbyter », à cause du
« ministerium » est confirmé par la Communauté, vivant en elle,
avec, précisément, la mission de « présider ». Ce qui veut dire
que sa figure se développe dans la logique de la communion qui
est la norme qui fonde l'économie de la communauté. Ce qui
redonne notablement une nouvelle dimension au modèle
institutionnel en cours, qui privilégie, avec de fortes tonalités
moralisantes, la figure du « Sacerdos ». Le manque d'attention à
cette intuition du Concile est, peut-être, à l'origine de la « crise
d'identité du prêtre », qui est une des données qui ressortent de
l'expérience post-conciliaire de l'Église. Le prouvent les documents sur le « Sacerdoce ministériel » de la Commission théologique internationale (1970) et du Synode des évêques (1971). Une
crise institutionnelle, qui reflète, dans l'ensemble, le malaise de
la théologie aux prises avec une problèmatique rendue aiguë,
dans le contexte œcuménique lui-même, par le débat en cours,
qui se ressent du thème général des rapports entre la Communauté ecclésiale et le monde contemporain. Ce qui signifie que la
question sur le « Ministère », au moins de ce point de vue, est
désormais posée en termes interconfessionnels, parce que
question ouverte pour tous les chrétiens, au moins dans la zone
occidentale, avec une pointe dans le contexte de l'Amérique
latine. Avec un déplacement du « status quaestionis » qui, hier,
s'établissait d'une manière privilégiée sur le thème sacramental
de l'ordination, tandis qu'aujourd'hui il semble privilégier, à
partir du « Ministerium », dans son évidence historicisée, la figure
des « missions », précisément, ministérielles. Avec une séparation entre la logique théologique et disciplinaire de qui a autorité
dans l'Église et celle de la Communauté chrétienne prise dans
son ensemble.

Le troisième problème note le thème de base mis en discussion
par toute l'ecclésiologie conciliaire : la prééminence fondamentale et charismatique de la condition « mytérico-
communionnelle » de l'Église et du fait qu'elle est d'abord et
surtout, « peuple de Dieu ». Au niveau — pour autant que cela
nous intéresse — du rapport entre « Sacerdoce ordonné » et
« sacerdoce » de l'ensemble de la Communauté ecclésiale. Le
Concile dit : « les deux formes du sacerdoce » essentia et non
gradu tantum differunt » (X, 62). Il semble que le sens de

« l'essentiellement » différent ne peut se comprendre comme si c'était « substantiellement ». Dans ce cas, le sacerdoce des fidèles ne serait qu'analogique et purement nominal. Il est réel (XXIV, 95-96). Alors, si le sacerdoce du Christ est unique, le Christ étant l'unique prêtre de la nouvelle Alliance, unique aussi est le sacerdoce célébré par l'Église qui est le Sacrement du Christ. Ce qui signifie que la différence dite « d'essence » est comprise autrement. Elle affirme que le sacerdoce ordonné est voulu directement par Dieu pour son Église, et n'est donc pas une forme de ministère que la communauté chrétienne se donne historiquement à elle-même. En fait foi la réalité du sacrement de l'Ordre. Ce qui signifie que la différence ne rompt pas la continuité des deux formes de l'unique sacerdoce. Au contraire, elle les coordonne et les unit dans l'unique mandat sacerdotal de l'Église. Coordination « communionnelle », s'entend, et donc et seulement, des conséquences juridiques et disciplinaires. L'importance, si elle est mise en évidence, devrait amorcer un rapport plus motivé entre la composante hiérarchique et celle laïque de l'Église, actuellement divisées dans leur organisation de la responsabilité et de la discipline, si bien que la « communionalité » ne semble constituer que l'attitude intérieure pour affirmer les différences et les maintenir, même dans la difficulté, en état de compatibilité et d'accueil réciproque. De cette façon, la « collégialité », qui fait ici problème, quelle que soit la forme institutionnelle qu'elle prend historiquement, devrait se manifester de manière à toujours exprimer les composantes ecclésiales. La question est surtout mise en lumière lorsque l'Église catholique considère la proposition œcuménique de la « conciliarité » qui, il y a maintenant une décennie, constitue l'hypothèse nécessaire pour un cheminement finalement œcuménique vers l'Union[23]. Il est évident, autant qu'on puisse le dire, que, dans

---

23. Le thème de la « Conciliarité » est à l'étude du Mouvement œcuménique, tant du point de vue historique que du point de vue doctrinal. Cf. respectivement : *New directions in Faith and Order*, Bristol, 1967, pp. 49 ss. ; « Councils and the Ecumenical movement », *World Council Studios*, 5, Genève, 1968 ; « Spirito santo e cattolicità della Chiesa » dans *Assemblée d'Upsala, 1968*, Brescia, 1969, section I. Ce qui signifie que l'hypothèse, tout en résultant du débat, n'est pas la perspective de la seule expérience en cours. On a raison de l'enraciner en continuité avec une exigence permanente de l'Église. Cf. L. VISCHER, « Il Sinodo : una struttura conciliare » dans *La collégialité épiscopale pour l'avenir de l'Église, o.c.*, pp. 621-626.

son ensemble, il est encore étranger à l'organisation institutionnelle des divers organes ecclésiaux. Il présente, entre autres, des problèmes dont la solution n'est pas facile, en raison de la nature différente des « Institutions ecclésiales, dont la définition s'exprime sur une large gamme d'expressions qui vont depuis des formes manifestant l'identité même de l'Église jusqu'à d'autres qui en reflètent la manifestation sur le plan de l'histoire et de l'organisation, sans que soit toujours clair le degré différent de leur ecclésialité, en raison de la superposition de niveaux de valeur différente.

Une dernière observation, de caractère général, sur « l'institutionalité » des autres médiations en lesquelles s'exprime le mystère de l'Église. La première de toutes, la médiation liturgique, soit en raison de la détermination ecclésiologique qui lui donne son visage, soit en raison de l'exemplarité qui lui est propre. Les deux moments qui qualifient « l'action liturgique » sont : la « res-signum », comme dit la « manuelistique » théologique, et le « rite » qui la revêt et l'accompagne. On suppose que l'aire du « Signum », même si elle est historique, est entièrement liée à la « res », si bien qu'on pense que le « signum », même dans la diversité d'expressions avec laquelle il a été pensé et formulé historiquement, constitue une « forme » de médiation remontant jusqu'à une volonté apostolique précise (S.C. XXI, 152-153)[24]. La distinction entre « matière » et « forme », d'origine théologique et médiévale, est significative à cet égard[25]. Ce qui signifie que si l'économie de l'expressivité historique caractérise, aussi en termes évolutifs, le « Signum », plus encore cette économie caractérise-t-elle et doit-elle caractériser le « rite ». Avec une précision, nous semble-t-il, objective, nonobstant le débat en cours : tandis que le « signum » se réfère fondamentalement à la « res-mysterium », le « rite », à l'inverse, se réfère à la communauté liturgique et à la dimension historico-culturelle qui la caractérise (IV,30 ; XXXIV,232 ; XLVIII,9)[26]. On veut dire que

---

24. Cf. S. Marsili : « Dalle origini della liturgia cristiana alla caratterizzazione rituale » dans *Anamnesis, 2, la liturgia. Panorama storico generale*, Turin, 1978, pp. 41-54.

25. A. Nocent, « Libri liturgici nella storia della liturgia » dans *Anamnesis 2, la liturgia « Panorama storico generale »*, *o.c.*, pp. 137-145.

26. Cf. Carmine Di Sante : *Il rinnovamento liturgico : problema culturale*, Bologne, 1978, pp. 93-203.

le «rite» appartient à la communauté qui le célèbre, comme réponse qu'elle donne et avec laquelle elle participe au mystère célébré. Ce qui ne semble pas l'optique dans laquelle a mûri la réforme liturgique, du fait que celle-ci a pratiquement «institutionalisé» le rite, en le durcissant dans une didactique ecclésiale qui, de haut, descend sur «l'actio cultualis» et la détermine. La Communauté en est hétéroguidée, à la recherche d'une «universalité» de la prière liturgique, de telle sorte que «l'action» même dans sa forme, devienne aussi expression, dans la «Sancta», de la «Una» et de la «Catholica». Il est évident que l'apparent critère qualitatif se dégrade en critère quantitatif, parce qu'il conditionne le moment «historico anthropologique» de «l'actio» en faveur d'un universalisme «juridico-ascético-conceptuel». C'est-à-dire, de l'intérieur, comme récupération de l'auto-conscience liturgique de l'«Église locale», et, en même temps, comme expression du génie charismatique de l'Assemblée culturelle. avec une extension qui pourrait mieux mettre en corrélation la «communicatio in spiritualibus» avec la «communicatio in sacris», qui est le thème qui ressort dans le débat œcuménique. Surtout, si on se réfère à la tradition des communautés ecclésiales issues de la Réforme. Au moins, dans la perspective, pour ce qui regarde l'Eucharistie, de l'axiome liturgique qui dit que c'est à l'Église de faire l'Eucharistie. Pour la récupération évidente de la communauté comme «sujet» premier et irremplaçable de la célébration culturelle. Entre autre, en rétablissant dans le débat autour de l'Eucharistie, qui privilégie, dans le contentieux entre chrétiens catholiques et orthodoxes, la figure du «ministre», la réalité éminente et fondamentale du «ministerium» [27]. Une exigence interne de l'Eucharistie, laquelle demande qu'on affirme la priorité de la «présidence» (Ministerium) par rapport au «président» (Minister). Certainement pas pour les dissocier, mais pour les coordonner selon une logique institutionnelle différente et correspondant au Mystère célébré. C'est dans cette direction que va la recherche théologique, fermement disposée à

_____

27. Cf. C. AGAGGINI, «Possibilità e limiti del riconoscimento dei ministeri non cattolici» dans *Ministères et célébration de l'Eucharistie, Sacramentum*, Rome, 1973, pp. 269-308. Le problème est proposé dans la perspective historico-doctrinale dans la ligne d'une lecture de la «Sanatio», qui se demande à quelles conditions le *«Supplet Ecclsia»* peut être compris comme *«supplet Deus»*.

ouvrir une voie vers l'intercommunion. Elle vise à retrouver, entre autre et dans le contexte, une relation plus motivée entre les deux « communicatio », aujourd'hui présentant une nette séparation, laquelle, parce que nette, a peut-être un caractère surtout juridique, même dans la motivation théologique laborieuse et préoccupée de l'identité confessionnelle plus que de l'unité à exprimer. On suppose que la « communicatio » tire sa propre valeur ecclésiologique de « communio » et non de « communitas ». Ce qui permet de relier la question au rapport inter-ecclésial suivant la catégorie ou le modèle des dites « communio imperfecta » ou « communio non plena » (U.R.III,46 ; 50-51), en mettant l'accent sur la « communio », dont la valeur est qualitative et fondamentale. C'est-à-dire ayant celle de constituer l'essentiel de l'Union déjà en action dans les Églises, par rapport à laquelle le « non plena » et le « non perfecta » sont la variable manquante, qui n'est qu'historique et subordonnée. Pour affirmer deux choses, au moins.

D'abord, on se demande, là où l'essentiel de la foi en l'Eucharistie peut être confessée en commun, si la différence ne peut être passée au « non plena » avec le critère même du rapport de base entre les Églises, qui valorise l'Eucharistie comme « signum spei » selon la perspective eschatologique qu'ouvre l'Eucharistie. Ce qui semble possible si on se souvient que le Concile offre, au sujet de la « communicatio », des indications opératives à caractère de pastorale œcuménique seulement : « significatio (unitatis) plerumque vetat communicationem. Gratia procuranda quandoque illam commendat » (VIII, 57-58)[28]. Ce qui laisse supposer que le contentieux dogmatique ouvert, au moins du côté catholique, après le Concile, est plutôt à caractère théologique et confessionnel que de foi fondamentale. La seconde constatation est que la « communicatio in spiritualibus »[29] constitue, dans cette optique, un moment interne

---

28. Cf. G. THILS, *Le décret sur l'Œcuménisme du deuxième concile du Vatican*, o.c., pp. 46-47 ; 58-59. Est exemplaire à cet égard la résolution théologique de la Commission anglicano-catholique sur l'Eucharistie (Windsor, 1971).

29. Cf. B. TESTA, *La concezione teologica della preghiera per l'Unità. I movimenti di preghiera per l'unità da Pio IX ad oggi*, Brescia, 1969, pp. 14-151. Cf.M.-J. LE GUILLOU, « La prière pour l'Unité », dans *Un nouvel âge œcuménique*, Paris, 1966, pp. 322-395.

— dans le sens de portant vers — à la « communicatio in sacris ». Pour dépasser une praxis qui, dans la distinction qui sépare, introduit des éléments non homogènes à la qualité de « l'actio cultualis » qu'on entend exprimer. Donc, avec une accentuation eucharistique et fortement ecclésio-communionnelle de l'unique « communicatio ». La perspective peut se situer, dans l'ensemble et moyennant l'analogie voulue, dans le cadre de la critériologie choisie par les Églises dans leur réciproque reconnaissance du baptême. La différence des traditions, de la théologie et des disciplines liturgiques semble avoir été dépassée par la certitude de la réalité ecclésiale et salvifique des diverses confessions chrétiennes. Il ne s'agit pas de déplacer le problème, mais de le résoudre, non à partir du baptême, mais de l'ecclésialité réelle des confessions qui l'administrent.

Trois indications opératives à caractère méthodologique, capables de fonctionner comme réviseur critique dans le processus œcuménique, nous servent de conclusion.

La première se réfère à la certitude que « ecclesia peregrinans, in sui sacramentis et institutionibus, quae ad hoc aevum pertinent, portat figuram huius mundi quae praeterit » (L.G. XLVIII, 23-24). Condition qui requiert de l'Église la conscience de « vocatur a Christo ad perennem reformationem » (U.R. VI, 10). La « reformatio » est dans la logique du Concile pour une « conversion intérieure » (VII, 22) dont la signification regarde aussi l'Église dans son ensemble, à tous les niveaux de son expressivité (VI, 11) « quin Providentiae viis ullum ponatur obstaculum et quin futuris Spiritus Sancti impulsionibus praeindicetur » (XXIV, 207-209). Ce qui est à considérer, parce qu'il y a actuellement une tendance à réduire la « reformatio » à la seule révision structurelle et fonctionnelle.

La seconde indication se rapporte au principe normatif par lequel le Concile affirme que le « modum doctrinae enuntiandi, ab ipso deposito fidei sedulo distingui debet » (VI, 13-14). L'accent est mis sur « sedulo », dont la force est impérative et obligatoire. On constate ainsi que le Concile, ressentant peut-être l'extrême difficulté du problème herméneutique, a décidé d'en affirmer la légitimité, par crainte que la difficulté concrète et son caractère historico-théologique inédit, tant culturel que disciplinaire, empêchent de l'accueillir. Il l'affirme, entre autre, à son niveau le plus délicat qui est précisément celui de la tradition doctrinale. Ce qui vaut, avec plus de liberté ecclésiologique et spirituelle, pour les autres niveaux. Principe qui semble, jusqu'à présent, seul affirmé, même si est réelle la difficulté de déchiffrer une grille culturelle homogène capable de formuler les principes et la logique opérative du processus herméneutique.

La troisième indication se rapporte au concept de « Communio » (II, 18 ; III, 46) qui porte toute la réflexion œcuménique. Il sera ultérieurement exploré, parce que, toujours et dans tous les cas, plus vaste que celui exprimé par « communitas », au niveau duquel on place souvent la confrontation œcuménique qui, dans son historicité, apparaît facilement et peut-être inévitablement juridique et ecclésiastique. Ce qui signifie que le « non plena » (III, 45) de la « communio » a une valeur eschatologique qui veille à ce qu'elle ne soit pas réduite à des critères quantitatifs. La notion même d'« unité » en reste informée, en ce sens qu'elle est le résultat de la « communio » et non de son critère. Chose qui ne paraît pas toujours claire ou acquise dans les hypothèses œcuméniques. Surtout au niveau du problème dit de l'« identité » confessionnelle, lequel s'il ne sait pas assumer radicalement l'ouverture controversée de la « communio », se dégrade en problème de confession.

Hermann J. POTTMEYER

CONTINUITÉ ET INNOVATION
DANS L'ECCLÉSIOLOGIE DE VATICAN II

L'influence de Vatican I sur l'ecclésiologie de Vatican II
et la nouvelle réception de Vatican I
à la lumière de Vatican II

PREMIER PAS

*La manière habituelle d'opposer Vatican I à Vatican II est
contestable et mène à une impasse.*

Le thème que les promoteurs de la conférence m'ont proposé
m'impose une comparaison entre l'ecclésiologie de Vatican I et
celle de Vatican II sous les mots-clés « continuité » et « innovation ». Dans un premier mouvement de pensée, je voudrais
exposer le problème sur lequel ce thème dirige notre attention.
La comparaison courante entre l'ecclésiologie de Vatican I et
celle de Vatican II est conduite de telle sorte que Vatican I
apparaît comme l'image négative dont Vatican II se détache
positivement. En fait, le dernier Concile a voulu surmonter le
caractère unilatéral qu'on aperçoit dans la position ecclésiologique d'accent qui caractérise Vatican I à partir de la situation du
XIXᵉ siècle. L'ecclésiologie de Vatican II, dans laquelle se
reflètent l'autocompréhension de l'Église de notre temps et une
compréhension approfondie de l'Écriture et de la tradition a eu
un effet libérateur et a libéré de nouvelles impulsions. Les
nouvelles amorces ecclésiologiques ont été, dans de nombreux
commentaires des textes de Vatican II, présentées par des
auteurs compétents. Sur ce point, je ne pourrais exposer aux
participants de cette conférence que ce qui est déjà connu.

Depuis lors, les difficultés et les résistances qui s'opposent à la transposition de l'ecclésiologie-communion de Vatican II dans les structures ecclésiales et la pratique ecclésiale ont attiré l'attention sur un fait qui, dans la phase d'éclosion pleine d'espoir pendant et immédiatement après le Concile, fut sous-estimé. A côté des amorces pour une ecclésiologie-communion, les Constitutions de Vatican II contiennent aussi certains éléments essentiels de l'ecclésiologie de Vatican I. Ces éléments sont liés avant tout à la formulation de la primauté papale de juridiction et d'enseignement, que Vatican II a reprise presque sans changement de son prédécesseur ; mais ils déterminent en outre la représentation du ministère et de l'autorité en général. Le point décisif est que les deux ecclésiologies ne sont qu'insuffisamment harmonisées entre elles. Cet aspect aussi a déjà été étudié ; traiter de cela à Bologne, ce serait porter de l'eau à la rivière [1]

La juxtaposition sans médiation des deux ecclésiologies ayant des tendances contraires est la cause de nombreux conflits que nous observons aujourd'hui dans l'Église. Celui qui a misé sur l'ecclésiologie-communion se voit déçu dans ses espoirs, quand il est confronté à une certaine manière d'agir dans les relations interpersonnelles et à l'exercice de l'autorité dans l'Église, qu'il croyait dépassés. D'autres se réclament de la validité permanente de Vatican I, que Vatican II aurait confirmée et constatent avec plaisir, après la « phase d'insécurité », les efforts de stabilisation en continuité avec Vatican I. D'une manière générale, on peut dire : La phase d'éclosion a été relayée par une phase de réaction. C'est de deux manières qu'on réagit aux problèmes que Vatican II a laissés sans solution : ou bien on conteste la validité de Vatican I du point de vue de l'ecclésiologie-communion, ou bien inversement on ne veut accepter l'ecclésiologie-communion que dans les limites de l'ecclésiologie de 1870. Les deux réactions ne se tiennent pas sur le terrain de Vatican II, qui voulait rassembler les deux ecclésiologies. Le dernier Concile ne permet ni un retour à Vatican I, ni une rupture avec lui.

Si l'Église ne doit pas se briser à cause de l'opposition des deux réactions, il se pose nécessairement la tâche de trouver une

---

1. Cf. A. ACERBI *Due Ecclesiologie. Ecclesiologia giuridica ed ecclesiologia di communione nella « Lumen Gentium »* (= Coll. Nuovi Saggi Teologici 4), Bologne, 1975.

médiation, qui fasse dépasser la juxtaposition des deux ecclésiologies et rassemble les éléments de vérité contenus dans chacune
— une tâche qui demande pareillement des efforts théoriques et
pratiques. Un travail théorique est nécessaire pour surmonter les
obstacles théologiques qui s'opposent à une pratique de la
communion ; une pratique et une expérience de la communion
sont nécessaires pour qu'une ecclésiologie correspondante puisse
se développer et soit acceptée. La formation de l'ecclésiologie-
communion au sein de l'événement conciliaire Vatican II est un
exemple excellent pour l'union intime entre la pratique et
l'expérience de la communion d'une part, et la réflexion
théorique sur elle et sa formulation d'autre part. Si le Concile
n'est pas parvenu à concilier les deux ecclésiologies et leurs
tendances contraires, cela est dû à deux facteurs : d'abord le
poids et la réification de la tradition qu'un Concile particulier ne
pouvait élaborer et intégrer qu'initialement en présence des
profonds décalages temporels dans une Église universelle ; mais
pas moins la juxtaposition de fait inéclaircie de structures et
d'institutions ecclésiales centrales, comme par exemple la curie et
le Concile ; c'est ce qu'on peut prouver sans difficultés par le
déroulement du Concile.

Si j'interprète correctement la position du thème et le moment
de cette conférence, celle-ci se tient au seuil d'une nouvelle phase
échue de l'époque post-conciliaire, qui peut être appelée dans le
sens décrit une phase de médiation. En tout cas, c'est ainsi que je
comprends la tâche de ma contribution. Elle se pose la question
de la continuité et de l'innovation dans le rapport des deux
ecclésiologies, pour préparer une «nouvelle réception de
Vatican I à la lumière de Vatican II».

A cette fin, il faut d'abord demander si la comparaison
habituelle entre Vatican I et Vatican II est pertinente, quand elle
considère Vatican I seulement comme en contraste négatif avec
Vatican II. Dans cette manière de voir, la continuité entre les
deux conciles, que l'on voit dans l'adoption des dogmes de 1870,
apparaît d'emblée comme négative, tandis que la nouveauté qui
est attribuée sans hésiter à Vatican II est jugée positive. A mon
avis, cette appréciation est compréhensible dans la perspective de
la première phase post-conciliaire, la phase de l'éclosion, et pour

cette phase sans doute aussi nécessaire. Mais déjà la deuxième phase avec ses réactions contradictoires montre le danger de cette perspective, dans la mesure où elle est posée absolument. En fait, cette manière de voir est trop courte. Ma thèse est la suivante : l'opposition habituelle entre Vatican I et Vatican II est contestable et mène à une impasse.

Cette manière de voir est contestable. Dans une perspective historique plus large en effet, les rôles de Vatican I et de Vatican II, en ce qui concerne la continuité et l'innovation, se laissent échanger sans difficulté. Si Vatican II souligne le rang de l'Église locale et enseigne la communion des Églises, la responsabilité collégiale de l'épiscopat et la liaison organique entre la structure sacramentelle et la structure juridique de l'Église, on retourne par là à ces principes structurels de l'ancienne Église qui, pendant un millénaire, reliaient l'Église de l'Orient et l'Église de l'Occident. En fait, l'ecclésiologie de Vatican II a pour fondement une continuité profondément enracinée, qui la lie plutôt à l'Église ancienne qu'à Vatican I. Eu égard à cette tradition, l'ecclésiologie de Vatican I se comporte déjà plutôt comme une nouveauté, car l'Église ancienne ne connaissait pas une primauté souveraine et une infaillibilité décisive du pape dans le sens des dogmes de 1870. Pour Vatican II, on peut parler de rénovation, une innovation est au contraire plutôt à chercher dans Vatican I.

Cependant il est légitime de voir aussi dans Vatican II une nouveauté. Car, incontestablement, ce Concile a fait effectuer un tournant à cette direction ecclésiologique de l'évolution qui était dominante depuis des siècles dans l'Église catholique romaine. Dans la mesure où Vatican II s'est compris et proclamé en même temps en continuité avec son prédécesseur, il ne constitue pas une simple rénovation, mais une innovation aussi en ce sens qu'au-delà d'un tournant, il a cherché à réaliser une médiation, même si celle-ci n'a été qu'ébauchée. C'est pourquoi le problème de la continuité et de l'innovation dans la comparaison entre les deux conciles se présente d'une manière plus nuancée qu'on ne le voit habituellement. D'innovation, on peut parler aussi bien pour Vatican I que pour Vatican II.

Quelque chose de correspondant est vrai de la continuité qui relie les deux conciles. A première vue, celle-ci consiste en ce que

Vatican II reprend de Vatican I la formulation de la primauté papale de juridiction et d'enseignement. Pourtant celui qui connaît la relativité du langage en raison de sa dépendance à l'égard de la situation, de l'action et du contexte, sait aussi que, pour garder la continuité d'un contenu, il ne suffit pas que sa formulation soit reprise sans changement d'un contexte plus ancien et replacé dans un contexte nouveau. Un contexte change le contenu, même lorsque la formulation est inchangée. La minorité à Vatican II, qui s'en tenait à l'ecclésiologie de Vatican I, a très exactement perçu cette circonstance. Mais la *Nota praevia* au chapitre III de *Lumen gentium,* qui devait faire admettre à la minorité une ecclésiologie-communion, a souligné cette circonstance plus qu'elle n'a pu empêcher le changement; elle produit l'effet d'un corps étranger plaqué.

Inversement, les dogmes de 1870 changent cette tradition de l'ancienne Église que Vatican II voulut rénover. Même la reprise des principes structurels de l'Église ancienne ne peut pas annuler ou renier l'évolution et l'histoire qui se sont écoulées depuis lors. Leur reprise dans un contexte historique socialement comme ecclésialement changé change aussi l'ancienne tradition. Il n'y a pas de retour à l'Église ancienne. Celui qui veut ce retour cultive un classicisme[2]. C'est ainsi que la manière courante d'apprécier les deux conciles et de définir ce qui est continuité et où se trouve l'innovation, se révèle comme contestable.

De plus, la manière habituelle d'opposer Vatican I à Vatican II mène à une impasse. Car l'opposition exclusive ici supposée mène nécessairement à ces réactions contraires déjà mentionnées, que nous observons aujourd'hui dans l'Église et dans la théologie. C'est comme une solution intermédiaire que l'on peut qualifier la proposition d'un « primat lié ». D'après cette proposition le pape devrait s'obliger lui-même, pour les décisions importantes, à s'en tenir à certaines procédures qui permettraient une participation de l'épiscopat. Cette proposition indique au mieux une voie praticable pour surmonter l'opposition d'une manière pragmatique. Cependant elle n'élimine pas à elle seule la cause de l'opposition qui divise les esprits, la conception de la

---

2. Cf. B. LONERGAN *Theologie im Pluralismus heutiger Kulturen* (= QD 67), Freiburg-Basel-Wien, 1975, 52-67.

primauté comme souveraineté absolue. C'est ce que montre en particulier l'objection élevée contre la proposition indiquée : cette proposition restreindrait l'indépendance du pouvoir papal, requise par Vatican I et par la *Nota praevia* à *Lumen gentium* [3]. En fait, on ne progresse ici théologiquement que si cette procédure à laquelle se lierait le pape lui-même n'est pas vue comme une limitation extérieure de la primauté en soi pensée comme absolue, mais est vue comme fondée dans la structure essentielle de l'Église et dans la liaison du pape à cette structure.

Ce que nous avons dit le montre : Tant qu'on oppose l'un à l'autre Vatican I et Vatican II comme les termes d'un simple contraste, et qu'on comprend la primauté papale de juridiction et d'enseignement d'un côté, et l'ecclésiologie-communion de l'autre, comme des contraires exclusifs, une nouvelle réception de Vatican I à la lumière de Vatican II n'est théologiquement guère concevable, parce que, dans ce cas, l'un ou l'autre doit être abandonné.

Pour trouver une issue à ce dilemme, je veux donc placer les deux conciles dans un autre rapport que celui de l'opposition exclusive. Brièvement : il faut montrer que chacun des deux conciles constitue une innovation et cependant que dans les deux justement comme tels une continuité est agissante.

Deuxième pas

Dans une théorie théologique de la tradition, la continuité et l'innovation forment un rapport dialectique et se conditionnent réciproquement.

Dans un deuxième mouvement de pensée, nous allons d'abord éclaircir l'usage théologique des termes « continuité » et « innovation » et leur rapport réciproque.

Tandis que la « continuité » est dans la théologie une catégorie

---

3. Cf. A. Kolping, « Gebundener Primat im Papsttum der Zukunft ? », in : *Ius et salus animarum*. Festschrift für B. Panzram, publié par U. Mosiek - H. Zapp (= Sammlung Rombach, nouvelle série 15), Freiburg, 1972, 59-73 ; A. Dordett, « Die unveräusserliche Gewalt des kirchlichen Amtsträgers », in : Öakr 27 (1976), 254-275.

courante, et même posée comme norme, « l'innovation » rend un son inhabituel, et même « nouveauté » était souvent indentifiée à hérésie. La raison en est facile à découvrir. Si la foi chrétienne professe que le don de Dieu en Jésus Christ est la nouveauté absolue et insurpassable de l'histoire du salut, et si l'on trouve le témoignage apostolique de ce fait dans la Bible, il ne peut y avoir dans la foi et la confession des chrétiens aucune nouveauté substantielle allant au-delà de ce fait. Au contraire, le souci central de la foi est de garder et de transmettre fidèlement le témoignage apostolique. Les structures et les institutions de l'Église se sont formées justement à l'occasion de la tâche de préserver la continuité de la tradition apostolique. Déjà très tôt la tradition devint la « règle de la vérité » pour la foi.

Le principe de la tradition exclut-il toute nouveauté ? Les changements et les évolutions nouvelles sont innombrables aussi bien dans la confession de foi que dans la figure et la structure de l'Église. En fait, le principe chrétien de la tradition ne s'est jamais compris comme le règne du traditionnel, mais comme la transmission vivante de l'événement Jésus Christ et de son attestation originelle dans l'acte de l'attestation actualisante toujours nouvelle. Là où celle-ci, en raison des nécessités extérieures ou intérieures de la prédication, de la découverte du consensus et de la préservation, demandait de nouvelles formulations ou évolutions, celle-ci furent — en partie ingénument, en partie en hésitant — introduites. Le fait qu'il s'agissait ici de nouveautés en partie très profondes, soit de nature restrictive, soit constituant un approfondissement ou un prolongement, n'apparut pendant longtemps guère à la conscience, puisque toute nouveauté était acceptée dans la mesure où elle pouvait être considérée comme l'expression et le moyen de la continuité.

Le changement et l'évolution de la tradition, du dogme et de l'Église ne devinrent un thème clair et central de la théologie que lorsqu'en face de l'autorité de la tradition surgit la contre-instance critique de la raison s'appuyant sur elle-même, lorsque la raison historique se fit un thème du changement lui-même, et que l'homme moderne se découvrit comme le sujet, le porteur et le créateur de son histoire. Dans cet événement, non seulement le prestige de la tradition, que vient remplacer celui du progrès,

98   HERMANN J. POTTMEYER

fut ébranlé, mais aussi la continuité devint problématique en face du changement historique, qui était fortement éclairé par la raison historique. C'est ainsi qu'après le déclin de la phase contre-réformatrice qui mettait de nouveau l'accent sur l'invariabilité de la tradition, commença, au sein de la théologie catholique du xixᵉ et du xxᵉ siècle, l'effort pour une théologie de la tradition qui cherchait à penser ensemble la continuité et le changement. Une théorie de la tradition est en fait le lieu où l'on doit aussi déterminer le rapport de continuité. Concrètement, il faut ici rappeler l'école de Tübingen et son développement dû à W. Kasper, M. Blondel et le prolongement de sa réflexion par Y. Congar, et le cardinal Newman, dont les théories ont essentiellement rendu possible la pensée ecclésiologique actuelle et en particulier celle de Vatican II[4].

Dans la discussion avec l'historisme d'une part, qui dissolvait la tradition dans la multiplicité des formations contingentes et ne pouvait plus guère percevoir une continuité, et un concept de tradition dégagé de l'histoire, qui ne rend pas justice au changement historique dans le processus de tradition, d'autre part, la théologie trouva la voie vers une compréhension totale et dynamique de la tradition. La tradition ne peut en effet être comprise suffisamment ni comme un simple ensemble d'attestations historiques, qui regarde en arrière la communication de Dieu par lui-même dans l'action de Jésus-Christ comme un simple passé, ni comme le seul dépôt du contenu de foi transmis. Elle est plutôt le processus vivant porté par le Saint Esprit, dans lequel l'événement Jésus-Christ — transmis par le témoignage des Apôtres et l'attestation continue de l'Église — parvient, dans la foi, la vie et le témoignage varié de l'Église, à une présence toujours nouvelle. La tradition est la transmission de Jésus-Christ, de la Parole de Dieu, dans le Saint Esprit, par les apôtres et l'Église pour une présence constante.

Cette conception de la tradition en tant qu'action commune de

4. Cf. G.-G. BLUM, *Offenbarung und Überlieferung. Die dogmatische Konstitution Dei Verbum des II. Vaticanums im Lichte altkirchlicher und moderner Theologie* (= Forschungen zur systematischen und ökumenischen Theologie 28), Göttingen, 1971 ; W. KASPER, «Tradition als Erkenntnisprinzip. Systematische Überlegungen zur theologischen Relevanz der Geschichte», in ThQ 155 (1975), 198-215.

différents sujets qui sont liés dans l'unique Esprit pour une vivante unité d'action, peut rendre justice aussi bien à la continuité qu'au changement historique dans le processus de tradition. La continuité comme l'actualisation constante sont d'abord l'œuvre de l'Esprit de Jésus-Christ qui, restant le même, devient sans cesse présent dans le cours de l'histoire de la foi. Mais la continuité et le changement sont en même temps l'œuvre de la communauté croyante. Car l'auto-tradition de Jésus-Christ dans le Saint Esprit ne se réalise pas d'une manière détachée de l'histoire, ou par des irruptions actualistes immédiates dans une histoire par ailleurs sans unité, mais par la médiation humaine, c'est-à-dire l'histoire de la compréhension croyante et de l'attestation de la communauté de foi. C'est pourquoi la tradition est en même temps l'œuvre de Jésus-Christ dans le Saint Esprit et l'œuvre de la communauté croyante sans l'action de laquelle, qu'il prend à son service, l'Esprit ne peut agir. La communauté croyante de l'Église est l'instrument vivant et personnel de l'auto-tradition de Jésus-Christ, instrument qui se laisse mettre au service d'une manière librement responsable et en se donnant librement. Le processus de tradition possède une structure sacramentelle. La vie et le témoignage de l'Église et leur dépôt objectif sont « l'actualisation symbolique et sacramentelle »[5] de l'auto-tradition de Jésus-Christ.

Ainsi la continuité ne tient-elle pas à l'identité des formes de l'attestation, mais à l'identité de l'Esprit de Jésus-Christ, dont la médiation vivante doit servir chaque fois le témoignage croyant de l'Église. Cela implique la liberté à l'égard de l'esclavage de la lettre — la liberté de transmettre la tradition d'une manière vivante, en tenant compte des signes du temps, dans des conditions historiques changées, et aussi dans des formes et des formulations nouvelles ; ainsi conçue, la tradition permet le changement. Cependant sa continuité ne se réalise pas indépendamment de l'ensemble de la tradition ecclésiale de foi et de son attestation historique, parce que l'auto-tradition de Jésus-Christ, qui commence par son incarnation, s'accomplit dans les conditions de la continuité et de l'identité transmises historiquement. Cela renvoie, malgré toute la liberté pour le changement, à

---

5. W. Kasper loc. cit., 211.

l'importance d'une continuité perceptible aussi historiquement, par laquelle se produit l'auto-tradition continuée de Jésus.

La tentation constante de cette conception de la tradition, qui cherche à penser la continuité dans le changement et dans le changement la continuité, comme le mouvement dialectique et spontané d'une réalité spirituelle, était et est encore de comprendre le processus dialectique comme une évolution progressive ou comme l'histoire du progrès[6]. Ces représentations étaient et sont suggérées non seulement par les modèles contemporains de pensée, mais aussi par le fait que la tradition se déroule dans la tension entre ce qui est déjà arrivé et l'achèvement pas encore réalisé du Royaume de Dieu, et espère en la promesse qu'elle sera introduite en toute vérité. Par là se présente le danger que la totalité de l'histoire de la tradition et de son attestation objective soit absorbée dans la conscience croyante de l'Église à chaque instant ou dans la doctrine actuelle du magistère, qui deviennent une révélation constante et abandonnent comme dépassée toute expression antérieure de la foi. La tradition serait par là de nouveau détachée de l'histoire, maintenant non du côté d'un classicisme, mais du côté d'un progressisme. Mais son historicité et son essence théologique seraient menacées surtout par le fait que l'unicité absolue de l'événement Jésus-Christ serait absorbée dans l'histoire de l'Église qui se poserait comme seul sujet moteur de la tradition. L'unité et le face-à-face essentiels du sujet moteur — le Christ dans l'Esprit — et de sujet mû de la tradition — l'Église — seraient abandonnés. Cette corrélation ne reste conservée que si, dans la définition de la tradition, on introduit comme troisième instance, comme sujet mû et moteur, l'Église apostolique avec son attestation insurpassable du Christ dans la Bible. Le Saint-Esprit n'agit pas dans l'Église pour révéler du nouveau, mais pour actualiser et faire découvrir l'événement Jésus-Christ qui ne nous est attesté avec une validité permanente que dans la Sainte Écriture, dont le témoignage fait partie de l'événement révélateur lui-même. Le sujet de la tradition n'est donc l'Église postérieure que si elle se laisse mouvoir par l'auto-tradition du

6. Cf. M. SECKLER, « Der Fortschrittgedanke in der Theologie », in : *Theologie im Wandel* (= Tübingen Theol. Reihe 1), München-Freiburg, 1967, 41-67.

Christ dans l'Esprit, transmise elle-même par le témoignage primitif des apôtres. Dans cet ensemble viennent s'exprimer de nouveau le caractère historique de la tradition et le facteur de sa médiation humaine. La tradition est constamment relative à un donné historique et elle n'est légitimée que si elle confère de nouveau à ce donné l'expression de la vie. Malgré toute l'action du Saint-Esprit, elle est un effort humain fini avec toute sa contingence et la déficience des symboles et elle ne doit pas être pensée d'une manière enthousiaste comme un processus créateur, qui produirait une incarnation toujours nouvelle de Jésus-Christ. C'est pourquoi son histoire contient aussi des détours et des égarements, des impasses, des oublis et des échecs par rapport à ce que prétend être la tradition. Mais, là où la continuité de la tradition serait compromise d'une manière décisive par une erreur, l'Église a confiance d'être maintenue dans la vérité.

Un progrès (*Fort-Schritt*) de la tradition n'est donné que s'il est un pas en arrière (*Rück-Schritt*) vers l'origine, assurément dans une nouvelle situation de la prédication et avec ce que celle-ci requiert, afin que la vérité originelle puisse aujourd'hui rester vivante. La tradition n'est pas « la répétition continuelle de la vérité originelle sous la forme historique originelle, mais la reproduction continuelle de la même vérité sous des formes historiques toujours nouvelles »[7]

De progrès, on peut alors parler pour autant que « la carapace devenue trop étroite des concrétions et des formations d'hier est brisée en faveur de ce qui est requis aujourd'hui »[8]. Ainsi l'histoire de l'humanité et de la compréhension humaine de soi et du monde marque l'histoire de la tradition et de sa compréhension, de même qu'inversement celle-ci influence celle-là. Vatican II n'a aucune difficulté à voir dans la croissance de la compréhension de la tradition un progrès de la tradition elle-même[9]. En fait, la rénovation vivante de la vérité originelle arrive chaque fois dans une nouvelle situation de découverte qui, de plus, a derrière elle et en elle toute l'histoire antérieure de la tradition avec ses expériences et ses découvertes. Ainsi le

7. J.-E. KUHN *Katholische Dogmatik*, vol. 1 (Tübingen 2, 1859), 219.
8. M. SECKLER *op. cit.*, 63.
9. Cf. Vatican II, Constitution *Dei Verbum*, n° 8.

renouvellement de la vérité originelle contient aussi le facteur de la nouveauté ; et c'est seulement si une nouveauté est en même temps une rénovation ou son facteur, donc un moyen de la continuité, qu'elle est théoriquement légitime et assez souvent même nécessaire.

Après cet éclaircissement préalable, se pose la question de l'application théologique possible de la catégorie « innovation » que proposent les organisateurs de cette session. Sur ce point, il n'existe jusqu'à présent, pour autant que je le vois, guère encore de réflexions théologiques [10]. Cela s'applique sans doute aussi à la philosophie ; c'est d'une grande faveur que jouit au contraire le concept dans les sciences sociales et dans la théorie de la science [11]. Au-delà de la signification non spécifique de nouveauté (*Neuerung*), « innovation » a deux connotations : innovation signifie premièrement réforme, et, deuxièmement, la production consciente de nouveauté [12]. Dans ce sens, l'emploi théologique du concept « innovation » est-il possible ?

En ce qui concerne l'innovation en tant que réforme, la problématique de cette signification est claire pour la théologie, mais aussi, par exemple, pour la philosophie et l'art. « Qui est plus sage que Socrate ? Qui croit mieux qu'Abraham ? Platon est-il un Aristote resté à mi-chemin ? L'œuvre de Bach est-elle l'essai raté de composer à la manière de Beethoven ? Trente est-il meilleur que Chalcédoine ? [13] ». En fait, il ne peut être vraiment question de réforme qu'en rapport avec les relations moyens-fin. En ce sens restreint et dans le cadre de ce qui a déjà été exposé sur la nouveauté et le progrès dans la tradition, on peut aussi dans le domaine théologique parler de réforme. Si en effet l'Église, ses formules de foi et ses institutions sont les moyens et les instruments de la transmission vivante de l'esprit de Jésus Christ et de la conservation fidèle de la tradition de foi et si pour cela elles doivent être adaptées aux requêtes de la situation à chaque instant, on peut très bien ici parler de formes, de

10. Voir C. Mayer « Innovation in der Kirche. Eine theologische Grundkategorie der Ekklesiologie », in : *Theologie der Gegenwart* 22 (1979), 215-223.

11. Cf. A. Zingerle, art. « Innovation », in : *Historisches Wörterbuch der Philosophie*, vol. 4 (Basel 1976), 391 sq.

12. Cf. K. Arreger, *Innovation in sozialen Systemen*, vol. 1 (= Uni-TB 487), Bern-Stuttgart 1976, 118.

13. M. Seckler, *op. cit.*, 46.

formulations, de réglements et d'institutions appropries ou susceptibles de réformes. C'est pourquoi le spécialiste des sciences sociales regrette que, « sur le fondement d'une certaine conception théologique de 'l'invariabilité de l'Église', les problèmes existants de la forme sociale de l'Église ne puissent que dans une mesure très restreinte être élucidés en faisant appel à des considérations de rationalité [14] ». Cela est vrai aussi et surtout si tout cela est d'abord à mesurer à la norme de la vérité originelle, à la révélation du Christ, qui doit cependant devenir actuelle en vertu de sa propre destination par l'action de l'Église. Ce n'est pas *ce qui* est transmis qui peut être réformé, mais *comment* c'est transmis et le fait *que* ce soit transmis.

Dans cette perspective, apparaît aussi une réponse au sujet de la seconde connotation : l'innovation en tant que production consciente de nouveauté. D'après ce que nous avons dit jusqu'à présent, les innovations en ce sens sont aussi bien possibles que nécessaires. L'histoire de l'Église fait voir un grand nombre d'innovations dans tous les domaines et aussi leur production consciente, par exemple quand des conciles se sont compris comme des conciles réformateur ou que Vatican II se présentait avec le programme de l'*aggiornamento*. Cependant de telles innovations arrivaient souvent moins comme action voulue avec l'aide de stratégies d'innovations que comme réaction imposée du dehors ou du dedans. L'idée que la continuité ne peut être gardée que par l'innovation était chez les institutions de conservation le plus souvent moins influente, si bien qu'au lieu de la continuité vivante, elles promouvaient souvent plutôt l'immobilisme.

La production consciente d'innovations requiert sans doute l'élaboration de critères théologiques d'innovation. Ceux-ci se dégagent de la théorie présentée plus haut de la tradition. Une indication intéressante à cet égard est fournie par la Constitution sur la liturgie, de Vatican II, à l'unique endroit où le concept d'innovation surgit dans les documents conciliaires en vue d'une application théologique : « On ne fera des innovations que si l'utilité de l'Église les exige vraiment et certainement, et après

---

14. F.-X. KAUFMANN, *Kirche begreifen. Analysen und Themen zur gesellschaftlichen Verfassung des Christentums* (Freiburg-Basel-Wien, 1979), 47.

s'être bien assuré que les formes nouvelles sortent des formes déjà existantes par un développement en quelque sorte organique [15] ». Ici se trouve en premier lieu affirmée la nécessité des innovations quand l'utilité de l'Église — ici de sa liturgie — les exige, eu égard aux signes du temps. Deuxièmement est établi le principe de l'économie : car les innovations ne sont pas une fin en soi, mais elles sont au service de la continuité et de l'identité de la tradition et de l'Église. Cette justification vaut aussi pour le principe du développement organique qui est souligné en troisième lieu : la tradition est un ensemble historiquement saisissable, l'Église a une identité historique et une identité sociale qui doivent être visibles et réalisables pour les hommes.

Nous pouvons l'affirmer : pour le domaine ecclésial, la tradition et sa continuité ne sont pas le *point de départ* demeurant en arrière de toute innovation, comme en ces domaines pour lesquels la tradition antérieure ne fournit que le stock de connaissances dont doit partir tout novateur, mais le *but* de toute innovation ; ici l'innovation se tient au service de la continuité de la tradition.

De ce qui précède se dégage aussi un rapport historico-dialectique dans lequel la continuité et l'innovation se correspondent. La continuité de la tradition risque de s'interrompre, quand elle n'est pas appréhendée d'une manière nouvelle dans des conditions tranformées. L'innovation qui est risquée en faveur de la continuité est en même temps achèvement et commencement. Elle est l'achèvement d'une phase antérieure de la continuité qui, telle qu'elle est, ne fournit plus un appui. L'innovation toutefois ne reste pas fixée à ce mouvement négatif de détachement, mais elle appréhende la même chose d'une manière nouvelle. L'innovation est donc un risque nécessaire en faveur de la continuité. Elle implique la confiance que la continuité permet de nouvelles formes concrètes historiques. Et même la véritable continuité suscite elle-même l'innovation sans laquelle elle ne pourrait subsister.

Ainsi la tradition comme aussi l'Église se réalise en formes concrètes toujours nouvelles. Alors les expériences et les

---

15. Vatican II, Constitution *Sacrosanctum Concilium*, nº 23.

connaissances issues de formes concrètes antérieures pénètrent dans les nouvelles formes concrètes, dans l'innovation quand elle en est une, et déterminent le niveau de la nouvelle réalisation. Avec toute innovation, les formes concrètes antérieures se révèlent comme particulières, provisoires, donc non comme des phases définitives de la continuité. L'auto-tradition de Jésus Christ dans l'Esprit atteint ainsi par ses innovations un degré toujours nouveau d'auto-réalisation ; elle reste la même du fait qu'elle change ses formes concrètes historiques.

C'est pourquoi, au contraire d'une conception statique et sans histoire, l'histoire de la tradition et de l'Église ressemble à une chaîne de réalisations successives, dans laquelle chaque membre a son lieu historique, où il assure d'une manière irremplaçable la liaison avec l'origine, et où le membre toujours nouveau ne peut se rattacher qu'au dernier à chaque fois. Naturellement, toutes les formes concrètes n'ont pas la même valeur, et le progrès lui-même inclut aussi la correction des développements défectueux. Le critère à ce sujet est chaque fois la mesure dans laquelle une innovation est un renouvellement, la reprise de l'origine attestée bibliquement dans les conditions concrètes. Ainsi toute véritable innovation est en même temps *metanoia* et la succession de telles innovations est un processus de réforme constante.

Le lien dialectique de continuité permanente et de changement constant de l'identique est possible parce que, comme nous l'avons vu, l'identité de la tradition et de l'Église ne dépend pas de l'invariabilité de ses formes concrètes particulières, mais de la constance de l'auto-tradition de Jésus-Christ dans l'Esprit, qui devient vivante dans les nouvelles formes concrètes.

TROISIÈME PAS

L'Église se découvre progressivement comme sujet actif dans l'économie du salut, sujet qui est capable de réaliser des innovations en faveur de la continuité de la tradition.

Avant d'étudier la continuité entre Vatican I et Vatican II, nous devons d'abord, dans un troisième mouvement de pensée, chercher de quelle manière la continuité dynamique de la tradition se manifeste maintenant plus précisément dans la perspective ecclésiologique, dans le processus d'auto-réalisation de l'Église.

Nous avons appelé l'Église le fruit et l'instrument de l'auto-tradition de Jésus-Christ dans l'Esprit. La dialectique de continuité et d'innovation se laisse-t-elle aussi observer dans l'histoire de l'auto-réalisation de l'Église ? Effectivement.

L'Église manifeste dès le début une activité innovatrice, suscitée par l'intention de garder la continuité du message et de l'œuvre de Jésus-Christ. Elle exerce une activité innovatrice quand, dans les évangiles, elle réinterprète la tradition de Jésus à la lumière de l'expérience pascale, se détache de la circoncision et de la loi juive, quand elle élabore les formes du ministère, fixe le canon de la Sainte Écriture et le nombre des sacrements, formule enfin les dogmes christologiques avec l'aide de concepts non bibliques, hellénistiques, — pour ne citer que quelques innovations assurément profondes datant de l'époque ancienne de l'Église et dans lesquelles le processus de l'auto-réalisation de l'Église se laisse discerner surtout clairement par les innovations. Maintenant, dans ce processus total se poursuivant jusqu'à nos jours et dans la perspective ecclésiologique, peut-on distinguer une sorte de ligne progressive de développement qui, malgré tout ce qu'une réalisation humaine a de défectueux et avec la restriction faite plus haut, pourrait être appelée progrès ?

Ce que l'Église a fait dès le début lorsqu'elle introduisait ces innovations, sans avoir pour cela une mission précise de Jésus-Christ, elle en prit de plus en plus conscience au cours du temps de ce qu'elle faisait en vertu de sa mission propre, qu'elle possède par la force du Saint-Esprit. Ce qui arrive dans ce processus de l'auto-réalisation de l'Église n'est rien de moins que ceci : l'Église se découvre comme sujet qui agit historiquement et se détermine dans l'économie divine du salut. Elle se découvre comme sujet de cette médiation humaine par laquelle se réalise la communication de Dieu par lui-même. Elle n'*agit* plus seulement avec une lucidité charismatique et immédiate comme sujet de son histoire, elle *connaît* aussi de plus en plus réflexivement son être de sujet.

Quand l'Église dans les siècles antérieurs ramenait encore les innovations qu'elle introduisait elle-même à des ordres précis de

Jésus-Christ ou des apôtres et les légitimait ainsi, il lui était encore caché que ces innovations étaient en réalité des décisions ecclésiales. Il est vrai que cette légitimation touchait exactement le cœur de la question, parce que ces innovations n'étaient rien d'autre que des formes concrètes nouvelles et nécessaires de la continuité dynamiquement agissante de l'auto-tradition de Jésus-Christ. Mais que ces formes fussent historiquement le résultat de la décision et de l'évolution historique de l'Église et non des consignes détaillées de Jésus-Christ ou des apôtres, cela restait irréfléchi. Quand l'Église ancienne n'attribuait aux conciles une autorité que parce qu'ils n'attestaient pas autre chose que l'ancienne tradition, et ne disaient rien de nouveau, elle ne réfléchissait pas non plus qu'elle exprimait déjà la vieille doctrine en concepts nouveaux, qui étaient le résultat de sa réflexion et de sa décision propres.

Une autre indication que le processus par lequel l'Église est devenue consciente d'elle-même en tant que sujet agissant historiquement et se déterminant est un processus progressif et même tardif, c'est le fait que l'ecclésiologie est l'un des rameaux les plus récents sur l'arbre de l'histoire de la réflexion théologique. L'ecclésiologie est l'expression réflexive de la découverte de soi de l'Église. Dans le même sens, va l'observation que les deux derniers conciles, c'est-à-dire Vatican I et Vatican II, sont les premiers dans lesquels l'Église est devenue un thème pour elle-même.

Il faut ajouter que l'histoire de la découverte de l'Église par elle-même se tient dans une relation réciproque avec les évolutions extra-ecclésiales, spirituelles, sociales et politiques. Avec l'époque moderne commence un processus dans lequel des domaines de vie relativement autonomes se différencient de plus en plus [16]. La bourgeoisie devient, avec le développement du commerce et de l'industrie, une force politique autonome, les États nationaux affirment leur souveraineté, la science acquiert son autonomie de méthode et d'organisation. Le sujet autonome des temps modernes se dégage et se donne aussi une forme politique, d'abord sous la forme du monarque absolutiste souverain, puis sous la forme de la souveraineté populaire. Cette

---

16. Cf. F.-X. KAUFMANN, *op. cit.,* 54 sq., 147 sq.

évolution pousse l'Église à se définir comme une grandeur propre, comme *societas perfecta,* par opposition à l'État souverain, avec des fins et des structures propres. La prise de conscience de soi de l'Église n'est donc pas due seulement à une dynamique théologique, mais elle est aussi le résultat d'une relation réciproque avec l'évolution extra-ecclésiale. C'est ce qu'on peut apercevoir sans difficultés en considérant Vatican I et Vatican II. Vatican I veut souligner l'originalité et l'indépendance de l'Église en face de l'État souverain, et se définit à cette fin d'après le modèle de cet État. Vatican II se trouve dans une société qui se réclame du principe de l'autodétermination; il souligne la co-responsabilité de l'épiscopat et des croyants et confirme aux Églises locales une indépendance relative.

A cet endroit se dégage la question suivante : dans quelle mesure la conscience de soi réflexe de l'Église comme sujet dans l'économie du salut est-elle le fruit de l'action de Dieu se communiquant lui-même, le déploiement de la continuité dynamique de l'auto-tradition de Jésus-Christ dans l'Esprit ? L'auto-communication de Dieu, expression du libre décret de salut et de l'amour de Dieu, ne peut être perçue que librement, et on ne peut y répondre que par l'amour. C'est pourquoi Dieu se communiquant lui-même se pose par avance la liberté créée, la subjectivité et la libération rédemptrice de cette liberté pour une réponse par amour. La condition de la subjectivité ne vaut pas moins pour cette médiation humaine que la Parole de Dieu met au service de sa communication de soi à l'homme. L'être-sujet de l'Église dans l'économie du salut et sa conscience croissante de ce caractère sont le fruit de plus en plus mûr de l'auto-tradition de Jésus-Christ. Celle-ci tend à ce que l'Église ne *soit* pas seulement le sacrement de la médiation du salut au monde, mais à ce qu'elle *s'accomplisse* elle-même comme telle en pleine conscience, se laisse mettre au service dans la liberté et l'amour.

Ce qui est décisif pour la légitimité de ce développement, c'est que dans l'Église, avec la conscience de son caractère de sujet, grandisse aussi la conscience qu'elle n'est pas sujet en vertu de sa propre liberté gracieuse, mais qu'elle est *creatura Verbi.* Que Jésus-Christ reste le fondement et le Seigneur de l'Église, cela n'est sans doute pas nouveau pour la conscience de l'Église mais cela devient conscient à un nouveau degré de son autocompréhension, justement au degré de sa conscience de soi comme sujet. Tandis qu'elle se comprenait depuis toujours comme fondée par Jésus-Christ, cette relation à son fondement est maintenant comprise par l'Église, malgré tout autre auto-accomplissement, comme un rapport à réaliser d'une manière libre et responsable à son origine. Faute de quoi, l'auto-compréhension de l'Église comme sujet du processus de tradition deviendrait l'occasion d'un triomphalisme qui met l'Église à la place du Christ. Mais l'effet de la véritable continuité de l'auto-tradition de Jésus-Christ dans l'Esprit est que, avec la conscience accrue de l'unité d'action sacramentelle du Christ et de l'Église, qui parle et agit au nom et dans la personne du Christ (*in nomine et persona Christi*), s'approfondit en même temps la connaissance de la différence entre le Christ et l'Église, si bien que l'Église a constamment besoin de la conversion, de l'orientation d'après la Parole de Dieu et de l'édification par l'action du Christ dans l'Esprit.

Que la conscience de l'Église se développe dans cette direction, c'est ce que montre une comparaison entre Vatican I et Vatican II. Vatican I avait unilatéralement souligné le caractère de sujet qui appartient à l'Église sous la forme du pouvoir souverain de décision du pape. Au contraire, Vatican II déclare que la Parole de Dieu se tient au-dessus de l'Église et de son ministère, et que le pape doit exercer son ministère d'une manière qui corresponde à sa responsabilité et avec les moyens appropriés.

Une dernière remarque doit conduire au pas suivant. Dans la mesure où l'Église devient consciente de son rôle de sujet, il se pose la question des sujets concrets qui agissent historiquement dans l'Église et pour l'Église. D'une certaine manière, cette question précède sans doute la conscience de sujet de l'Église, car c'était un problème qu'il fallait régler pratiquement dès le début. Quant à la question compliquée de la naissance et du rôle du ministère ecclésial, dont les responsables devinrent déjà tôt des sujets agissants et décidant dans et pour l'Église, nous ne pouvons l'aborder ici, faute de place. Disons seulement ce qui suit : la conscience qu'a l'Église d'être un sujet agissant historiquement s'est formée justement à mesure que les responsables de ministères prenaient davantage conscience de leur compétence en matière de décisions — comme on peut l'apercevoir en constatant la dissociation entre la *potestas ordinis* et la *potestas iurisdictionis*. Mais après la découverte que l'Église comme totalité, comme communion, est le sacrement du salut sous la forme du sujet, il faut se demander de quelle manière les autres membres de la communion participent aussi au caractère de sujet actif qui appartient à l'Église.

Ici aussi une comparaison entre Vatican I et Vatican II est éclairante. Vatican I mentionne comme sujet unique le pape qui est décrit comme le monarque qui agit souverainement dans l'Église. Vatican II intègre les évêques, les prêtres et les laïcs dans l'être-sujet de l'Église, et alors c'est la première fois que le rôle actif des laïcs est décrit par un concile.

Quatrième pas

Vatican I et Vatican II sont des manifestations concrètes et innovatrices dans le processus par lequel le peuple de Dieu devient sujet conscient.

Nous sommes maintenant en mesure, dans un quatrième mouvement de pensée, d'aborder immédiatement la question de la continuité et de l'innovation à Vatican I et à Vatican II. Rappelons-nous les résultats acquis jusqu'à présent : continuité et innovation, nous l'avons vu, ne forment pas des contraires exclusifs l'un de l'autre. La vraie continuité dans le temps suscite des innovations, parce que la continuité ne devient réelle que dans des formes concrètes finies, qui sont limitées dans le temps : par là se manifeste leur historicité. Cela s'applique aussi à la communication de lui-même que Dieu fait dans le temps, dont la dynamique forme la continuité fondamentale de l'économie du salut, et dont le fruit et l'instrument sont l'Église. Par les innovations que l'Église entreprend pour la sauvegarde de cette continuité, l'Église se réalise et devient de plus en plus consciente d'elle-même comme instrument pleinement humain, comme sujet dans l'économie du salut. Cette découverte d'elle-même la rend de plus en plus capable et consciente de sa tâche, qui est de s'accomplir sous la forme d'une communion de sujets en tant que sacrement du salut pour le monde.

Si maintenant il doit y avoir une continuité entre Vatican I et Vatican II, elle doit se tenir dans cette continuité fondamentale de l'économie du salut, qui se concrétise dans l'auto-accomplissement et dans la découverte de l'Église par elle-même. Aussi bien Vatican I que Vatican II — telle est ma thèse — sont une forme concrète et innovatrice de cette continuité fondamentale. Cette thèse nous paraît plausible pour Vatican II. Vaut-elle aussi pour Vatican I ?

Vatican I est le point final d'une évolution qui commence avec les tendances hiérocratiques au Moyen Age et s'affermit depuis la Contre-Réforme. Que Vatican I constitue une innovation, on le voit nettement quand on compare ce Concile avec l'Église du premier millénaire. Nous nous y sommes déjà reportés au début de ces réflexions. Le réellement nouveau que, comparé à l'ancienne Église, Vatican I apporte sous la forme de la primauté papale de juridiction et d'enseignement, c'est la conscience expresse du pouvoir de décision de l'Église et par là sa tâche de se réaliser chaque fois de nouveau elle-même par des innovations comme sujet instrumental de la tradition du Christ. Sans doute, les anciens conciles aussi ont pris des décisions ; mais d'après leur manière de se comprendre, ils se laissaient déterminer, c'est-à-dire déterminer par la tradition, plus qu'ils ne se déterminaient eux-mêmes. Les conciles, conformément à leur structure en tant qu'assemblées œcuméniques, rassemblaient le témoignage de l'Église ; leur mission était plutôt la *testificatio fidei* que la *determinatio fidei*. Le pape contribuait à ce témoignage, le recevait et le confirmait. Qu'un individu puisse prendre des décisions de foi, c'était impensable à partir de l'idée du témoignage. Tout au plus, la tradition objective gardée dans une communauté particulière, par exemple Rome qui était connue pour sa fidélité à la foi, pouvait prétendre à une prééminence et à une autorité sur les autres.

Avec la primauté de juridiction et d'enseignement, fut fixé le pouvoir de décision d'un individu, à savoir du pape, pour autant qu'il agit *in persona Ecclesiae*. C'est là une innovation par rapport à l'ancienne Église, mais cela se tient en même temps dans une continuité fondamentale par laquelle l'Église se découvre de plus en plus comme sujet, comme sujet qui se réalise continuellement par des décisions innovatrices. Car, d'après la conception de Vatican I, le pape n'agit ici que *in persona Ecclesiae*, dans le pouvoir papal de décision se manifeste et se réalise la puissance de décision et d'innovation de l'Église. Cela s'exprime aussi en que la qualité formelle qui s'attache à la foi de l'Église, l'*infallibilitas in credendo*, est attribuée maintenant comme *infallibitas in docendo* à la décision de foi du pape. Le pouvoir de décision, le caractère de sujet qui appartient à l'Église, ici encore dans la personne du pape, est par là élevé à la clarté de la conscience théologique réflexe et légitimé théologiquement. Le caractère qu'a l'Église d'être sujet historiquement agissant dans l'économie du salut, devient une détermination ecclésiologique.

Le caractère de sujet qui appartient à l'Église reste cependant à Vatican I sous-déterminé à un double point de vue. D'une manière unilatérale qui dépend de conditions historiques, le Concile s'est concentré sur le pouvoir et la liberté de décision du pape. Cela s'explique avant tout par l'intention de souligner, en face de la revendication totale de souveraineté de l'État moderne, l'indépendance et la liberté de l'Église [17]. Ce qui pour cette raison ne fut pas pris pour thème, ce fut la dépendance du pape à l'égard de la Parole de Dieu et du *consensus Ecclesiae* dans sa dimension diachronique et synchronique. Comme le montrent les Actes du Concile, ce point ne devait pas non plus être nié ; le « ex sese, non ex consensu Ecclesiae » du dogme de l'infaillibilité ne devait exclure que la dépendance du pape à l'égard de certaines procédures et ceci, en faveur de sa liberté de décision. Les trois conditions que Vatican I indique pour une décision infaillible du pape n'expriment qu'insuffisamment la dépendance intérieure qui s'impose au pape [18]. Par là, le caractère de sujet qui appartient à l'Église reste sous-déterminé pour autant que le véritable caractère de sujet comprend l'écoute obéissante de la Parole de Dieu gardée vivante dans l'Église.

Mais le caractère de sujet qui appartient à l'Église reste aussi sous-déterminé dans la mesure où le pape n'est pas l'unique sujet

17. Cf. H.-J. POTTMEYER, *Unfehlbarkeit und Souveränität* (= Tübinger Theol. Studien 5), Mayence, 1975.
18. Cf. H.-J. POTTMEYER, « Die Bedingungen des bedingungslosen Unfehlbarkeitsanspruchs », in : ThQ 159 (1979), 92-109.

concret dans l'Église. Les autres sujets aussi participent à leur manière, d'après le témoignage de l'Écriture et de la tradition, au caractère de sujet qui appartient à l'Église.

Ici maintenant s'insère l'innovation de Vatican II qui consiste dans l'affirmation que l'Église est sujet comme totalité, comme peuple de Dieu, et comme sacrement du salut pour le monde. Dans la vision de Vatican II, l'être-sujet de l'Église se réalise comme communion de sujets ; à côté du pape, un rôle actif est aussi attribué aux évêques, aux prêtres et aux laïcs. De plus, le caractère de sujet n'appartient pas seulement aux membres particuliers, mais aussi aux éléments ecclésiaux structurels, qui existent à côté du pape : le collège épiscopal et les Églises particulières et locales, dans lesquelles se réalise la communion. La communion des sujets se réalise dans la communion des Églises. En ce sens les éléments synodaux de la constitution de l'Église trouvèrent une nouvelle vie. De plus, l'être-sujet des laïcs parvient à s'exercer en ce qu'ils forment de libres associations, pour assumer activement en commun leur responsabilité pour la mission de l'Église.

En même temps, Vatican II a exprimé clairement que l'être-sujet croissant de l'Église comme totalité et des sujets dans l'Église, ne peut exister que dans un don toujours plus décisif au Christ : par la reconnaissance de son propre péché et par la conversion — contre tout triomphalisme — par l'audition commune de la parole de Dieu — contre tout autoritarisme — par le service mutuel — contre toute prétention de domination. Comme nous l'avons déjà indiqué, Vatican II a complété aussi les formulations de la primauté papale de juridiction et d'enseignement, qu'il reprend de Vatican I en ce sens — quoique seulement très prudemment.

Vatican II constitue aussi une innovation par rapport à Vatican I, dans la mesure où il dépasse la vision ecclésiocentrique de Vatican I. Il y a même lieu d'observer ici, entre *Lumen gentium* et *Gaudium et spes*, un progrès dans la concrétisation de la continuité dynamique de l'auto-tradition de Jésus-Christ. Sans doute *Lumen gentium* aussi appelle déjà l'Église un sacrement de salut pour le monde. Mais seul *Gaudium et spes* en tire les conséquences. L'Église se déclare solidaire de ce mouvement historique qui tend à rendre à tous les hommes leur caractère de sujet comme développement de leur dignité de personne. Dans ce mouvement historique, l'Église voit pareillement un fruit de la dynamique de l'auto-communication. Dans l'engagement solidaire pour que les autres deviennent sujets, l'être-sujet de l'Église elle-même acquiert une nouvelle forme concrète.

Qu'est-ce que nos réflexions sur la question de la continuité et de l'innovation ont apporté dans l'ecclésiologie de Vatican I et de Vatican II ? La continuité entre les deux conciles ne consiste que secondairement en ce que Vatican II a repris de son prédécesseur la formulation de la primauté papale de juridiction et d'enseignement. Leur continuité provient en premier lieu de ce que les deux conciles se tiennent dans la continuité progressive de la dynamique de l'auto-tradition de Jésus-Christ dans l'Esprit, qui pousse l'Église à se comprendre et à se réaliser de plus en plus comme sujet dans l'économie du salut. Les deux conciles furent des concrétisations nécessaires et innovatrices de cette continuité. Vatican I fit passer le pouvoir de décision et d'innovation de l'Église sur le plan du concept théologique et d'une forme institutionnelle, dont le caractère unilatéral assurément n'était nécessaire que par opposition à la prétention totalitaire de l'État. Dans le prolongement nécessaire de cette continuité, Vatican II a formulé théologiquement l'être-sujet de l'Église comme totalité et de tous ses membres. Ce pas n'était pas seulement nécessaire pour délivrer l'ecclésiologie de Vatican I de son caractère unilatéral. Il était nécessaire aussi parce que l'Évangile, dans un monde de domaines de vie autonomes et dans une société fondée sur le principe de l'autodétermination, ne peut plus être transmis uniquement par les formes institutionnelles antérieures, mais seulement par des chrétiens qui vivent dans ces domaines de vie et sont conscients de leur responsabilité active et de leur mission.

CINQUIÈME PAS

La nouvelle réception de Vatican I signifie intégrer la promotion de l'être-sujet de tous et de l'Église comme communion dans la définition de la primauté papale.

Dans un cinquième et dernier mouvement de pensée, nous devons maintenant rassembler encore quelques perspectives qui se sont dégagées pour nous en vue d'une nouvelle réception de Vatican I à la lumière de Vatican II. Le plus important résultat est que le problème a changé grâce à nos reflexions. Si nous avons dû au début constater une opposition exclusive entre les deux ecclésiologies, d'où partaient les différents essais de solution, nous avons maintenant devant nous une opposition relative. Les deux conciles sont positivement relatifs l'un à l'autre, car Vatican I formule une connaissance qui, à Vatican II, parvient à un développement plus large et à ses véritables conséquences. C'est la connaissance du pouvoir de décision, d'organisation et d'innovation de l'Église, de son droit, sous la conduite de l'Esprit, d'annoncer l'Évangile sans falsification d'une manière chaque fois nouvelle et obligatoire et qui corresponde aux défis du temps, enfin de le garder fidèlement. Les deux conciles sont négativement relatifs l'un à l'autre, car Vatican II commence à corriger la manière unilatérale dont Vatican I affirmait cette connaissance exclusivement au profit du pape, sans parler de la liaison de celui-ci à toute l'Église et sans considérer suffisamment la participation de celle-ci. Vatican II dépasse son prédécesseur en reconnaissant que, en dehors du pape, un rôle actif de sujet dans l'économie du salut et pour la mission de l'Église appartient aussi aux autres structures de l'Église — au collège episcopal, aux Églises partielles et locales et aux laïcs.

C'est pourquoi la continuité obligatoire avec Vatican I ne consiste pas à maintenir l'invariabilité de ces formes dans lesquelles la primauté de juridiction et d'enseignement fut réalisée sur la base de l'accentuation unilatérale de Vatican I et qui permettent aux autres sujets d'être des sujets actifs tout au plus comme une concession gracieuse, en tout temps révocable, de celui qui détient la primauté. La primauté ne remplit plutôt son véritable rôle que si elle devient l'expression et l'instrument de cette dynamique de l'auto-tradition de Jésus-Christ dans l'Esprit, qui cherche à promouvoir l'être-sujet de tous devant Dieu et les uns devant les autres. De l'autre côté, il ne peut s'agir de restreindre la responsabilité totale et active du pape, mais d'engager cette responsabilité de telle sorte qu'elle favorise la liberté de déploiement et d'organisation des autres structures et membres de l'Église.

C'est pourquoi la nouvelle réception de Vatican I à la lumière de Vatican II signifie que la promotion de la responsabilité collégiale de l'épiscopat, de la responsabilité propre des Églises locales et de la communion de tous fait partie de la définition essentielle de la primauté papale, de même qu'inversement les Églises locales doivent de plus en plus avoir conscience qu'elles sont tenues de soutenir activement la responsabilité universelle du pape. C'est à quoi pourrait servir un élargissement sans prévention de la pratique conciliaire et synodale dans l'Église : non comme restriction de l'un ou de l'autre, mais comme expression et instrument de l'être-sujet de tous.

Si nous ne nous sommes pas trompés dans la manière dont nous avons montré la direction de l'évolution, ni en affirmant qu'elle est la dynamique de l'auto-tradition de Jésus-Christ, qui pousse à aller dans cette direction et veut parvenir à une vivante réalisation, alors la voie à suivre mène, au-delà de Vatican II, à d'autres innovations qui manifesteront dans la pratique et la constitution de l'Église la vivante diversité de l'action de l'Esprit de Jésus-Christ. La fidélité à la tradition et à sa continuité s'attesterait alors justement dans le courage d'aller plus loin sur ce chemin, afin que « la Parole de Dieu poursuive sa course » (2 Th 3,1) aussi en notre temps.

(Traduit de l'allemand par Robert Givord)

Yves CONGAR

LES IMPLICATIONS
CHRISTOLOGIQUES ET PNEUMATOLOGIQUES
DE L'ECCLÉSIOLOGIE DE VATICAN II

J'ai imprudemment accepté de traiter ce thème. Au moment
de rédiger, je me suis demandé ce qu'il recouvrait exactement, ce
qu'on attendait de moi dans le cadre global de ce colloque. Je me
suis alors tracé un plan découlant, m'a-t-il semblé, de l'énoncé
même du thème, puis j'ai relu tous les textes du Concile, le
crayon à la main[1]. Voici, en conséquence, ce que je me propose
d'examiner : 1. Ce que le Christ a fait, quant à l'Église, durant sa
présence sur terre. 2. Ce que fait le Christ glorieux. 3. Ce qui
vient du Saint-Esprit. 4. En conclusion, le caractère trinitaire de
l'ecclésiologie de Vatican II. A chacun de ces moments, après le
bilan des énoncés conciliaires, nous chercherons quels enjeux

---

1. Sigles employés : les lettres des deux premiers mots de chaque document.
Cela donne :

AA : *Apostolicam actuositatem,* sur l'apostolat des laïcs
AG : *Ad Gentes divinitus,* sur l'activité missionnaire
CD : *Christus Dominus,* sur la charge pastorale des évêques
DH : *Dignitatis humanae personae.* Déclaration sur la liberté religieuse
DV : *Dei verbum.* Constitution dogmatique sur la Révélation, l'Ecriture et la
      Tradition
GE : *Gravissimum educationis momentum,* sur l'éducation et l'enseignement
GS : *Gaudium et spes.* Constitution pastorale sur l'Eglise dans le monde de ce
      temps
IM : *Inter mirifica,* sur les moyens de communication sociale
LG : *Lumen Gentium.* Constitution dogmatique sur l'Eglise
NA : *Nostra aetate.* Déclaration sur les religions non chrétiennes
OE : *Orientalium Ecclesiarum,* sur les Eglises orientales
OT : *Optatam totius Ecclesiae renovationem,* sur la formation des prêtres
PC : *Perfectae caritatis,* sur la vie religieuse
PO : *Presbyterorum Ordinis,* sur le ministère et la vie des prêtres
SC : *Sacrosanctum Concilium,* sur la liturgie
UR : *Unitatis redintegratio,* sur l'œcuménisme

sont en cause, ce que cela a apporté dans l'après-concile et ce que cela représente dans l'état actuel des recherches, des mouvements, des aspirations.

I. CE QUE LE CHRIST A FAIT, QUANT À L'ÉGLISE, DURANT SA PRÉSENCE SUR TERRE

Antonio Acerbi a montré que, jusque Vatican II, l'ecclésiologie dominante était celle d'une Église fondée par le Christ, présent sur terre, comme institution hiérarchique, juridique[2]. Le Christ, avait fondé l'Église comme une société, une société complète (societas perfecta), une société inégale, où, de droit divin et comme valeur fondammentale, existait une distinction entre clercs et laïcs, gouvernants et gouvernés. Même l'encyclique *Mystici Corporis* de Pie XII (29 juin 1943 : cette date même est significative), si elle remettait en valeur l'aspect spirituel, et même les charismes, l'insérait étroitement dans l'institution, soucieuse qu'elle était d'exclure toute opposition entre Église de l'amour et Église du droit. Le schéma de la Commission préparatoire du concile était dans la même ligne. Il existait d'autres courants qui, à partir d'approches et dans des élaborations diverses, voyaient *d'abord* l'Église comme communion à la vie divine, c'est-à-dire communauté surnaturelle consistant *d'abord* dans les chrétiens. Bien sûr, les ministères ordonnés y avaient leur place. Au concile, montre Acerbi, ces deux visions sont entrées en compétition, la seconde l'a emporté sur la précédente, sans l'éliminer cependant — sans doute n'est-ce ni possible ni souhaitable ? — de sorte que *Lumen Gentium* offre un certain caractère de compromis ou de texte de transition.

Relecture attentive faite, j'affirme qu'on ne peut taxer *Lumen Gentium* de « christomonisme ». Christocentrisme, soit, si toutefois cette étiquette a un sens : Vatican II est christocentrique comme S. Paul, pas autrement, c'est-à-dire que notre communion avec Dieu ne se fait que par union au Christ, qui a accompli l'œuvre que le Père lui a confiée (SC, 5). Il est très souvent

---

2. A. ACERBI, *Due ecclesiologie. Ecclesiologia giuridica ed ecclesiologia di communione nella « lumen gentium »*. Bologna, 1975.

donné aussi comme le modèle absolu[3]. Certes, il est *fondateur*. Il a fondé l'Église comme un tout social (LG, 8) ; il a institué les Douze comme un groupe stable, principe du corps ou collège des évêques (cf. Mc 3,13)[4] ; il a ainsi établi ceux-ci maîtres, pontifes et pasteurs (CD, 2) ; il a disposé les ministères[5]. En envoyant les apôtres avec Pierre à leur tête, le Christ a établi la forme du pouvoir pastoral dans l'Église, continuée dans le collège des évêques avec le pontifie romain à sa tête (LG, 18 ; 22 ; 27, et Nota praevia § 2). C'est une fondation de l'Église par le Christ en la chair. Cependant souvent on se réfère à la mission donnée par Jésus ressuscité, avec renvoi à Mt 28,18-20[6]. Cela répond bien au caractère dynamique et missionnaire que Vatican II met en avant dans toute l'économie de grâce : Christ, Église - peuple de Dieu.

Personne ne peut ignorer ou nier la prévision et l'institution d'une Église, au moins dans la personne des Douze, par le Christ prépascal[7]. Certaines présentations ecclésiologiques récentes nous semblent minimiser ce fait : ainsi H. Küng, pour lequel « par sa prédication et son activité, le Jésus *pré-pascal a créé les bases favorables* à l'apparition d'une Église post-pascale »[8] (souligné de l'auteur), mais surtout Leonardo Boff, qui écrit : « Jésus n'a pas prêché l'Église, mais le Royaume de Dieu. Celui-ci n'est pas venu, comme il l'avait espéré jusqu'à la fin, parce que les juifs ont refusé (...) l'Église-institution ne se basait pas, comme on le dit communément, sur l'Incarnation du Verbe, mais sur la foi dans le pouvoir des apôtres inspirés par l'Esprit-Saint, qui leur faisait transposer l'eschatologie au temps de l'Église et traduire la doctrine du Royaume de Dieu en doctrine sur l'Église... »[9]. C'est le Saint-Esprit et les apôtres qui

---

3. Cf. LG, 40-42 ; 46 ; DV, 2 ; 7 ; 15 et 17 ; GS 10/2 ; 22/1 ; 32 ; 38 ; 41 ; 45.
4. Cf. LG, 19 ; AG, 5 ; UR, 2/3 ; DH, 1/2.
5. LG, 7 ; 18 ; CD, 20 ; AG, 4 et 5.
6. Soit pour fonder le *collège* (LG, 19 et 20), soit pour affirmer la continuité de mission : DV, 7 ; AG, 5 ; LG, 17 ; SC, 9 ; PO, 4/2 ; DH, 1/2 ; 13/2 ; 14/1. Voir encore LG, 1 ; AG, 2 ; PO, 2 ; 5 ; 12.
7. Le maximum de ce qu'on peut, exégétiquement et historiquement, dire en ce sens, l'a été par Mgr A.-L. DESCAMPS, *L'origine de l'institution ecclésiale selon le Nouveau Testament*, in *L'Église : institution et foi* (Public. des Facultés universit. St-Louis, 14). Bruxelles, 1979, p. 91-138.
8. H. KÜNG, *L'Église*. Trad. H. ROCHAIS et J. EVRARD. Desclée de Brouwer, 1968, t. I,p. 71-151 (citation : p. 112).
9. L. BOFF, *Église en genèse. Les communautés de base réinventent l'Église*. Trad. F. MALLEY. Paris, 1978, p. 79-80 et 84.

ont fait la communauté-Église ; la réalisation de celle-ci est toujours ouverte devant elle, devant nous...

Cela n'est certainement pas la vue du concile, bien que celui-ci n'ait épousé, ni l'idée de l'école romaine d'«Incarnation continuée», ni le schéma de la hiérarchie cause efficiente de Billot, Journet, auquel il m'est arrivé de sacrifier : le Christ → les apôtres et leurs successeurs → l'Église. Le concile donne un rôle actif aux ministres ordonnés, mais ne construit pas sa vision de l'Église selon ce schéma. Il voit l'Église comme un peuple, une communauté de grâce en dépendance de la Trinité par les missions du Fils et de l'Esprit. Bien sûr, peuple et communauté sont visibles, historiques, ils usent de moyens sensibles, mais tout cela est vu sous le signe de sacrement de la grâce et de l'action actuelle du Christ.

II. Ce que fait le Christ glorieux

Pour Vatican II, le Christ n'est pas seulement *fondateur* : il est *fondement* permanent, activement présent à la construction permanente et à la vie de l'Église. Cet actualisme de la référence christologique était manifeste dans le discours de Paul VI ouvrant la seconde période du concile, le 29 septembre 1963. J'en ai encore dans les oreilles le ton de foi enthousiaste et intense. «Trois questions capitales dans leur extrême simplicité. Il n'y a qu'une réponse à leur donner... : le Christ. Le Christ : notre principe ; le Christ : notre voie et notre guide ; le Christ : notre espérance et notre fin (...) Nous sommes ses élus, ses disciples, ses apôtres, ses témoins, ses ministres, ses représentants et, avec tous les autres fidèles, ses membres vivants, unis dans cet immense et unique Corps mystique, que Lui, par le moyen de la foi et des sacrements, est en train de se constituer au cours des générations humaines»[10]. Les premiers mots de la constitution sur l'Église répondent bien à cette vision. Jean XXIII avait, le 11 octobre 1962, parlé de l'Église comme «lumen gentium», en se référant ensuite au «lumen Christi» de

---

10. *Docum. Cath.*, 1963, col. 1349 et 1350. Le texte, trop peu remarqué, de Jean XXIII : *Docum. Cath.*, 1962, col. 1217 s.

la vigile Pascale. Le concile a fait de ces mots le titre de sa constitution dogmatique mais en le rapportant au Christ au prix d'une construction latine heurtée « Lumen gentium cum sit Christus »... Puis c'est, dès le n° 3, cet écho : « Omnes homines ad hanc vocantur unionem cum Christo, qui est lux mundi, a quo procedimus, per quem vivimus, ad quem tendimus » et, au n°8 « Unicus Mediator Christus », idée explicitée au n° 60 à propos du titre marial bien connu.

Cet actualisme de l'action du Christ glorieux est marqué dans la théologie sacramentaire du concile, et d'abord dans sa théologie de l'Église — sacrement primordial et global : « Le Christ élevé de terre a tiré à lui tous les hommes (Cf Jn 12, 32 grec) ; ressuscité des morts (Cf Rm 6,9), il a envoyé sur ses apôtres son Esprit de vie et par lui il a constitué son Corps, qui est l'Église, comme le sacrement universel du salut ; assis à la droite du Père, il exerce continuellement son action dans le monde... » (LG, 48). Cela est développé dans la catégorie de « présence » et par une brève analyse des diverses formes de cette présence, dans la constitution sur la liturgie, SC, 7, qui conclut : « c'est donc à juste titre que la liturgie est considérée comme l'exercice de la fonction sacerdotale de Jésus-Christ ... », un texte auquel renvoie PO, 5 en parlant des prêtres qui « agissent dans les célébrations sacrées comme ministres de celui qui, par son Esprit, exerce sans cesse pour nous, dans la liturgie, sa fonction sacerdotale ».

Nous pouvons, en passant, noter l'intérêt œcuménique de ces énoncés, soit à l'égard de l'Orient orthodoxe, qui exprime dans ses célébrations l'action transcendante *de Dieu*[11], soit à l'égard de la Réforme avec son fameux « ubi et quando visum est Deo », qui ne signifie pas une liberté imprévisible de Dieu à l'égard des sacrements eux-mêmes, mais une liberté de sa grâce à l'égard des fidèles qui en usent.[12]

Des deux côtés, cependant, on critique et même on récuse l'expression souvent employée par Vatican II, de l'évêque ou du prêtre agissant « in persona Christi ». Nous montrons ailleurs (*op.*

11. Renvoyons au t. III de notre « Je crois en l'Esprit-Saint ».
12. L'expression est de la Confessio Augustana, V. Explication : M. KWIRAN, *Der Heilige Geist als Stiefkind ? Bemerkungen zur Confessio Augustana*, in Theol. Zeitsch., 31 (1975) 223-236 (234).

cit., note 11) que cette expression a un sens sacramentel, icônique. Aussi est-ce le Christ qu'elle suppose comme acteur souverain et premier. Cf LG 21 « en la personne des évêques assistés des prêtres, c'est le Seigneur Jésus-Christ, Pontife suprême, qui est présent au milieu des croyants. Assis à la droite de Dieu le Père, il ne cesse d'être présent à la communauté de ses pontifes... »

Cela dit, on pourrait rattacher à ce « in persona Christi » tout un développement sur les recherches qui ont suivi le concile et qui ne sont pas terminées, touchant l'identité.du prêtre. On prend en considération déterminante ce que la Scolastique, la Contre-Réforme et la Restauration anti-révolutionnaire avaient négligé (au plan de la théologie de la chose), à savoir le rapport à la communauté. Le prêtre préside l'Eucharistie parce qu'il est ordonné pour présider la communauté. La Scolastique le définissait par la « potestas conficiendi » identifiée au « caractère » imprimé par l'ordination, personnellement possédé de façon inamissible, et qui configure le prêtre au Christ-prêtre d'une façon absolument originale. Je comprends très bien qu'on veuille dépasser la Scolastique, et même qu'on critique Vatican II, qui a orienté la définition du prêtre vers l'apostolat total et la mission. Mais je craindrais un abandon, voire une diminution, de la référence christologique verticale. Le mouvement favorable à l'ordination des femmes en profiterait, en vertu d'une cohérence des démarches et des attitudes, mais ce n'est pas cela qui m'inquiète. Je souhaite un effort d'intégration et de synthèse entre la sacramentaire christologique assez individualiste de la Scolastique, la référence à la commuauté avec ce qu'elle incorpore de pneumatologie, enfin l'effort du concile, si bien caractérisé par les références bibliques qui n'avaient pas été prises en compte auparavant : Jn 10,36 (cité quatre fois par le concile) et Rm 15,16 (cité également quatre fois).

III. CE QUI REVIENT AU SAINT-ESPRIT

D'abord, bien sûr, l'animation de l'institution ecclésiale. Quatre mots sont très importants dans le n° 14 de LG. Il s'agit du rapport entre les fidèles catholiques et la société-Église. Sous cette question classique se jouait en réalité une *définition* de l'Église. Le concile dit, et nous soulignons les quatre mots en question : « Illi *plene* Ecclesiae societati incorporantur, qui *Spiritum Christi habentes*, integram eius ordinationem... accipiunt ». Ainsi l'Église-société ou la société-Église ne peut se définir qu'en incluant l'Esprit du Christ. C'est le début du dépassement d'un « christomonisme ». Le début seulement. Cela va continuer. L'institution du Christ, les réalités de l'Église-société sont *au service de l'Esprit* du Christ : « Tout comme, en effet, la nature assumée par le Verbe divin est à son service comme un organe vivant de salut qui lui est indissolublement uni, de même le tout social que constitue l'Église est au service de l'Esprit du Christ qui lui donne vie, en vue de la croissance du corps (cf Ep 4,16) » (LG, 8). C'est donc aussi dynamique, « ad augmentum corporis ».

Si le Saint-Esprit n'est pas *instituant* — ce qu'il risque d'être si l'on suit à fond Leonardo Boff —, il est *co-instituant* [13]. L'Église est fondée par le Christ, elle est à ce titre déterminée, mais elle est une institution ouverte. Vatican II parle de suggestions du Saint-Esprit faites aux apôtres (parmi lesquelles celle d'*écrire* ce que nous appelons le Nouveau testament) [14] ; il parle du mystère dévoilé, dans l'Esprit-Saint, aux saints apôtres et prophètes (Ep 3, 4-6 grec) [15]. L'Esprit ·suscite, dans la vie historique de l'Église, des *événements* , c'est-à-dire des faits irréductibles aux prévisions, aux récurrences, à un ordre de natures. Ainsi le mouvement liturgique moderne est présenté comme « un passage du Saint-Esprit dans l'Église de Dieu » (SC, 43). S'il s'agit d'initiatives apostoliques ou missionnaires, *Ad Gentes* reconnaît, avec référence aux Actes (épisode de Corneille) que parfois le Saint-Esprit précède l'action programmée par les hommes : AG, 4 fin ; 29/3.

Une des grandes nouveautés de Vatican II *dans le domaine des documents du « magistère »* a été l'introduction du point de vue eschatologique, et donc aussi de l'historicité. Cela manquait, et ce manque était grave. Il avait partie liée avec la prédominance

---

13. Cf. notre *Je crois en l'Esprit-Saint*. II. *Il est Seigneur et il donne la vie*. Paris, 1979, p. 13-24.
14. Cf. DV, 7 ; 9 ; 11 ; PO, 11.
15. DV, 17. Et Cf. 18 ; 19 ; 20.

du juridique. Vatican II voit l'Esprit de Dieu conduire le cours des temps, rénover la face de la terre, présent qu'il est à l'évolution de la communauté humaine (GS, 26/4 ; comp. 39/3). Il y a lieu, « avec l'aide de l'Esprit-Saint, de scruter, de discerner et d'interpréter les multiples langages de notre temps... » (GS, 44/2 ; 11/1). Les disciples du Christ, conduits par l'Esprit-Saint, sont engagés dans une histoire qui est une marche vers le royaume du Père (GS, 1). Usant éventuellement des ressources que lui offre le monde (GS, 44), l'Église poursuit, sous l'assistance du Saint-Esprit, l'intelligence de ce qui lui a été transmis, « tendant constamment vers la plénitude de la divine vérité, jusqu'à ce que soient accomplies en elle les paroles de Dieu » (DV, 8/2 ; 23 ; comp. 12/3). Cette conduite de l'Esprit est assurée à tout le peuple de Dieu qui, pris dans son universalité, a reçu l'onction du Saint (LG, 12 ; référence à 1 Jn 2,20 et 27) : *Presbyterorum Ordinis* en parle spécialement pour les prêtres (12/2 et 3 ; 17/5 ; 18/2). L'Esprit pousse à la mission (LG, 17) ; il fait retentir et rend actuelle, par la prédication apostolique, la « viva vox Evangelii » (DV, 8 et cf 21).

K. Rahner a pu dire : ce que Vatican II a apporté de plus neuf est l'idée de l'Église locale comme réalisation de l'Église une, sainte, catholique et apostolique [16]. Em. Lanne parle, à ce sujet, de « révolution copernicienne » : ce n'est plus l'Église locale qui gravite autour de l'Église universelle, mais c'est l'Église de Dieu qui se trouve présente dans la célébration de chaque Église locale [17]. De fait, c'est là une redécouverte qui n'a pas fini de développer ses conséquences. Or elle est liée à la pneumatologie, comme une ecclésiologie de l'Église universelle a été liée à un certain « christomonisme ». Cela n'est pas très explicitement dégagé dans le concile. Dans le beau nº 13 de *Lumen Gentium* sur la catholicité, l'Esprit intervient plutôt comme principe de communion et d'unité. Il y est cependant parlé des dons divers propres à chaque peuple, des traditions propres des Églises particulières, qui enrichissent les autres par des échanges

16. K. RAHNER, *Das neue Bild der Kirche,* in *Schriften zur Theologie,* VIII. Einsiedeln, 1967, p. 329-354 (333 s.).
17. E. LANNE, *L'Église locale et l'Église universelle,* in *Irénikon* 43 (1970), 481-511 (490).

mutuels, dans un effort commun vers la plénitude. Mais on ne se lasse pas de citer les belles définitions de l'Église locale :

> Elles sont, chacune sur son territoire, le peuple nouveau appelé par Dieu dans l'Esprit-saint (...) En elles, les fidèles sont rassemblés par la prédication de l'Évangile du Christ, le mystère de la Cène du Seigneur est célébré (...) Dans ces communautés ... le Christ est présent par la vertu de qui se constitue l'Église une, sainte, catholique et apostolique (LG, 26/1, et comp. 28/2).
>
> Un diocèse est une portion du peuple de Dieu confiée à un évêque pour qu'avec l'aide de son presbyterium il en soit le pasteur : ainsi le diocèse, lié à son pasteur et par lui rassemblé dans l'Esprit-Saint grâce à l'Évangile et à l'Eucharistie, constitue une Église du Christ une, sainte, catholique et apostolique (CD, 11/1).

Admirables textes. Le Saint-Esprit y est nommé plutôt comme principe de rassemblement. Or, on le voit mieux aujourd'hui, il est principe d'intériorisation aux personnes, dans la diversité des dons, charismes et vocations, pour que chacune soit librement elle-même, dans la communion des autres. Et cela ne vaut pas seulement pour les personnes individuelles, mais pour les peuples, les Églises. *Cet* aspect-*là* a été peu développé au concile, excepté dans *Unitatis Redintegratio* pour la dualité, à mon avis providentiellement structurelle, entre Orient et Occident : deux traditions de la même foi, que le concile rattache, non seulement à la catholicité, mais à l'apostolicité, ce qui est très fort.

Depuis le concile, nous avons eu un développement de la conscience des Églises particulières — j'adopterais ce vocabulaire, en appelant «Églises *locales*» les diocèses [18] —, nous avons eu des synodes nationaux, nous avons eu le Synode des évêques de 1974, nous avons eu enfin — un processus qui n'a pas dit son dernier mot — la crise de l'européocentrisme, et même de l'Occident, la montée de l'Afrique et de l'Asie. A quoi il faut

---

18. On sait que le vocabulaire du concile est hésitant, pas fixe. Je me rallierai à l'inverse de ce qu'avaient patronné le P. H. DE LUBAC (*Les Églises particulières dans l'Église universelle,* Paris, 1971) et le cardinal BAGGIO (le 5 octobre 1974) aux propositions de J.-M. DE LACHAGA, *Église particulière et minorités ethniques...* Paris, 1978.

ajouter un nouveau développement de la Pneumatologie, en partie lié à l'œcuménisme et à l'écoute de l'Orient. Dès la publication de *Ad Gentes divinitus* des critiques ont été faites du document conciliaire : il reflétait trop la vision des instituts missionnaires et il était encore sous l'influence de l'idée de « planter l'Église », c'est-à-dire, concrètement, de transplanter en une autre terre la bouture de nos Églises occidentales [19]. On dit aujourd'hui : il s'agit non d'envoyer des missions, mais de faire qu'il y ait Église, qu'une Église naisse en un lieu, dans un peuple [20]. Cela est évidemment lié avec la requête de mieux assumer les dons propres de chaque peuple, avec sa culture, ses coutumes. Cette requête, le concile l'avait faite sienne (LG, 17 ; AG, 8), sans en voir toutes les implications et sans développer la pneumatologie qui entre dans ses fondements.

Un autre fruit de la pneumatologie est partiellement évoqué, à savoir le caractère bilatéral et la réciprocité des relations entre les chefs et le corps. On trouve un petit quelque chose en ce sens là où il s'agit des rapports entre les prêtres et leur évêque [21], entre les laïcs et les prêtres, voire les évêques [22]. Le fondement pneumatologique à savoir le fait que l'Esprit habite et anime aussi le corps, qu'il y distribue ses charismes, et qu'ainsi l'œuvre de Dieu veut que la base *apporte* aussi et coopère activement, est assez suggéré pour les prêtres (PO, 7), plus indirectement pour les laïcs (AA, 3/2 et 4). C'est un aspect que les études plus récentes développent souvent en citant de beaux témoignages anciens (S. Cyprien, S. Jean Chrysostome, etc.). Il s'annonce même ici ou là une application aux rapports entre le corps de l'Église (ou le corps des évêques) et son chef romain, le pape. Il

---

19. Ainsi A.-M. HENRY, *Missions d'hier, missions de demain,* in *L'activité missionnaire de l'Église (Unam Sanctam,* 67). Paris, 1967, p. 411-440.

20. J. AMSTUTZ, *Pour la légitimité des missions,* in *Concilium* n° 134, 1978, p. 45-53. « Allen affirme que la raison du succès de saint Paul comme missionnaire fut qu'il établissait des *Églises* et non point des *Missions.* C'est-à-dire qu'il fondait des communautés indigènes pourvues dès le début de toute l'autorité spirituelle nécessaire, et qui étaient responsables de leur propre subsistance, de leurs décisions et de leur expansion ». D.R. COCHRAN, *Churches or Missions ?,* in *Anglican Theological Rev.,* septembre 1974, p. 23 ; cité par M. HEBGA, in *Concilium,* n° 150 (décembre 1979), p. 127.

21. Cf. LG, 28/2 (des amis) ; PO, 7 (des frères et des amis ; les écouter, les consulter) ; CD, 16/3 (idem) ; 28/2 (dialogue).

22. Cf. LG, 37/3 ; PO, 9/2 ; comp. AA, 25/1.

faudra bien, un jour, sortir du carcan de la «plenitudo potestatis», qu'on nous a tant de fois objectée. S'il est vrai que, dans l'ordre purement juridique, le pouvoir suprême ne peut être limité (sinon par le droit divin, le droit naturel, le respect du «Status Ecclesiae» et de la Tradition[23] — et encore la thèse est-elle sérieusement soutenue que le pouvoir suprême *est collégial*...), il reste qu'il est conditionné si l'on considère l'Église sous l'angle de la communion. Le pape hérétique cesserait d'être pape ; il est donc conditionné par la foi de l'*ecclesia*. On a aussi commencé de mettre en valeur et de prendre en compte le fait « réception »[24]. Pour toutes ces questions, il est essentiel que l'histoire ait la parole, soit pour apporter des faits, soit pour nous aider à réactualiser, non certes la matérialité des situations anciennes, mais les inspirations, perceptions, et motivations profondes de la Tradition antique.

Il y a eu peu d'historiens au concile, et pourtant nous avons parlé d'une entrée du sens eschatologique et de l'historicité à Vatican II. C'était une valeur qui avait manqué assez générale-ment à la théologie — un «De ultimis rebus» est autre chose ![25] et aux documents du «Magistère» : à des encycliques comme *Quas primas* sur le Christ-Roi, ou *Mystici Corporis*, par exemple. Un chapitre particulier (le VIIe) a été ajouté dans *Lumen Gentium* : «De indole eschatologica Ecclesiae peregrinantis eiusque unione cum Ecclesia coelesti». A vrai dire, le texte de base ne traitait que du culte des saints et de l'union entre l'Église terrestre avec l'Église céleste, mais un premier numéro (48) a été introduit, qui parle du caractère eschatologique de l'Église en sa condition d'itinérance[26]. L'Esprit y apparaît comme arrhes de

---

23. Voir un florilège de textes dans l'Excursus C de notre *La Tradition et les traditions*. I. *Essai historique*. Paris, 1960, p. 271-278. Sur «Status Ecclesiae» notre article des *Studia Gratiana*, XV, Bologna, 1972, p. 1-31.

24. A. GRILLMEIER, *Konzil und Rezeption...*, in *Theol. u. Philos.* 45 (1970) 321-352. J'ai beaucoup augmenté ma documentation depuis *La «réception» comme réalité ecclésiologique*, in *Rev. Sc. phil. théol.*, 56 (1972) 369-403.

25. Acerbi cite p. 53 ces lignes d'un de mes comptes rendus de Garrigou-Lagrange sur ce sujet : «L'eschatologie redevient, dans la pensée théologique contemporaine, ce qu'elle est dans l'Écriture et ce qu'elle était chez les Pères : le sens même du mouvement de l'histoire, ce qui éclaire tout le mystère de l'Église : donc, quelque chose qui travaille l'ordre présent lui-même et qui ne peut être vraiment compris que comme le terme de son mouvement...» (*Rev. Sc. phil. théol.*, 33 [1949] 463).

notre héritage, prémices qui n'empêchent pas de gémir dans l'attente de la manifestation glorieuse du Seigneur. Donc, situation de « déjà et pas encore ».

Aussi le concile peut-il mettre une distance entre l'Église et le Christ : elle n'est que le sacrement du salut. Il peut manifester la distance entre l'Église et le Royaume : là aussi, condition de « déjà et pas encore » (cf LG, 5, surtout la fin ; UR 2/5). Parce que l'Église n'est pas adéquatement le Royaume, elle se renouvelle et se réforme sans cesse : LG, 8/3 fin ; 9 Fin ; GS, 21/5 (« Sous la conduite de l'Esprit-Saint ») ; 43/6 (« guidée par l'Esprit-Saint »). Mais aussi l'Esprit pousse l'Église à trouver de nouvelles formes, à tracer des chemins nouveaux : PO 18,1 ; 22 ; AG 40/4. L'Église professe vouloir ne pas préjuger des initiatives de l'Esprit en matière d'œcuménisme. [27]

L'œcuménisme est précisément une de ces activités du « déjà et pas encore », marquée par notre condition pécheresse et en tendance vers la plénitude ou la perfection eschatologique. Le concile y voit le fruit d'une grâce et d'une action du Saint-Esprit : LG, 15 ; UR, 1/2 ; 4/1 ; GS, 92/3. *Lumen Gentium*, après avoir énuméré quelques réalités majeures dans et par lesquelles les chrétiens d'autres Églises ou communautés ecclésiales sont unis avec nous, ajoute ces mots lourds de sens : « A cela s'ajoute la communion dans la prière et dans les autres bienfaits spirituels ; bien mieux, *une véritable union dans l'Esprit-Saint*, puisque, par ses dons et ses grâces, il opère en eux aussi son action sanctifiante » (15 : souligné de moi). C'est une union dans la *res* (possédée, du reste, seulement en arrhes). Toutes les difficultés viennent du *sacramentum*, qui comporte la confession de foi, l'Eucharistie, le sacrement de l'Ordre, l'épiscopat, la primauté de Pierre... H. Mühlen a tiré de ce texte une appréciation extrêmement positive de la valeur ecclésiale des Communions non-catholiques [28]. Le problème théologique est alors de savoir si l'Esprit déploie tous ses effets *ecclésiaux* là où le sacrement ecclésial est imparfait. Il reste qu'une ecclésiologie pneumatolo-

---

26. Cf. ACERBI, *op. cit.*, p. 421 s.

27. UR, 24/2. Comp. Message du 8 décembre 1965 aux artistes : « Ne fermez pas votre esprit au souffle du Saint-Esprit ! »

28. H. MÜHLEN, *L'Esprit dans l'Église,* t. II (*Bibl. œcum.* 7). Paris, 1969, p. 9-114.

gique des Églises locales permet une évaluation plus positive des autres Églises [29].

III. ECCLESIA DE TRINITATE

A la Commission théologique du concile, il a été proposé par quelque (s) membre (s) qu'on n'intitule pas le chapitre I de *Lumen Gentium* «De mysterio Ecclesiae», mais «De natura Ecclesiae» (ce qui était le titre dans le schéma de la Commission préparatoire...). On a aussi proposé de remplacer «De populo Dei» par «De aequalitate et inaequalitate membrorum in Ecclesia»...! «De mysterio» est resté et porte une signification profonde. Tant *Ad Gentes divinitus* que *Lumen Gentium* montrent l'Église comme le terme, dans les hommes et dans le devenir du monde, pour les hommes et pour le monde, de la vie intra-divine, des Processions trinitaires. La fin du n° 4 de *Lumen Gentium*, avec référence à S. Cyprien, S. Augustin et S. Jean de Damas, résume tout cela : « Sic apparet universa Ecclesia sicuti «de unitate Patris et Filii et Spiritus Sancti plebs adunata». La quantité matérielle des formules n'est pas nécessairement significative, mais dans notre cas, elle l'est, et d'autant plus que ces formules se trouvent dans des documents différents, venant de Commissions qui communiquaient peu entre elles. Neuf fois revient l'idée qui est l'âme de la pensée des Pères et l'âme de la liturgie : au Père, par le Fils, dans l'Esprit [30]. Deux fois l'Église est désignée de façon trinitaire comme Peuple de Dieu, Corps du Christ, Temple de l'Esprit-Saint : LG 17 ; PO, 1. Une fois au moins il est dit expressément que «de ce mystère (de l'Église), le modèle suprême et le principe est dans la trinité des Personnes l'unité d'un seul Dieu Père, et Fils, en l'Esprit-Saint » (UR, 2/6).

Le sens de tout cela est clair : à une vision principalement juridique, et par le fait à dominante purement christologique, on a substitué une vision de l'Église comme communion de

---

29. PH. J. ROSETO, *Called by God in the Holy Spirit. Pneumatological Insights into Ecumenism*, in *The Ecumenical Rev.* 30 (1978) 110-126.

30. LG, 4 ; 28 ; 51 ; DV, 2 ; SC, 6 ; PO, 6 ; OT, 8 ; AG, 7/3 ; UR, 15/1. Ame de la liturgie : C. VAGAGGINI, *Initiation théologique à la liturgie.* I. Adapté par PH. ROUILLARD Bruges-Paris, 1959.

personnes et communion d'Églises locales, dans une perspective trinitaire. Parler de «christomonisme» pour Vatican II, singulièrement pour *Lumen Gentium*, ou dire qu'on a seulement «saupoudré» le texte de Saint-Esprit, ferait supposer qu'on n'a pas lu les textes ou qu'on les a lus avec un regard prévenu [31]. Il est vrai que l'aspect pneumatologique est, à Vatican II, lié à la réalité christologique, mais cela traduit la vérité telle que nous la révèlent les Écritures inspirées [32]. L'Esprit est une hypostase originale, objet d'une «mission» propre, mais il ne fait pas une autre œuvre que celle du Christ. Nous reconnaissons que Vatican II est, en bien des domaines, imparfait. Beaucoup de ses vues sont, sinon des compromis, du moins des ébauches et se tiennent, en quelque sorte, à mi-chemin. Paul VI disait, dans l'audience générale du 6 juin 1973 : «A la christologie et spécialement à l'ecclésiologie du concile doivent succéder une étude nouvelle et un culte nouveau de l'Esprit-Saint, précisément comme complément indispensable de l'enseignement du concile» [33]. Nous nous y employons pour notre modeste part ! Le concile, que Jean XXIII a souvent présenté comme une nouvelle Pentecôte, est à l'origine *historique* de cette paradoxale Pentecôte à laquelle il nous est donné d'assister et de participer...

---

31. Qu'on nous permette de renvoyer à nos propres travaux : *Pneumatologie ou «Christomonisme» dans la tradition latine?*, in *Ecclesia a Spiritu Sancto edocta.* Mélanges G. PHILIPS, GEMBLOUX, 1970, p. 41-63 ; *Je crois en l'Esprit-Saint.* I. Paris, 1979, p. 227-235 (bibliogr.) et III, paru en 1980. Ajouter B. DE MARGERIE, *La Trinité chrétienne dans l'histoire (Théol. hist. 31).* Paris, 1975, p. 304-319 ; A. LAMINSKI, *Die Entdeckung der pneumatologischen Dimension der Kirche durch das Konzil und ihre Bedeutung,* in *Sapienter ordinare.* Festgabe E. Kleineidam (*Erf. Theol. St. 24). Leipzig, 1969, p. 392-403.*

32. Fait reconnu (notre *Pneumatologie ou...*, p. 63, n. 90) et qui s'est imposé à nous dans l'étude qui a abouti à *Je crois à l'Esprit-Saint.* La christologie est la condition de santé de la pneumatologie...

33. *Docum. Cath.,* n° 1635 (1. VII. 1973) p. 601. Dans la belle exhortation apostolique du 22 mars 1974, *Marialis cultus,* Paul VI invite aussi à «approfondir la réflexion sur l'action de l'Esprit dans l'histoire du salut» (n° 27).

John ZIZIOULAS

CHRISTOLOGIE, PNEUMATOLOGIE ET INSTITUTIONS ECCLÉSIALES

Un point de vue orthodoxe

I. INTRODUCTION

L'une des critiques fondamentales que les théologiens orthodoxes ont exprimées quant à l'ecclésiologie de Vatican II concernait la place que le Concile a donnée à la pneumatologie dans son ecclésiologie. En général, on avait le sentiment que, en comparaison de la christologie, la pneumatologie ne jouait pas un rôle important dans l'enseignement du Concile sur l'Église. Plus particulièrement, on observait que le Saint-Esprit entrait dans l'ecclésiologie *après* que l'édifice de l'Église eût été construit avec le seul matériau christologique. Cela, bien entendu, a d'importantes conséquences pour l'enseignement du Concile sur des sujets comme les sacrements le ministère et les institutions ecclésiales en général.

Cette critique est peut-être valable dans l'ensemble, mais quand on en vient à demander quel est son aspect *positif*, autrement dit ce que les orthodoxes auraient aimé, en fait, que le Concile fasse de la pneumatologie dans son ecclésiologie, alors nous nous trouvons devant des problèmes. Le père Congar cite dans un de ses articles deux observateurs orthodoxes au Concile, dont il se garde diplomatiquement de donner les noms, qui lui auraient dit : « Si nous devions proposer un schéma '*De Ecclesia*', deux chapitres suffiraient : l'un sur le Saint-Esprit et l'autre sur l'homme chrétien. » Cette citation est en soi une nette indication que la théologie orthodoxe a besoin de beaucoup réfléchir sur la relation entre christologie et pneumatologie, et que l'état actuel de la théologie orthodoxe n'est, à cet égard, nullement satisfaisante.

Un rapide coup d'œil sur l'histoire de la théologie orthodoxe moderne concernant ce sujet nous ramène à la critique de la pensée occidentale par Khomiakov au siècle dernier et à la fameuse idée de *Sobornost* qui en résultait. Khomiakov n'était pas explicite sur le problème dont nous discutons ici, mais ses vues n'ont de sens que si l'on injecte une forte dose dans l'ecclésiologie. En fait, cette dose — qui, soit-dit en passant, a déjà été généreusement donnée à l'ecclésiologie par un catholique romain contemporain de Khomiakov, Johannes Möhler, dans son ouvrage *Die Einheit* — était assez forte pour faire de l'Église une « société charismatique » plutôt que le « Corps du Christ ». Cela a conduit, plus tard, des théologiens orthodoxes, certainement le regretté père Georges Florovsky, à répéter avec une particulière insistance que la doctrine sur l'Église est « un chapitre de la christologie ». Mais, ce faisant, Florosky soulevait indirectement le problème de la synthèse entre christologie et pneumatologie, sans toutefois offrir aucune solution. En fait, on a des raisons de croire que, loin de suggérer une synthèse, il inclinait vers une approche christologique dans son ecclésiologie.

Le théologien orthodoxe qui était destiné à exercer à notre époque la plus grande influence sur le sujet était Vladimir Lossky. Ses idées sont bien connues, mais deux points méritent une mention spéciale. Le premier est qu'il y a, à côté de celle du Fils, une « économie du Saint-Esprit » distincte. L'autre point est que le contenu de la pneumatologie, en tant que distinct de celui de la christologie, doit être défini en termes ecclésiologiques comme concernant la « personnalisation » du mystère du Christ, son appropriation par les fidèles, ce qu'on pourrait appeler l'aspect « subjectif » de l'Église (l'autre, son aspect « objectif », étant propre à la christologie). Ainsi, avec l'aide du schéma « nature/personne », Lossky allait développer l'idée que la christologie et le pneumatologie sont toutes deux des composants nécessaires de l'ecclésiologie, et il allait voir dans la structure

---

1. J.A. MOEHLER, Dans la même ligne, M.J. SCHEEBEN, Cf. U. VALESKA, *Votum Ecclesiae. Das Rigen um die Kirche in der neueren römisch-katholischen Theologie*, 1962, et J. RATZINGER, « Wesen und Grenzen der Kirche », dans K. FOSTER (dir.), *Das Zweite Vatikanische Konzil*, 1963,

sacramentelle de l'Église l'aspect christologique « objectif » qui
doit constamment s'accompagner de l'aspect « personne » ou
« subjectif ». Le dernier est lié à la liberté et à l'intégrité de
chaque personne, à sa « vie spirituelle » et intérieure, à sa
déification, etc. Cela semble offrir le matériau d'une synthèse
entre christologie et pneumatologie en ecclésiologie. Cependant,
sa schématisation actuelle rend la position de Lossky extrêmement problématique, comme nous le verrons. Pour les mêmes
raisons, son premier point, concernant une « économie du
Saint-Esprit » distincte, devient contestable lui aussi et, en fait,
rend la synthèse si difficile qu'il faut l'abandonner.

Lossky n'a pas tiré de conclusions de ce qu'impliquent ses idées
en ce qui concerne la structure actuelle et les institutions de
l'Église. Quant à savoir *comment* lier l'institutionnel au charismatique, les aspects christologiques aux aspects pneumatologiques
de l'ecclésiologie, ce problème attend toujours d'être traité par la
théologie orthodoxe.

Deux autres théologiens de notre temps qui ont insisté sur
l'importance de la pneumatologie en ecclésiologie ont reconnu
des difficultés inhérentes à toute dissociation de la pneumatologie et de la christologie. Nikos Nissiotis et le père B. Bobrinskoy
ont souligné que l'œuvre du Saint-Esprit et celle du Christ vont
ensemble et qu'on ne devrait jamais les séparer. C'est là un
important correctif aux idées exprimées par Khomiakov et, dans
une large mesure, à celles de Lossky, bien que la priorité
accordée à la pneumatologie soit encore préservée chez Nissiotis
et chez Bobrinskoy. Mais la question reste ouverte : *comment*
pneumatologie et christologie peuvent-elles concourir à une
synthèse pleine et organique ? C'est probablement l'une des
questions les plus importantes que doive affronter la théologie
orthodoxe à notre époque.

Si j'ai fait cette brève enquête historique, c'est parce que je
voudrais dire clairement dès le début de cet article que la
théologie orthodoxe n'a pas de solutions toutes faites à offrir aux
problèmes de ce colloque. On suppose souvent que l'Orthodoxie
peut aider les discussions œcuméniques en leur apportant une
pneumatologie. Ce peut être vrai dans une certaine mesure,
surtout si la contribution orthodoxe est prise comme un correctif
aux excès occidentaux en matière d'ecclésiologie. Mais quand on

en arrive au moment de faire droit aux composants fondamentaux de la tradition orthodoxe elle-même ou — ce qui est plus important — quand on en arrive au moment de faire face à nos problèmes œcuméniques actuels avec des propositions positives, il devient évident que la théologie orthodoxe a besoin de travailler en liaison étroite avec la théologie occidentale si elle veut être réellement utile à elle-même et aux autres. Cet article traduira des problèmes et des préoccupations relatives à l'Orthodoxie elle-même qui n'est nullement exempte de la *problématique* postvaticane. Une synthèse correcte entre christologie et pneumatologie en ecclésiologie concerne aussi bien l'Orthodoxie que l'Occident.

II. LE PROBLÈME DE LA SYNTHÈSE ENTRE CHRISTOLOGIE ET PNEUMATOLOGIE

Que devrait comporter une synthèse correcte entre christologie et pneumatologie ? Il faut poser cette question avant toute tentative de régler le problème des institutions ecclésiales. Nous ne la discuterons que sous les aspects qui concernent l'ecclésiologie.

Peu de gens, personne peut-être, contesteraient l'affirmation selon laquelle christologie et pneumatologie vont de pair et ne peuvent être séparées. Parler de « christomonisme » dans n'importe quelle partie de la tradition chrétienne, c'est mal comprendre cette partie de la tradition ou être injuste envers elle (le père Congar l'a montré pour ce qui est de la tradition occidentale catholique romaine.)

Le problème n'est pas de savoir si l'on accepte l'importance de la pneumatologie en christologie, et vice versa ; il naît en liaison avec les deux questions suivantes : a) la question de la *priorité* : doit-on faire dépendre la christologie de la pneumatologie, ou faut-il adopter l'ordre inverse ? b) la question du *contenu* : quand nous parlons de christologie et de pneumatologie, quels aspects *particuliers* de la doctrine chrétienne — et de l'existence chrétienne — avons-nous à l'esprit ?

D'abord, la question de la priorité. Qu'il s'agisse d'une question *réelle* et non du produit d'une construction théologique, il faut le voir dans le fait que non seulement l'histoire tout entière de la théologie en ce qui concerne les relations Orient-Occident, mais aussi la théologie et la pratique liturgique les plus primitives que nous connaissons sont conditionnées par ce problème. Dans les écrits du Nouveau Testament eux-mêmes nous rencontrons ces deux idées : l'idée que l'Esprit est donné *par* le Christ, précisément le Christ ressuscité et monté au ciel (« *il n'y avait pas encore d'Esprit*, car le Christ n'avait pas encore été glorifié ») ; et l'idée qu'il n'y a pour ainsi dire *pas de Christ* tant que l'Esprit n'est pas à l'œuvre, non seulement comme un précurseur annonçant sa venue, mais comme celui qui *constitue son identité même en tant que Christ*, soit en son baptême (Marc) soit dans sa conception biologique même (Matthieu et Luc). Ces deux idées coexistent heureusement dans un seul et même écrit biblique, comme il est évident d'après une étude de Luc (évangile et *Actes*), de l'évangile de Jean, etc. Au plan liturgique, ces deux approches sont très tôt devenues tout à fait distinctes, avec le développement de deux traditions concernant la relation entre baptême et confirmation (ou chrismation). On sait qu'en Syrie et en Palestine la confirmation *précédait* le baptême liturgiquement, au moins jusqu'au IVᵉ siècle, tandis qu'en d'autres régions on observait la pratique de l'Église qui a finalement prévalu partout, à savoir, l'administration de la confimation *après* le baptême. Étant donné le fait que la confirmation était normalement regardée comme le rite du « don de l'Esprit », on pourrait arguer que dans les cas où la confirmation précédait le baptême nous avions une priorité de la pneumatologie sur la christologie, tandis que dans l'autre cas nous avions l'inverse. Pourtant, il y a aussi des indices que le baptême lui-même était inconcevable dans la primitive Église sans le don de l'Esprit, ce qui amène à la conclusion que les deux rites étaient unis dans une seule synthèse, à la foi liturgiquement et théologiquement, sans égard à la priorité de l'un quelconque des deux aspects sur l'autre.

Il semble donc que la question de la priorité entre christologie et pneumatologie ne constitue pas *nécessairement* un problème et que l'Église ait pu longtemps ne pas voir de problème, ni liturgiquement ni théologiquement, dans cette diversité d'approche. Aussi n'y a-t-il pas de raisons que les choses soient aujourd'hui différentes, comme semblent le suggérer certains orthodoxes. Le problème a surgi seulement quand ces deux aspects ont été en fait séparés l'un de l'autre aussi bien liturgiquement que théologiquement. C'est à ce moment de l'histoire que l'Orient et l'Occident commencèrent à suivre séparément chacun son chemin, ce qui amena finalement brouille et division complète. Non seulement baptême et confirmation étaient séparés liturgiquement en Occident, mais la christologie tendit petit à petit à dominer la pneumatologie, le *Filioque* n'étant qu'une partie du nouveau développement[2]. L'Orient, tout en gardant l'unité liturgique entre baptême et chrismation, maintenant ainsi la synthèse originelle au plan liturgique, ne parvint pas en définitive à surmonter la tentation d'une attitude *réactionnaire* vis-à-vis de l'Occident dans sa théologie. Le climat de polémique et de suspicion mutuelle contribua énormément à cette situation et obscurcit toute la question. Ce que nous devons et pouvons *désormais* voir clairement, c'est que, tant que l'unité entre christologie et pneumatologie demeure infangible, la question de la priorité peut rester un « théologoumenon ». Pour de multiples raisons qui relèvent de l'idiosyncrasie de l'Occident (en ce qui concerne l'histoire, la morale, etc.), il donnera toujours une certaine priorité à la christologie sur la pneumatologie. A vrai dire, on a des raisons de supposer que ce pourrait être spirituellement expédient, en particulier à notre époque. De même, la pneumatologie occupera toujours pour l'Orient une place importante, étant donné le fait qu'une approche liturgique métahistorique semble marquer l'éthos oriental. Des préoccupations différentes mènent à des accentuations et à des priorités différentes. Tant que le *contenu* essentiel de la christologie comme de la pneumatologie est présent, la synthèse est là dans sa plénitude. Mais en quoi consiste ce « contenu » ? De quoi souffre exactement l'ecclésiologie si le contenu de la christologie ou de la pneumatologie est insuffisant ?

---

2. Cf. Y. CONGAR, *L'Église de saint Augustin à l'époque moderne*, 1970, 163 sq. en ce qui concerne le Moyen Age en Occident : « Au lieu d'une considération synthétique et dynamique de l'Économie, s'achevant dans la mission du Saint-Esprit, on aura une considération analytique, une théologie de l'efficience de l'humanité et des sacrements, dont on institue une étude propre. Le traité du Corps mystique sera, au XIIIe siècle, essentiellement christologique, non pneumatologique. ».

Il est difficile de faire des distinctions quand il s'agit d'une unité. Notre tâche ici est quelque peu délicate et comporte le risque de séparer, là où nous devrions simplement distinguer. Nous devons garder à l'esprit que, selon la tradition patristique, aussi bien orientale qu'occidentale, l'activité de Dieu *ad extra* est *une* et indivisible : là où est le Fils, le Père et l'Esprit y sont aussi, et là où est l'Esprit, le Père et le Fils le sont aussi. Pourtant, la contribution de chacune de ces Personnes divines à l'Économie comporte ses caractères distinctifs qui intéressent directement l'ecclésiologie où elles doivent se refléter. Mentionnons-en quelques-unes concernant le Fils et l'Esprit en particulier.

La chose la plus obvie à mentionner est que seul le Fils s'est incarné. Le Père et l'Esprit sont l'un et l'autre impliqués dans l'histoire, mais seul le Fils *devient* histoire. En fait, comme nous le verrons, si nous introduisons le temps et l'histoire dans le Père et dans le Fils, nous leur dénions automatiquement leurs particularités dans l'Économie. Être impliqué dans l'histoire n'est pas la même chose que de *devenir* histoire. L'Économie, dans la mesure où elle a assumé l'histoire et où elle a une histoire, est donc *unique* et est l'*événement Christ*. Même des « événements » comme la Pentecôte qui semblent à première vue avoir une caractère exclusivement pneumatologique doivent être rattachés à l'événement Christ pour être admis comme faisant partie de l'*histoire* du salut ; autrement, ils cessent d'être pneumatologiques au sens propre.

Maintenant, si *devenir* histoire est la particularité du Fils dans l'Économie, quelle est la contribution de l'Esprit ? Eh bien, c'est précisément l'opposé. C'est de libérer le Fils et l'Économie de la servitude de l'histoire. Si le Fils meurt sur la croix, succombant ainsi à la servitude de l'existence historique, c'est l'Esprit qui le ressuscite de la mort. L'Esprit est l'*au-delà* de l'histoire, et quand il agit dans l'histoire, il le fait en vue d'introduire dans l'histoire les derniers jours, l'*eschaton*. Ainsi, la première particularité fondamentale de la pneumatologie est-elle son caractère eschatologique. L'Esprit fait du Christ un être eschatologique, le « dernier Adam ».

Une autre importante contribution du Saint-Esprit à l'événement Christ est que, à cause de l'engagement du Saint-Esprit dans l'Économie, le Christ n'est pas simplement un individu,

qu'il n'est pas « un » mais « beaucoup ». Cette « personnalité
collective » du Christ est impossible à concevoir sans une
pneumatologie. Il n'est pas sans signification que l'Esprit ait
toujours, depuis le temps de Paul, été associé à la notion de
communion (κοινωνία). La pneumatologie apporte à la christologie cette dimension de communion. Et c'est à cause de cette
fonction de la pneumatologie qu'il est possible de parler du
Christ comme ayant un « corps », c'est-à-dire parler d'ecclésiologie, de l'Église en tant que corps du Christ.

Mais il y a eu dans la théologie chrétienne d'autres fonctions
attachées à l'œuvre propre de l'Esprit, par exemple l'inspiration
et la sanctification. La tradition orthodoxe a attaché une
signification particulière à l'idée de sanctification, peut-être à
cause de la forte influence origéniste qui a toujours existé en
Orient. C'est évident dans le monachisme en tant que forme de
ce qu'on appelle normalement « spiritualité ». Mais le monachisme — et les notions de « sanctification » et de « spiritualité »,
qui le sous-tendent — n'est jamais devenu un aspect décisif de
l'*ecclésiologie* en Orient. L'ecclésiologie, dans la tradition
orthodoxe, a toujours été déterminée par la Liturgie, l'Eucharistie ; voilà pourquoi ce sont les deux premiers aspects de la
pneumatologie, à savoir l'*eschatologie* et la *communion*, qui ont
déterminé l'ecclésiologie orthodoxe. Eschatologie et communion
constituent toutes les deux des éléments fondamentaux de la
compréhension orthodoxe de l'eucharistie. Le fait que ce soient
aussi, comme nous l'avons vu, des aspects fondamentaux de la
pneumatologie montre que si nous voulons comprendre correctement l'ecclésiologie orthodoxe et son rapport à la pneumatologie, c'est vers ces deux aspects, eschatologie et communion, qu'il
faut nous tourner, et non vers la « spiritualité » au sens de
« déification personnelle », comme cela semble suggéré par
Lossky, par exemple. Lossky et d'autres théologiens orthodoxes
contemporains qui ont insisté sur la pneumatologie semblent
avoir manqué ces points. Je pense personnellement que la clef
pour comprendre l'ecclésiologie orthodoxe se trouve précisément
là.

Tout cela a besoin d'être précisé par un autre point
fondamental. Ce n'est pas assez de parler d'eschatologie et de
communion comme d'aspects nécessaires de la pneumatologie et

de l'ecclésiologie ; il est indispensable de rendre ces aspects de la pneumatologie *constitutifs* de l'ecclésiologie. Je veux dire par là que ces aspects de la pneumatologie doivent qualifier l'ontologie même de l'Église. L'Esprit n'est pas quelque chose qui « anime » une Église existant déjà d'une manière quelconque. L'Esprit fait l'Église *être*. La pneumatologie ne se rapporte pas au mieux-être mais à l'être même de l'Église. Il ne s'agit pas d'un dynamisme ajouté à l'essence de l'Église ; c'est l'essence même de l'Église. L'Église est *constituée* de et par l'eschatologie et la communion. La pneumatologie est une catégorie ontologique dans l'ecclésiologie.

III. Implications de la synthèse pour l'ecclésiologie
    et les institutions ecclésiales

Tout cela semble quelque peu théorique. Si nous essayons de l'appliquer à l'existence concrète de l'Église, certaines particularités de l'ecclésiologie orthodoxe deviendront plus faciles à expliquer.

1. *Importance de l'Église locale en ecclésiologie*

Elle a été mise en lumière avec une force particulière à notre époque, surtout depuis les travaux de N. Afanassieff et son « Ecclésiologie eucharistique ». Mais on ne l'a pas encore justifiée en termes de pneumatologie. Je voudrais faire une première tentative ici, en me référant à ce que je viens de dire sur le caractère constitutif de la pneumatologie tant en christologie qu'en ecclésiologie.

L'Église est le corps du Christ, ce qui veut dire qu'elle est instituée par le seul événement christologique : elle est une parce que le Christ est un et elle doit son être à ce Christ un. Si la pneumatologie n'est pas ontologiquement constitutive de la christologie, cela peut vouloir dire qu'il y a *d'abord* une Église, *puis* de nombreuses Églises. K. Rahner, par exemple, a soutenu que l'« essence » de l'Église réside dans l'Église universelle ; « c'est l'existence » qui la fait locale. Cependant, si on fait la pneumatologie constitutive à la fois de la christologie et de l'ecclésiologie, il n'est pas possible de parler en ces termes. L'Esprit est dans ce cas le seul qui produise effectivement, qui constitue ontologiquement, le corps du Christ. L'événement pentecostal est un événement ecclésiologiquement constitutif. Le seul événement Christ prend la forme d'*événements* (pluriels) qui *sont ontologiquement aussi primaires* que le seul événement Christ. Les Églises locales sont aussi primaires en ecclésiologie que l'Église universelle. Nulle priorité de l'Église universelle sur l'Église locale n'est concevable en ecclésiologie orthodoxe.

Depuis Afanassieff, cette idée est devenue courante en théologie orthodoxe. Mais il y a en elle un danger qu'Afanassieff n'a pas vu et que beaucoup de théologiens orthodoxes n'ont pas su voir, non plus, Faute d'une synthèse correcte entre christologie et pneumatologie dans l'ecclésiologie orthodoxe, on n'a souvent que trop tendance à admettre que l'ecclésiologie eucharistique conduit à la priorité de l'Église locale sur l'Église universelle, à une sorte de «congrégationalisme». Mais, comme j'ai essayé de les montrer dans une autre étude, Afanassieff avait tort de tirer de telles conclusions, car la nature de l'eucharistie n'oriente pas vers la priorité de l'Église locale mais vers le *simultanéité* des Églises locale et universelle. Il n'y a qu'*une* eucharistie, toujours offerte au nom de «l'Église une, sainte, catholique et apostolique». Le dilemme «locale ou universelle» est dépassé dans l'eucharistie, ainsi que toute dichotomie entre christologie et pneumatologie.

Pour concrétiser cela encore davantage, passons à la question de savoir comment, *en fait*, cette simultanéité s'opère en ecclésiologie. Cela nous conduit tout droit à la question des institutions ecclésiales : *quelles structures et institutions ecclésiales existent pour aider l'Église à maintenir le juste équilibre entre le local et l'universel ?* Et comment interpréter ces structures et institutions pour faire droit à la synthèse correcte entre christologie et pneumatologie dont je me fais ici l'avocat ?

2. *La signification de la conciliarité*

Que l'orthodoxie n'ait pas de pape, c'est juste (je veux dire que c'est vrai). Mais qu'*à la place* elle ait des conciles, c'est faux. Les conciles ne sont pas là, dans la théologie orthodoxe, comme substituts du pape catholique romain, et ce pour la simple raison que le concile ne peut jouer le rôle du pape ni remplacer son ministère. La vraie nature de la conciliarité dans la théologie orthodoxe ne peut se comprendre qu'à la lumière de ce que j'ai appelé ici le rôle *constitutif* de la pneumatologie en ecclésiologie, et du fait que la pneumatologie implique la notion de communion.

La raison d'être théologique de la conciliarité — ou de l'institution du synode — est à chercher dans l'idée de communion, qui, comme nous l'avons vu, est une caractéristique de la pneumatologie, est une catégorie *ontologique* en ecclésiologie. Ici, l'importance de la théologie trinitaire pour l'ecclésiologie devient évidente. Il semble qu'il y ait une exacte correspondance entre la théologie trinitaire, telle qu'elle a été élaborée en particulier par les Pères cappadociens — surtout saint Basile — et l'ecclésiologie orthodoxe. Qu'on me permette quelques mots sur ce point, car je pense qu'il est essentiel et qu'il n'est pas si communément apprécié.

L'une des particularités les plus frappantes de l'enseignement de saint Basile sur Dieu, comparé à celui de saint Athanase et certainement des Pères occidentaux, est qu'il semble plutôt mal à l'aise avec la notion de substance en tant que catégorie ontologique et qu'il a tendance à la remplacer — d'une manière assez significative pour le sujet qui nous occupe ici — par celle de κοινωνία. Au lieu de parler de l'unité de Dieu par rapport à sa nature, il préfère en parler par rapport à la *communion des personnes* ; «communion» est pour Basile une catégorie ontologique. La *nature* de Dieu est communion. Cela ne signifie pas que les personnes ont une priorité ontologique sur la substance une de Dieu, mais que la substance une de Dieu coïncide avec la communion des trois Personnes.

L'ecclésiologie orthodoxe me semble avoir appliqué cela à la relation entre l'Église locale et l'Église universelle. Il y a une Église une, comme il y a une nature en Dieu. Mais la meilleure façon d'exprimer cette Église une est la communion des nombreuses Églises locales. Communion et unicité coïncident en ecclésiologie. Si nous considérons maintenant l'aspect institutionnel de l'ecclésiologie, il s'ensuit que l'institution qui est censée exprimer l'unité de l'Église doit être une institution qui exprime la *communion*. Puisqu'il n'y a aucune institution qui tire son existence ou son autorité de rien qui précède l'événement de la communion, mais que ce ne peut être que de l'événement même de la communion (voilà ce que signifie rendre la communion *constitutive*), l'institution de l'unité universelle ne peut ni se suffire à elle-même ni s'expliquer par elle-même ni venir avant l'événement de la communion ; elle en dépend. Mais également il n'y a pas de communion qui puisse être antérieure à l'unicité de l'Église : l'institution qui exprime cette communion doit s'accompagner de l'indication qu'un ministère sauvegarde l'unicité que la communion a pour but d'exprimer.

Nous pouvons maintenant être plus concret et essayer d'interpréter la vision orthodoxe de la synodalité à la lumière de ces principes théologiques.

L'institution canonique du synode est souvent mal comprise dans la théologie orthodoxe. Parfois, on désigne le synode comme « la plus haute autorité dans l'Église », comme si l'Orthodoxie était l'opposé « démocratique » de la Rome « monarchique ». Beaucoup d'orthodoxes pensent le concile dans les termes du vieux *conciliarisme* du Moyen Age occidental. Cependant, la vraie signification du synode dans la tradition orthodoxe me semble donné dans le 34ᵉ des *Canons apostoliques*. Son sens s'établit sur deux principes fondamentaux posés par ce canon. Le premier principe est que dans chaque province il doit y avoir *une* seule tête, une institution d'unité. Il n'y a pas possibilité de rotation ou de ministère collectif pour remplacer cette tête unique. Les Églises et les évêques locaux ne peuvent rien sans la présence de l'« un ». D'autre part, le même canon prévoit un deuxième principe fondamental, à savoir que l'« un » ne peut faire quoi que ce soit sans la « multitude ». Il n'y a pas de ministère ou d'institution d'unité qui ne s'exprime sous forme de communion. Il n'y a pas d'« un » qui ne soit en même temps « multitude » ; n'est-ce pas la même chose que la christologie conditionnée par la pneumatologie, que nous mentionnons plus haut ? La pneumatologie, en étant constitutive à la fois de la christologie et de l'ecclésiologie, empêche de penser au Christ comme à un individu, c'est-à-dire au Christ sans son corps, la « multitude », ou de penser à l'Église en tant qu'une sans penser simultanément à elle en tant que « multitude ».

Pour conclure ce point, la théologie orthodoxe est comprise de travers si l'on se contente de penser à elle comme à une fédération d'Églises locales. La vision orthodoxe de l'Église, du moins selon ma façon de comprendre, requiert une institution qui exprime l'*unicité* de l'Église et non simplement sa multiplicité. Mais la multiplicité n'est pas soumise à l'unicité ; elle est constitutive de l'unicité. Les deux, unicité et multiplicité, doivent coïncider dans une institution qui possède un double ministère : le ministère du πρῶτος (le premier) et le ministère du « multiple » (les chefs des Églises locales).

3. *L'évêque et la communauté*

Nous pouvons maintenant considérer les institutions au plan de l'Église locale elle-même, en gardant toujours à l'esprit les mêmes principes fondamentaux. De nouveau, la communion est ici ontologiquement constitutive. Mais, comme on l'a déjà remarqué au sujet de l'Église universelle, il faut que soit maintenue le juste rapport entre l'« un » et le « multiple ». Dans le cas de l'Église locale, l'« un » est représenté à travers le ministère de l'évêque, tandis que le « multiple » est représenté à travers les autres ministères et le laïcat. Il y a un principe fondamental dans l'ecclésiologie orthodoxe, qui remonte aux premiers siècles et qui reflète la juste synthèse entre christologie et pneumatologie dont je me suis fait ici l'avocat. Le principe est que l'« un », l'évêque, ne peut exister sans la « multitude », la communauté, et que la « multitude » ne peut exister sans l'« un ».

D'abord, le principe selon lequel l'« un » est inconcevable sans la « multitude ». En termes canoniques et pratiques, cela s'exprime de diverses manières : *a*) il n'y a pas d'ordination à l'épiscopat en dehors de la communauté. L'ordination étant un acte ontologiquement constitutif de l'épiscopat, conditionner l'ordination de l'évêque par la présence de la communauté c'est rendre la communauté *constitutive* de l'Église. Il n'y a pas d'Église sans la communauté, comme il n'y a pas de Christ sans le corps, ou d'« un » sans le « multiple ». *b*) Il n'y a pas d'épiscopat sans une communauté qui lui soit attachée. Un détail est à souligner ici, parce qu'il signale une particularité de l'Orthodoxie par rapport à la théologie catholique romaine : la mention du nom de la communauté prend place dans la prière d'ordination d'un évêque. Étant donné que dans l'Église orthodoxe il n'y a pas de « *missio canonica* », ou de distinction entre *potestas ordinis* et *potestas iurisdictionis*, le fait que la communauté soit mentionnée dans la prière d'ordination signifie que la *communauté fait partie de l'ontologie de l'épiscopat* : il n'y a pas d'évêque, même pour un moment ou théoriquement, qui ne soit conditionné par une communauté. Le « multiple » conditionne ontologiquement l'« un ».

Mais de nouveau, ce n'est pas tout. L'opposé est vrai aussi, à savoir que le « multiple » ne peut exister sans l'« un ». Cela s'exprime concrètement ainsi : *a*) il n'y a pas de baptême, qui est l'acte constitutif de la communauté, la base ontologique de laïcat, sans l'évêque ; la « multitude » ne peut être « multitude » sans l'« un ». *b*) Il n'y a pas d'ordination d'aucune sorte sans la présence de l'évêque ; l'évêque est une condition de l'existence de la communauté et de sa vie charismatique.

4. *Le caractère iconique des institutions ecclésiales*

Cette dépendance mutuelle entre l'« un » et le « multiple », cette double structure de l'Église est soumise à une autre condition pour son existence : l'ordination de l'évêque, qui requiert la communauté, et l'ordination des laïcs (baptême) ou de tout autre ministère, qui requiert la présence de l'évêque, doivent l'une et l'autre être attachées à l'*eucharistie*. Cela me semble impliquer que ce n'est pas assez de situer les institutions ecclésiales dans le contexte d'une synthèse correcte entre l'« un » et le « multiple ». Ce n'est là qu'un des composants de la pneumologie. L'autre, que nous avons mentionné plus haut, est l'*eschatologie*, et, à mon avis, cet aspect s'exprime par le fait que baptême et ordination doivent tous les deux avoir lieu dans le cadre de l'eucharistie. L'eucharistie, du moins selon la conception orthodoxe, est un événement eschatologique. Non seulement l'« un » et le « multiple » y coexistent et se conditionnent mutuellement, mais quelque chose de plus est indiqué : les institutions ecclésiales sont des reflets du Royaume. Premièrement, ce sont des reflets : la nature des institutions ecclésiales est « iconique », c'est-à-dire que leur ontologie ne réside pas dans l'institution elle-même, mais seulement dans la relation à quelque chose d'autre, à Dieu ou au Christ. Deuxièmement, elles sont des reflets *du Royaume* : toutes les institutions ecclésiales ont nécessairement une justification par référence à quelque chose d'ultime et non simplement à l'utilité historique. Il y a, c'est certain, des ministères destinés à servir les besoins temporels historiques. Mais ils ne peuvent prétendre à un statut ecclésial dans un sens structurel fondamental. L'Église peut exister sans eux. L'histoire n'est jamais une justification suffisante pour l'existence d'une institution ecclésiale donnée, fût-ce par référence à la tradition, à la succession apostolique, au fondement scripturaire ou aux nécessités historiques actuelles. Le Saint-Esprit oriente *au-delà* de l'histoire — non pas, bien sûr, contre elle, bien qu'on puisse et qu'on doive souvent orienter contre l'histoire telle qu'elle est en fait par une fonction prophétique du ministère. Les institutions ecclésiales, conditionnées par l'eschatologie, deviennent *sacramentelles,* au sens qu'elles sont placées dans la dialectique entre l'histoire et l'eschatologie, entre le « déjà » et le « pas encore ». Elles cessent donc de se suffire à elles-mêmes, perdent leur ontologie individualiste pour exister *de manière épiclétique*, c'est-à-dire que, pour leur efficace, elles dépendent constamment de la prière, de la prière de la communauté. Ce n'est pas dans l'histoire que les institutions ecclésiales trouvent leur sûreté, leur validité, mais dans une constante dépendance à l'égard du Saint-Esprit. C'est ce qui les rend « sacramentelles », on peut dire, dans le langage de la théologie orthodoxe, iconiques.

IV. CONCLUSIONS

Je voudrais conclure en résumant les principaux points que j'ai essayé d'établir et en mettant ce que j'ai dit sous la lumière de la situation effective de l'orthodoxie de nos jours.

On m'a demandé de parler de la christologie, de la pneumatologie et des institutions ecclésiales dans la *théologie orthodoxe*, non pas, malheureusement, dans la pratique orthodoxe. Ce que j'ai dit n'est pas pure théorie mais découle de l'expérience historique, même si cette expérience historique tend à devenir un souvenir assez lointain du passé de l'Orthodoxie. Mes points ont été les suivants :

1. La théologie orthodoxe n'a pas jusqu'ici élaboré la synthèse correcte entre christologie et pneumatologie. Sans cette synthèse, il est impossible de comprendre la tradition orthodoxe elle-même ni d'être d'un réel secours dans la discussion œcuménique de notre temps.

2. L'important pour cette synthèse est qu'on rende la pneumatologie constitutive de la christologie et de l'ecclésiologie, c'est-à-dire qu'elle conditionne l'être même du Christ et de l'Église, et cela ne peut se faire que si l'on introduit dans l'ontologie du Christ et de l'Église deux ingrédients particuliers de la pneumatologie ; ces deux ingrédients sont l'eschatologie et la communion.

3. Si l'Église est *constitutée* moyennant ces aspects de la pneumatologie, toutes les notions *pyramidales* disparaissent en ecclésiologie : l'« un » et le « multiple » coexistent comme deux aspects du même être. Au plan universel, cela signifie que les Églises locales constituent une Église par l'intermédiaire d'un ministère ou d'une institution qui compose *simultanément* un *primus* et un synode dont il (elle) est le *primus*. Au plan local, cela signifie que le chef de l'Église locale, l'évêque, est conditionné par l'existence de sa communauté et du reste des ministères, en particulier le « presbyterium ». Il n'y a pas de ministère qui n'ait besoin des autres ministères ; nul ministère ne possède la plénitude, de la grâce et du pouvoir, sans une relation avec les autres ministères.

4. Également, un conditionnement pneumatologique de l'être de l'Église est important pour que les institutions ecclésiales ouvrent sur leur perspective eschatologique. Il s'attache souvent trop d'historicité aux institutions ecclésiales. L'Orthodoxie souffre souvent de métahistoricisme ; l'Occident souffre habituellement d'une historicisation de nos institutions ecclésiales. L'éthos liturgique de l'Orthodoxie ne lui permettra sans doute jamais de s'engager à fond dans l'histoire, bien qu'elle n'ait pas empêché l'éruption de mouvements de libération comme ceux de la guerre d'indépendance grecque au siècle dernier. Mais la justification de n'importe quelle institution ecclésiale *permanente* nécessite certainement une perspective eschatologique ; l'histoire ne suffit pas.

5. Enfin, si l'on rend la pneumatologie constitutive de l'ecclésiologie, la notion d'*institution* elle-même sera profondément affectée. Dans une seule perspective christologique nous pouvons parler de l'Église comme *in-stituée* (par le Christ), mais dans une perspective pneumatologique il nous faut en parler comme *con-stituée* (par l'Esprit). Le Christ *institue* et l'Esprit *constitue*. La différence entre ces deux préfixes *in-* et *con-* peut-être énorme ecclésiologiquement. L'«institution» est quelque chose qui se présente à nous comme un fait, plus ou moins un «*fait accompli*». En tant que telle, c'est une provocation à notre liberté. La «constitution» est quelque chose qui nous engage dans son être même, quelque chose que nous acceptons librement, parce que nous avons part à son surgissement même. L'autorité, dans le premier cas, est quelque chose qui nous est imposé, tandis que, dans le second cas, c'est quelque chose qui jaillit du milieu de nous. Si l'on assigne à pneumatologie un rôle constitutif en ecclésiologie, toute la question d'*Amt und Geist*, ou de l'«institutionnalisme» est affecté. Il faut faire en sorte que la notion de communion s'applique à l'ontologie même des institutions ecclésiales, et non pas simplement à leur dynamisme et à leur efficace.

Quant à la situation actuelle, dans quelle mesure cela existe-t-il en fait, et dans quelle mesure cela peut-il continuer d'exister ou être amené à exister?

Le fait que l'Orthodoxie n'ait pas vécu de situations semblables à celles des Églises occidentales, telles que les problèmes du cléricalisme, de l'anti-institutionnalisme, du pentecôtisme, etc, peut être pris comme une indication que, *dans une large mesure*, la pneumatologie a jusqu'à présent sauvé la vie de l'Orthodoxie. Il n'y a pas de signe de tendances à l'*anti-establishment* dans l'Église orthodoxe, bien qu'en Grèce, en ce moment, on puisse observer ici ou là des signes de ce genre. Mais la situation actuelle dans l'Orthodoxie, à la fois théologiquement et canoniquement, ne fait plus pleinement droit à la tradition dont mon exposé a été un reflet. Les institutions synodales ne traduisent plus le juste équilibre entre l'«un» et le «multiple», soit que l'«un» n'agisse pas ou même n'existe pas, soit que l'«un» ou les «uns» ignore(nt) le «multiple». La même chose est vraie de la vie de l'Église locale: la communauté a presque disparu et le nombre

des évêques titulaires s'accroît rapidement, le seul niveau où se
maintienne le juste équilibre entre l'« un » et le « multiple » est le
niveau *liturgique* : est-ce la liturgie qui sauve encore l'Orthodoxie ? Peut-être. Mais pour combien de temps ? Étant donné
que l'Orthodoxie partage de plus en plus la culture occidentale,
elle partagera peut-être aussi les problèmes des Églises occidentales. Le problème des institutions ecclésiales deviendra vite
alors, existentiellement parlant, un problème œcuménique.

Mais que peut-on faire ? Vatican II a donné espoir et promesse
à beaucoup qu'on pouvait faire quelque chose. Je ne suis pas
expert en théologie du Concile, mais j'ai le sentiment qu'une des
directions qu'il a indiquées peut être particulièrement importante, à savoir l'introduction de la notion de communion en
ecclésiologie. Cela, combiné avec la redécouverte de l'importance du λαὸς de Dieu et de l'Église locale, peut aider les
orthodoxes eux-mêmes à recouvrer leur identité perdue. Mais il
faut bien davantage, car Vatican II n'a pas achevé son œuvre. Ce
qu'un orthodoxe partageant les points de vue de cet exposé
aimerait qu'il soit fait — peut-être par un Vatican III — c'est de
pousser l'idée de communion jusqu'à ses conclusions ontologi-
ques. Nous avons besoin d'une ontologie de la communion. Nous
avons besoin que la communion conditionne l'être même de
l'Église, non son mieux-être mais son être. Au plan théologique,
cela voudrait dire que l'on assigne un rôle constitutif à la
pneumatologie, non une dépendance de la christologie. Cela,
Vatican II ne l'a pas fait, mais sa notion de communion peut le
faire. Peut-être cela transformera-t-il automatiquement les
institutions ecclésiales. Cela supprimera la structure pyramidale
qui peut encore subsister dans l'Église. Et cela peut même mettre
la pierre d'achoppement de l'unité ecclésiale, le ministère du
pape, sous un jour plus positif. Tout dépend de la juste synthèse
entre christologie et pneumatologie en ecclésiologie.

(Traduit de l'anglais par André Divault.)

Hervé LEGRAND

LE DÉVELOPPEMENT D'ÉGLISES-SUJETS
UNE REQUÊTE DE VATICAN II

Fondements théologiques et réflexions institutionnelles

Dès le premier texte promulgué par Vatican II, nous rencontrons l'une des visions ecclésiologiques les plus déterminantes de ce concile. Au n° 41 de la Constitution sur la liturgie, l'Église locale est, en effet, présentée comme « la plus haute manifestation de l'Église de Dieu » lorsqu'elle est en acte d'assemblée liturgique, et spécialement de célébration eucharistique. On a dit de ce texte qu'il opérait « une révolution copernicienne puisque désormais ce n'est plus l'Église locale qui gravite autour de l'Église universelle, mais l'unique Église de Dieu qui se trouve présente dans chaque célébration de l'Église locale »[1]. Dom. E. Lanne, qui reprend cette appréciation à son compte, ajoute très justement que l'accent mis en même temps sur la structure de l'assemblée était tout aussi important, car dans cette assemblée « tout le peuple saint de Dieu » a sa part active dans la célébration liturgique, autour de l'évêque, du presbyterium et des ministres.

De cette vision théologique de l'Église locale découle un double dynamisme : en elle-même, l'Église locale est composée de groupes actifs de *sujets* ; dans sa relation avec l'Église de Dieu ensuite, elle cesse d'être conçue comme une partie, subordonnée et incomplète, de l'Église entière, mais elle est le *sujet* actif de la manifestation de cette Église en un lieu donné. Bref, l'Église locale a vocation d'être une Église de sujets en même temps qu'une Église-sujet dans sa relation avec les autres Églises.

---

1. E. LANNE, « L'Église locale et l'Église universelle », in *Irénikon* 43 (1970) 490.

Eclaircissements terminologiques

Le but de la présente contribution sera de réfléchir aux fondements théologiques et aux conditions institutionnelles du dynamisme ecclésiologique qui découle de cette vision de l'Église locale comme Église de sujets et comme Église-sujet. Par commodité nous appellerons du seul vocable d'Église-sujets cette double requête, quitte cependant à distinguer ces deux points de vue chaque fois que cela s'imposera.

Puisqu'un tel vocabulaire est absent de Vatican II, expliquons pourquoi nous y avons recours. Le vocabulaire, conciliaire et traditionnel, qui correspondrait le mieux à la réalité ainsi décrite serait certes celui de la communion. Mais il nous paraît trop large et trop peu déterminé pour cerner avec autant de précision que les termes Église de sujets et Église-sujet ces deux requêtes spécifiques qui découlent de l'ecclésiologie de communion ; de plus le terme de communion recouvre bien d'autres réalités dont l'explicitation adéquate déborderait le présent essai.

Eglises-sujets, qu'est-ce à dire? Pour éviter les équivoques, nous préciserons d'abord ce que nous n'entendons pas par là, avant de le spécifier positivement.

Nous n'adoptons pas ce terme par souci de plaider pour la subjectivité de l'homme occidental moderne car nous avons essentiellement en vue l'articulation de l'*ecclesia*. Par l'usage de ce terme, nous n'entendons pas non plus prendre directement en compte ce mouvement de réflexion de l'Église sur elle-même qui l'a amenée peu à peu à approfondir son statut de sujet dans l'histoire du salut, mouvement qui serait pour une part à l'origine du développement considérable de l'ecclésiologie comme discipline théologique. Ayant principalement en vue l'articulation des Églises locales en elles-mêmes et entre elles, nous ne nous arrêterons pas à ce point qui mériterait sûrement attention pour lui-même.

Par l'adoption de ce vocabulaire nous entendons en revanche nous dissocier de la présentation trop fréquente de l'Église comme communauté. Il y a danger, en effet, à conclure de la validité dogmatique de ce concept à sa pertinence quant aux fonctionnements effectifs de l'Église. De façon très convaincante bien des sociologues ont attiré, ces dernières années, l'attention des théologiens sur les inconvénients d'un usage indistinct de ce terme [2]. Les enquêtes menées en Europe montreraient, en effet, que les mouvements communautaires ont tendance à prôner une forme d'appartenance à l'Église où dominent les rapports interpersonnels directs; ceux-ci supposent de larges zones d'intérêts culturels communs et des affinités électives. Le danger consisterait à ériger ce type de sociabilité en modèle exemplaire, alors qu'il ne s'épanouit que dans de minces couches sociales [3]. Cela fait toucher du doigt qu'au moins dans nos sociétés complexes d'Occident, prôner, au nom d'impératifs théologiques, des Églises fonctionnant de façon privilégiée sur le registre communautaire reviendrait, en fait, à opérer des exclusions sur des bases sociales parce qu'on érigerait inconsciemment un éthos culturel particulier en exigence évangélique.

En revanche promouvoir des Églises-sujets permet de faire leur place aux groupes communautaires, sans les ériger en modèles pour tous, et, surtout, permet de garder sa dynamique à la vie ecclésiale et de respecter la complexité de ses médiations.

Sociologiquement un tel modèle diffère de celui de la communauté. Contrairement à cette dernière, il ne privilégie pas les relations interpersonnelles mais il fait toute leur place aux relations longues, c'est-à-dire aux problèmes structurels et aux médiations requises pour leur solution.

Théologiquement peuvent être décrites comme des Églises-sujets des Églises locales où la diversité des groupes et des personnes est reconnue et valorisée comme bénéfique pour le témoignage évangélique dans une société très diversifiée. Cette

---

3. En effet, comme le disent K. Dobbelaere et J. Billet, Community-formation... p. 259: «The problem remains of proper pastoral care for most church-goers, for marginal catholics or the catholiques festifs of Bonnet and Pannet. Neither the existing groups which stimulate the pastorate or a personal religious experience are an adequate solution».

2. A titre d'exemple, on lira K. DOBBELAERE et J. BILLET, «Community-formation and the Church. A Sociological Study of an Ideology and the Empirical Reality» in *Foi et Société. Acta Congressus Internationalis Theologici Lovaniensis 1976*, ed. M. Caudron, Gembloux 1978, 211-259. (Bibliotheca Ephemeridum Theologicarum Lovaniensium 47). Dans ce même volume nous avions pris nos distances par rapport à une vision exclusivement communautaire de la vie ecclésiale: H.M. LEGRAND, «Ministères et liturgie: courants et besoins nouveaux», *ibidem* 271-286.

attention à la diversité des éthos culturels évite que l'obéissance de la foi ne soit confondue avec l'imposition d'un arbitraire culturel. De plus le destin d'Églises ainsi articulées sera porté, à des degrés divers, par les groupes et les membres qui les composent selon une responsabilité solidaire quoique diversifiée. Pour y parvenir, des négociations sont nécessaires, ce qui revient à dire que la compétence et l'esprit de service des membres les plus actifs seront plus souvent sollicités que leur désir de vie communautaire.

Une telle réorientation vers des Églises de sujets a eu pour condition préalable la révision de l'ecclésiologie du dernier siècle qui distinguait soigneusement, parmi les chrétiens, les gouvernants et les gouvernés, les enseignants et les enseignés, les célébrants et les assistants, comme en témoigne le langage des documents pontificaux eux-mêmes, où, pour faire bref, les chrétiens, loin d'être des sujets dans l'Église, y étaient plutôt assujettis [4], si l'on nous pardonne ce mauvais jeu de mots.

Ce même réexamen opéré par Vativan II permet aux Églises locales ou particulières de devenir des partenaires.

---

4. On se reportera en particulier à la lettre *Epistola tua* de Léon XIII au cardinal Guibert qui comprend expressément être sujet dans l'Église comme être assujetti : «il en est qui, peu contents de la condition de sujets qu'ils ont dans l'Église, croient pouvoir prendre quelque part dans son gouvernement ou tout au moins estiment qu'il leur est permis d'examiner et de juger à leur manière les actes de l'autorité, opinion déplacée, assurément. Si elle prévalait, ce serait un très grave dommage dans l'Église de Dieu, en laquelle, par la volonté manifeste de son divin fondateur, on distingue de la façon la plus absolue, deux parties : l'enseignée et l'enseignante, le troupeau et les pasteurs», in *Église. Les enseignements pontificaux présentés par les moines de Solesmes*, Paris 1959, I, 302. La même doctrine est reprise par S. Pie X dans l'encyclique *Vehementer* : «L'Église est par essence une société inégale, c'est-à-dire comprenant deux catégories de personnes, les pasteurs et le troupeau (...) et ces catégories sont tellement distinctes entre elles que dans le corps pastoral seul réside le droit et l'autorité nécessaires pour promouvoir et diriger tous les membres vers la fin de la société ; quant à la multitude elle n'a pas d'autre devoir que celui de se laisser conduire et, troupeau docile, de suivre ses Pasteurs», in *Acta Sanctae Sedis* 39, 1906,89. La scission entre célébrants et assistants se trouve encore présente dans la grande encyclique de Pie XII consacrée à la liturgie Mediator Dei où l'on peut lire que lorsque le prêtre célèbre, le sacrifice est consommé «soit que les fidèles y assistent ou qu'ils n'y assistent pas, n'étant requis en aucune manière que le peuple ratifie ce que fait le ministre sacré...» *Acta Apostolicae Sedis* 39,1947,557.

A cause du flou de la conceptualité de Vatican II[5], précisons que l'on se propose d'entendre désormais par églises *locales* les églises diocésaines. Ces dernières sont décrites, par exemple en Christus Dominus 11, comme étant pleinement Églises de Dieu, même si chacune n'est pas toute l'Église de Dieu. Elles en sont des manifestations et non des circonscriptions[6].

Par Églises *particulières* nous entendrons des Églises regoupant plusieurs Églises épiscopales selon une unité culturelle ou géographique, ou encore les Églises patriarcales orientales.

Le terme d'Églises-sujets permet de désigner les unes et les autres. Même si c'est à des titres différents, elles ont en commun d'être sujets de responsabilité, d'action et de droit[7].

Notre plan

Après ces éclaircissements terminologiques, voici quel sera notre plan. Nous partirons de la dynamique issue de Vatican II tendant à faire des Églises locales ou particulières des Églises-sujets. Nous commencerons par cerner ce fait avant d'en évaluer la force et les faiblesses (I). Pour dépasser l'empirisme de ce mouvement, dont les racines peuvent apparaître un peu éclectiques (elles le sont pour une part !), nous nous appuierons sur l'ecclésiologie trinitaire et sacramentaire amorcée dans Lumen Gentium, manifestant ainsi l'enracinement théologique profond de cette évolution. Nous construirons à cet effet un modèle théorique (II) qui nous permettra des réflexions plus

5. Le cardinal P. Felici reconnaît ce flou conceptuel : « Une question se pose quant au vocable à employer pour désigner les Églises particulières. Dans les documents de Vatican II se rencontrent les expressions « ecclesia particularis », « ecclesia peculiaris », « ecclesia localis » qui sans des textes ne sont pas toujours suffisamment déterminées ni prises constamment dans le même sens », *Relatio superiore schemate Legis Fundamentalis*, Vatican, 1971,66.

6. Pour un commentaire détaillé de CD 11 voir H.-M. LEGRAND, *La charge pastorale des évêques*, Paris, 1969,103-121 (Unam Sanctam 74).

7. Dans une conceptualité légèrement différente, cette idée se trouve déjà exprimée par J. RATZINGER dans *J. RATZINGER-H. MAIER, Démocratisation dans l'église?*, Paris, 1972,44-45. (Original allemand : Demokratie in der Kirche, Limburg 1970), ainsi que par G. THILS, « La communauté ecclésiale, sujet d'action et sujet de droit », *Revue théologique de Louvain* 4, 1973,443-468.

rigoureuses quant à la portée et aux conditions théologiques (III)
et institutionnelles (IV) des développements dont nous voyons
depuis quinze ans les premières manifestations, si importantes à
la fois pour l'unité chrétienne et pour la présence de l'Église dans
la diversité des cultures.

L'avenir de l'œcuménisme et celui de la mission dépendent, en
effet, pour une large part de l'ecclésiologie de communion remise
en valeur par le dernier concile, et plus précisément encore des
orientations favorisant l'avènement d'Églises-sujets. C'est à
étudier cette composante de l'ecclésiologie de communion que
nous donnerons toute notre attention.

I. LE COURANT CONCILIAIRE DE REVALORISATION DE L'ECCLESIA COMME SUJET : FORCES ET FAIBLESSES.

1. L'empirisme de Vatican II

Pendant les dernières années de Pie XII, l'Église catholique se
présentait volontiers comme une Église partout uniformément
romaine. La façon dont les fidèles eux-mêmes se désignaient,
sans problème, comme « catholiques-romains », surtout dans les
pays anglophones et germanophones, manifeste la victoire d'un
courant auquel ne résistaient plus guère que certains théologiens
soucieux d'œcuménisme ou certains catholiques orientaux. De
fait, vue du dehors, l'Eglise catholique apparaissait, à la veille du
concile, comme un unique et vaste diocèse : celui du pape, dans
lequel les évêques faisaient figure d'agents d'exécution ; d'ailleurs la plupart n'étaient-ils pas nommés directement par lui[8] ?

Avant Vatican II la théologie de l'Église locale n'était présente
qu'à la réflexion d'un petit nombre de théologiens. Aussi
comprend-on que les textes du concile, relatifs à l'Église locale,
n'obtinrent pas, en eux-mêmes, une attention qui se focalisait

---

8. Expression typique de cette ecclésiologie dans une lettre qu'écrit de
Vatican I aux religieux de sa congrégation le fondateur des assomptionnistes : « je
vous assure qu'il y a ici un fait admirable et qu'aucune religion ne peut
reproduire : c'est la liste des évêques. Quel est le souverain qui, convoquant ses
préfets, en verrait arriver de tous les points du globe ? cité par S. VAILHÉ, *Vie du
Père E. d'Alzon*, 1931, Paris, II, 522.

avant tout sur l'articulation entre primauté et collégialité dans
Lumen Gentium, et sur le rapport Église-monde dans Gaudium
et Spes. Pourtant seul l'approfondissement de la théologie de
l'Église locale était susceptible de poser correctement les
rapports entre primauté et collégialité et d'approfondir le rapport
des Églises à leurs cultures.

Aussi est-ce plutôt par une série de réorientations institutionnelles empiriques, répondant aux souhaits des Pères, que
Vatican II a posé les bases d'une reviviscence des Églises locales.
Sans attendre les clarifications théologiques qui demeuraient
souhaitables, il a ainsi confirmé les conférences épiscopales
existantes et rendu leur institution obligatoire partout (CD 36-
38), souhaité qu'elles établissent des relations entre elles
(CD 38,5), suscité les conseils presbytéraux (PO 7), souhaité
l'instauration des conseils pastoraux (CD 27) et des conseils pour
l'apostolat des laïcs (AA 26), demandé la reviviscence des
synodes et des conciles provinciaux ou pléniers (CD 36). Dans ce
foisonnement, il faut encore noter, *last but not least*, la suggestion
d'instaurer un synode d'évêques auprès du pape (CD 5).

2. *Nombreuses réalisations institutionnelles post-conciliaires*

Pour le moment, on le sait, la législation canonique post-
conciliaire n'est pas définitivement fixée. Toutefois, concernant
les églises locales, les conseils presbytéraux ont été rendus
obligatoires[9], et les conseils pastoraux fortement
recommandés[10]. Pour les uns et les autres, la congrégation du
clergé a fait connaître ses directives[11]. La congrégation des
évêques a fait de même concernant les synodes diocésains où la
participation des laïcs comme membres consultatifs et la présence
souhaitée d'un grand nombre de fidèles représentent une
innovation notable. Toutefois l'évêque y demeure l'unique
législateur[12].

---

9. Motu proprio Ecclesiae Sanctae, AAS 56, 1966, 766-767 ; ils peuvent même
avoir voix délibérative en certains cas : cf. *S. Congr. Cler. Litterae circulares de
consiliis pastoralibus* (25.1.1937), § 3.
10. *Directoire des évêques en leur ministère pastoral* n° 204.
11. *Litt. circ. de consiliis presbyt.* (11.4.1970) ; *Litt. Circ. consiliis pastoralibus*
(25.1.1973).
12. *Directoire des évêques...* n°s 163,164,165.

En ce qui concerne maintenant les églises particulières, les créations aussi ont été nombreuses. Les conférences épiscopales, qui partout ont élaboré leurs statuts, se sont vu reconnaître une large compétence [13]. Le *motu proprio Ecclesiae Sanctae*, suivant CD 38,5 a poussé à la création, dans la ligne du CELAM [14], de relations organiques entre conférences épiscopales d'un même continent : ainsi sont nés le Symposium des conférences épiscopales d'Afrique et de Madagascar [15], la Fédération des conférences épiscopales d'Asie [16], le conseil des conférences épiscopales d'Europe [17]. Le directoire des évêques en leur ministère pastoral encourage les synodes et conciles pléniers à l'échelle d'une province ou d'une région (i-e nation) en son n° 213. Les synodes qui se sont tenus jusqu'ici, en plus grand nombre dans l'Europe du Nord que dans celle du Sud, comptaient une forte proportion de laïcs, femmes et hommes.

Signalons enfin que par son *motu proprio Apostolica Sollicitudo* [18] Paul VI a instauré un synode des évêques auprès du pape, permettant à Rome d'entendre la voix des Églises locales autrement qu'à travers des évêques individuels.

3. *Un avenir encore fragile*

Vatican II a donc été à l'origine d'une somme considérable d'innovations qui a redonné une forme de vie synodale aux Églises locales et particulières, au sein de l'Église catholique. Moins, semble-t-il, au terme de clarifications théologiques que par l'élaboration de réponses juridiques aux vœux des Pères conciliaires. Aussi est-il indéniable que les Églises locales ont à la fois commencé à faire appel à la responsabilité diversifiée de leurs membres et qu'elles ont commencé à devenir sujets d'action et de droit, tout comme les Églises particulières d'ailleurs.

---

13. cf. J. MANZANARES MARIJUAN, « Las conferencias episcopales a la luz del derecho canonico », in *Las conferencias episcopales hoy*, Salamanca, 1977, 45-82 (Bibliotheca Salmanticensis 18, Estudios 16).

14. Cf. A. Soria Vasco, « Le CELAM ou conseil épiscopal latino-américain », in *L'Année canonique*, 18,1974,179-220.

15. A. MONTERO — L. DE ECHEVERRIA, « Relaciones entre las distintas conferencias episcopales », in *Las conferencias...* 211-214.

16. *Ibid.*, 215-216.

17. *Ibid.*, 208-211.

18. AAS 57, 1965, 475-480.

Toutefois un tel dynamisme demeure marqué par la timidité et la fragilité. La timidité se remarque spécialement dans les structures qui restent juridiquement très précautionneuses quant à un véritable droit des laïcs. Quant à la fragilité, elle a des causes à la fois sociologiques et théologiques.

a) *Fragilités d'ordre sociologique*

Des Églises-sujets supposent à la fois la participation au sein de l'Église locale ainsi que l'estime et le soutien d'institutions susceptibles de médiatiser la communication entre les Églises qui, tout comme les chrétiens, sont menacées de polarisations. Mais au moins dans l'espace atlantique, le désir de participation et la critique des institutions se sont manifestés, en même temps, peu après la fin du concile. Les constestations bruyantes ne sont plus de mode, mais ces difficultés sont toujours nôtres. La crise du clergé en témoigne pour sa part comme, d'une autre façon, la nostalgie d'une Église communautaire qui pourrait se passer de médiations institutionnelles pour assurer sa présence dans la société.

Seconde source de fragilité : des Églises-sujets trouvent une part de leur identité dans leur espace culturel. Mais il n'est pas trop paradoxal de dire que nos Églises sont de moins en moins indigènes dans notre espace occidental ; cela se ressent dans presque tout le domaine de l'éthique, particulièrement dans celui des normes qui guident la vie individuelle. Mais dans ce genre de conflits, où les normes sont contestées, l'autorité pastorale est naturellement portée à vouloir faire l'unité sur le fondement des valeurs reçues. Mais freiner le processus d'acculturation critique de la vie chrétienne, c'est freiner du même coup le processus de développement des Églises-sujets.

Cela n'est pas vrai que des Églises d'Europe. En effet, plus les jeunes Églises prendront au sérieux leur tâche d'inculturation (comme on le dit depuis le synode de 1974 [19]) et plus les principes proclamés en théorie, risquent également d'être contrecarrés en pratique et pas seulement par les autorités. Mais cette évocation nous fait déjà toucher les problèmes théologiques.

---

19. Sur ce néologisme cf. A.A. ROEST CROLLIUS, « What is so new about inculturation ? A concept and its implications », *Gregorianum* 59,1978,721-738.

b) *Fragilités d'ordre théologique*

Il faut signaler ici d'abord la difficulté d'articuler le langage théologique et le langage canonique. Il est vraisemblable que les ecclésiologues ont généralement sous-évalué l'importance du droit canonique pour leur discipline, si même dans la bouche de nombre d'entre eux le terme « juridique » à lui seul, n'est pas connoté péjorativement ! Aujourd'hui ils découvrent, un peu tard, que les beaux textes conciliaires passent dans la vie de l'Église par la médiation du droit. Si notre colloque votait quelque résolution, je me demande si l'une des plus utiles ne serait pas d'encourager à l'avenir des rencontres entre ecclésiologues, canonistes et, j'ajouterais, sociologues : la recherche d'une articulation entre la théologie et les institutions n'apparaît-elle pas comme une urgence à tout esprit soucieux de cohérence et d'efficacité ?

Sans faire le bilan des lacunes du dernier concile, il nous faut pourtant signaler dès maintenant une certaine faiblesse de la pneumatologie de Vatican II. Faute de pneumatologie conséquente, le ch. III de Lumen Gentium ne pose même pas la question de l'articulation entre épiscopat et peuple de Dieu : cela handicape tout traitement de la relation entre les évêques et les divers conseils, et entraîne le caractère généralement facultatif de l'ensemble de ces conseils. Cette même absence d'articulation des différents dons que l'Esprit fait à son Église explique aussi sans doute que le pape puisse être situé, avant comme après le concile, dans une relation d'immédiateté avec le Christ [20] ; de là à justifier le principe d'un gouvernement personnel et discrétionnaire du pape, il n'y a qu'un pas que Vatican I lui-même n'impose nullement de franchir... Ce point est important pour la reviviscence des Églises-sujets !

---

20. On peut noter qu'au début de son pontificat Paul VI vivait cette perception de manière aigüe puisqu'à l'immédiateté s'ajoutait l'exclusivité alors que seule l'Église peut-être le témoin du Christ comme personne en particulier. « Seul le pape possède cette prérogative de représenter le Seigneur au sein de l'histoire et à la face du monde, personne d'autre que lui n'a une telle plénitude d'autorité », Insegnamenti di Paolo VI, Vatican, 1964, p. 1076. Ces paroles d'un pape ne sont évidemment pas un enseignement de son magistère.

Conjuguer empirisme et vision.

Il est très probable que la force du courant de revalorisation de l'ecclesia comme sujet réside dans son empirisme. Le nombre des innovations introduites, en quinze ans, dans le vivre-ensemble catholique doit être évalué comme un facteur indéniable de transformation de la mentalité des fidèles, des prêtres, des évêques et de l'Église entière. La souplesse de ces innovations leur permet également de se roder et de s'adapter aux contextes socio-culturels si diversifiés de l'Église catholique d'aujourd'hui.

Mais cet empirisme est aussi source de grande faiblesse et de précarité. La tâche des théologiens serait peut-être de fournir ici une vision théologique qui puisse fonder solidement ce mouvement. Cette vision se trouve, selon nous, dans le concile lui-même, lorsque Lumen Gentium s'ouvre, de façon décisive, par une vision trinitaire de l'Église ; et aussi dans l'origine sacramentaire que cette constitution attribue à l'institutionalité fondamentale de l'Église en insistant si clairement sur l'importance du baptême et sur la nature sacramentelle de l'épiscopat.

II. L'ECCLÉSIOLOGIE TRINITAIRE ET SACRAMENTAIRE PRÉSENTE EN VATICAN II. ANALYSE ET CONSTRUCTION D'UN MODÈLE HEURISTIQUE

1. *Brève analyse de l'ecclésiologie trinitaire et sacramentaire de Vatican II*

a) *Un certain déficit pneumatologique*

Observateurs protestants aussi bien qu'orthodoxes ont souligné, non sans fondement, une certaine faiblesse pneumatologique des textes de Vatican II[21]. De fait ce concile s'est caractérisé

---

21. Parmi les orthodoxes cf. O. CLÉMENT, «Quelques remarques d'un Orthodoxe sur la constitution «de Ecclesia», in *Œcumenica 1*, 1966,97-116; N. K. NISSIOTIS, «Report on the Second Vatican Council», in *The Ecumenical Review*, 18,1966,193-206; parmi les protestants V. VAJTA, «La refonte de la liturgie au concile œcuménique de Vatican II, in *Le dialogue est ouvert* (ed.

par un vigoureux recentrement christologique qui n'a sans doute pas conduit à une articulation parfaitement satisfaisante de la christologie et de la pneumatologie. On le remarque, par exemple, dans Presbyterorum Ordinis qui semble réduire le presbytérat à une participation à l'épiscopat, au lieu d'y voir un charisme spécifique, bien que pour une charge subordonnée à celle de l'évêque ; l'ensemble du document manque d'ailleurs de cette articulation[22]. Signalons encore que des documents aussi importants que *Lumen Gentium* et *Christus Dominus* ne développent jamais pour lui-même l'adage selon lequel l'ensemble des dons de l'Esprit ne se trouve que dans l'ensemble de l'*ecclesia*, perspective qui semble se dégager seulement, vers la fin du concile (en PO 9 en passant et surtout en AA 3). La prédominance, en certains textes du schéma corps/tête pour déterminer le concept de *communio hierarchica* dénote aussi des adhérences christologiques excessives : sans être fréquent, on retrouve ce concept en des documents importants pour notre sujet[23].

Comme il revient au Père Congar de traiter cette articulation entre pneumatologie et christologie, il nous suffit de soulever ce point critique.

b) *La vision trinitaire de l'Église en Lumen Gentium*

Lumen Gentium s'ouvre par une vision expressément trinitaire de l'Église présentée, selon l'histoire du salut, dans sa relation au Père, au Fils, au Saint-Esprit, vision qui se conclut en référence à

G.A. Lindbeck), Neuchâtel 1967, I, 110-111 ; A. ROUX, « Le décret sur l'activité missionnaire de l'Église », in *Vatican II. Points de vue de théologiens protestants*, Paris, 112-114 (Unam Sanctam 64).

22. Cf. H.M. LEGRAND, « Bulletin d'ecclésiologie », in *Revue des Sciences philosophiques et théologiques* 59,1975,691-693. Sur le point précis du danger de faire du presbytérat une participation à l'épiscopat, on lira les importantes mises au point de J.M.R. TILLARD, « L'évêque et les autres ministères », *Irénikon* 48,1975,195-200 et *ibid.* 49,1976, 162-166.

23. LG 21 et 22 ; PO 7 et 15 ; CD 4 — et jusqu'à cinq fois dans la *Nota praevia*. Pour l'étude du concept de communio hierarchica cf. O. SAIER, « Communio » *in der Lehre des Zweiten Vatikanischen Konzils*, München, 1973 ; l'A. adhère à une vision assez christomoniste que nous avons critiquée dans *Recherches sur le presbytérat et l'épiscopat*, RSPhTh 59,1975,708-710 ; une exégèse plus satisfaisante est donnée par P.J. CORDES, *Sendung zum Dienst*. Exegetisch-historische und systematische Studien zum Konzilsdekret « Vom Dienst der Priester », Frankfurt a.M.1972,291-301 (*Frankfurter Theol. Studien*, 9).

saint Cyprien, saint Augustin, et saint Jean Damascène, par l'expression...

« Ainsi l'Église tout entière apparaît comme le peuple uni de l'unité du Père, du Fils et du Saint-Esprit » (LG 4). Tout aussi significativement l'Église est également désignée de façon trinitaire, comme Peuple de Dieu le Père, Corps du Christ, Temple de l'Esprit-Saint en LG 17 (et PO 1). La description que LG 26 donne des Églises locales est également trinitaire :

> Elles sont, chacune sur son territoire, le peuple nouveau appelé par Dieu dans l'Esprit-Saint (...). En elles, les fidèles sont rassemblés par la prédication de l'Évangile du Christ, le mystère de la Cène du Seigneur est célébré pour que par le moyen de la chair et du Sang du Seigneur se resserre toute la fraternité du Corps.

On notera aussi que la définition, plus technique celle-là, de l'Église locale, donnée par Christus Dominus 11 est également trinitaire[24]. Enfin Unitatis Redintegratio 2 *in fine* déclare :

> Du mystère de l'Église, le modèle suprême et le principe est dans la Trinité des personnes, l'unité d'un seul Père et Fils, en l'Esprit-Saint.

De semblables textes, surtout si nous considérons leur fonction, nous permettent d'affirmer que Vatican II témoigne d'une vision fondamentalement trinitaire de l'Église. On aurait pu souhaiter que plus de conséquences en fussent tirées ; cependant un concile ne travaille pas comme un théologien systématique. Aussi appartient-il peut-être au théologien d'illustrer ce qu'implique une affirmation aussi fondamentale, notamment pour la compréhension de l'*ecclesia* comme sujet.

Mais avant de présenter un modèle heuristique à cet effet, et

---

24. CD 11 : « Le diocèse est une portion du peuple de Dieu (...) Lié à son pasteur et par lui rassemblé dans le Saint-Esprit, grâce à l'Évangile et à l'eucharistie, il constitue une église particulière en laquelle est vraiment présente et agissante l'Église du Christ une, sainte, catholique et apostolique ». Ce texte, comme celui de LG 26 cité supra, décrit l'Église comme peuple de Dieu (le Père), comme Église du Christ, avec référence explicite à l'eucharistie et enfin comme assemblée dans l'Esprit.

pour le situer dans sa vérité institutionnelle, il nous faut décrire, ne fût-ce que très brièvement comment Lumen Gentium situe les sacrements comme base de l'institutionnalité fondamentale de l'Église.

c) La structure sacramentaire et pneumatologique de l'Église en Lumen Gentium

Lumen Gentium redonne une importance décisive au baptême : par le baptême, qui nous incorpore à l'Église dit la constitution, à deux reprises, (LG 11 et 14), les chrétiens participent à la triple charge royale, sacerdotale et prophétique du Christ dans l'Église (LG 10, 11, 12, 34, 35, 36). Par le baptême tous les chrétiens ont une même dignité ecclésiale : « quant à la dignité et à l'activité communes à tous les fidèles dans l'édification du corps du Christ, il règne, entre tous, une égale dignité » (LG 32).

Inutile d'insister sur cette revalorisation du baptême comme fondement d'activités et de responsabilités ecclésiales. Ce fut l'une des redécouvertes dont le concile fut crédité sans réserve...

De même suffit-il de mentionner que le concile a réaffirmé que l'ordination « conférait en même temps que la charge de sanctifier, celle d'enseigner et de gouverner » (LG 26). Ce qui revient à situer dans le sacrement de l'ordre, cette fois, l'origine du pouvoir épiscopal qui est structurant pour l'Église.

Dans la structure de l'Église, Lumen Gentium accorde une place réelle aux charismes qui, eux aussi, font partie de la structure de fait de l'Église, sans faire toujours partie de sa structure de droit : il en va ainsi de la vie monastique, du ministère de théologien, et des charismes mentionnés de façon générale en Lumen Gentium (4,7,12). Voilà qui est important pour une Église de sujets.

2. Un modèle heuristique d'ecclésiologie trinitaire et sacramentaire manifestant l'ecclesia comme sujet

Dans le domaine des sciences, on éprouve souvent le besoin de construire des modèles théoriques pour faire avancer la recherche. En théologie également le recours à des modèles commence à avoir droit de cité. Afin de pouvoir se représenter plus concrètement que par des affirmations textuelles ce que peut signifier une vision trinitaire et sacramentaire de l'Église pour une ecclésiologie d'Églises-sujets, on se propose de construire maintenant un modèle heuristique. Au lieu de l'inventer arbitrairement, on l'explicitera à partir des institutions d'accès au ministère épiscopal, avant qu'elles ne soient modifiées, en Occident, par les invasions barbares, et, en Orient, par l'immixtion des empereurs chrétiens dans les élections ecclésiastiques.

Ce faisant, on n'entend nullement ériger les fonctionnements ecclésiaux de cette époque en modèles à reproduire par l'Église d'aujourd'hui qui vit dans un tout autre contexte historique, sociologique et ecclésial. Le modèle n'a de valeur qu'heuristique et pour la seule conceptualité théologique, car nous ne pouvons mener maintenant un travail proprement historique (i-e éclairant les genèses et décrivant les étapes) mais seulement dégager des structures.

Une dernière réserve méthodologique : on s'en tiendra aux seules représentations et pratiques, laissant de côté la question de leurs surdéterminations sociales.

Essayons donc de nous rendre par l'imagination à l'ordination d'un évêque du début du IVᵉ siècle. Cela se passe toujours un dimanche, dans le cadre de la célébration eucharistique qui rassemble tout le peuple, avec le presbyterium et les évêques voisins. Une telle structure est attestée dès la Tradition Apostolique d'Hippolyte ; elle est présente aussi dans les prescriptions de Nicée [25] comme dans les Constitutions Apostoliques. L'élection et l'ordination représentent un continuum liturgique unique réunissant l'élection par le peuple (clercs compris), l'imposition des mains par les évêques et l'entrée dans la charge. Une ordination sans élection et sans office est aussi impensable alors qu'une juridiction sans ordre [26].

D'après les matériaux que nous avons (hélas pas de procès-verbaux !) nous pouvons distinguer quatre acteurs principaux : ce

---

25. Voir R. GRYSON, « Les élections ecclésiastiques au IIIᵉ s. », *Revue d'Histoire ecclésiastique* 68,1973,353-402 et idem, « Les élections episcopales en Orient au IVᵉ s. », *ibid*,74(1979) 301-345 ; J. GAUDEMET, *Les élections dans l'Église latine des origines au XVIᵉ siècle*, Paris, 1979.

26. cf. L. MORTARI, *Consacrazione episcopale e collegialità*, Firenze, 1969.

sont les baptisés de l'endroit, les chefs des Églises voisines, le nouvel ordonné et le Saint Esprit. En détaillant les rôles, nous saisirons le fonctionnement d'une ecclésiologie trinitaire et sacramentaire.

a) *Les baptisés de l'Église locale ont toujours un rôle actif dans l'élection-ordination de leur évêque*

1) Les baptisés, ou mieux l'*ecclesia* locale (puisque l'on mentionne très tôt les clercs comme groupe spécifique) sont normalement actifs dans le choix de leur évêque.

La tradition Apostolique, vers 217, énonce clairement le principe : « qu'on ordonne comme évêque celui qui a été choisi par tout le peuple ... du consentement de tous que les évêques lui imposent les mains ». Vers le milieu du V siècle, les recommandations de saint Célestin (« qu'on n'impose pas au peuple tel évêque dont il ne voudrait pas »[27]), et de saint Léon sont particulièrement explicites quant à la responsabilité des chrétiens (« celui qui doit présider à tous, doit être élu par tous » ou « qu'on n'ordonne pas quelqu'un contre le gré des chrétiens et sans qu'ils l'aient expressément demandé »)[28].

2) Les membres de l'ecclesia sont garants des qualités et aptitudes de l'élu et sont même, dans certains rituels, garants de sa foi.

Le scrutin concernant les qualités et aptitudes de l'élu est partout attesté : dès la Tradition Apostolique 2, dans les Const. Ap. VIII, 4, 2-6. S. Cyprien en Afrique, insiste sur le fait que dans toutes les Églises cet examen se fait devant le peuple[29]. Mais l'interrogatoire peut porter expressément sur la foi de l'élu : ainsi en est-il dans les *Statuta Ecclesia Antiqua* qui, après avoir reproduit les termes reçus des scrutins, ajoutent qu'on vérifie « ante omnia si fidei documenta verbis simplicibus asserat »[30]. En Orient un tel examen concernant la foi existe aussi vraisemblablement si l'on se réfère à la lettre du Concile de Nicée aux

---

27. Ep. 4,5 ; PL 50, 434.
28. Ep. 14,5 ad Anastasium ; PL 54,673.
29. Ep. 38,1, CSEL, 3,2, 579-580.
30. CH. MUNIER, *Les Statuta Ecclesiae Antiqua, 75-78* et le commentaire de A. SANTANTONI, *L'ordinazione episcopale,* Roma,1976, 127-137 (Studia Anselmiana 69), pour les rituels analogues.

Égyptiens qui dit, à propos des méléciens, qu'on pourra les accepter dans une fonction « s'ils sont élus par le peuple, à condition qu'ils satisfassent à l'*examen en usage* »[31].

Ces pratiques montrent bien que tous les chrétiens de l'*ecclesia* concernée sont responsables de l'apostolicité lorsque l'un des leurs accède au ministère apostolique. La succession apostolique est toujours succession dans telle Église, témoin de la foi, et pas seulement une sucession des ministres. Il y a réciprocité entre le *sedens* et la *sedes* même si cette seule réciprocité ne suffit pas à définir le ministère de l'évêque. Une telle perception montre comment l'*ecclesia* est sujet dans le domaine de la foi. Même lorsqu'un tel scrutin n'est pas toujours rituellement attesté, la célébration d'une ordination n'en demeure pas moins toujours de la part de l'*ecclesia* un processus confessant où sa responsabilité est engagée.

3) L'*ecclesia* locale fait acte de réception à l'égard de l'évêque qu'elle a contribué à se donner.

Jamais l'*ecclesia* n'ordonne son élu à elle seule, au moins à partir du 3e siècle.[32] : ce trait de structure est essentiel pour comprendre l'épiscopat. Elle envisage certes son élu comme l'élu de Dieu, mais il ne devient évêque que par la grâce qu'il reçoit dans l'imposition des mains des évêques voisins en même temps qu'il entre en charge. Elle le reçoit activement alors comme celui qui est à sa tête.

Ainsi le témoignage, l'épiclèse et la réception sont trois procédures indissociables dans le déroulement d'une ordination comme nous allons encore le voir en analysant le rôle des évêques voisins et qui toutes montrent l'Église à l'œuvre comme sujet, et empêchent de comprendre l'ordination dans le schéma

---

31. Aux Égyptiens 7-10, in H.G OPITZ, *Urkunden zur Geschichte des arianischen Streits*, Berlin-Leipzig 1935, 49-50 (Athanasius Werke, III, 1).

32. On connaît la position de S. Jérôme concernant l'ordination de l'évêque d'Alexandrie par les presbytres : Epist. 146, CSEL 56, 310. W. Telfer a présenté ce point comme historique, «The Episcopal Succession in Egypt», in *Journal of Ecclesiastical History* 3, 1953,1-13 ; mais il nous semble qu'après les critiques de J. Lécuyer la preuve reste encore à faire : «Le problème des consécrations épiscopales dans l'église d'Alexandrie», in *Bulletin de Littérature ecclésiastique* 65, 1964,241-257. «La succession des évêques d'Alexandrie aux premiers siècles», *ibid* 70,1969,80-99.

verticaliste trop simple d'une transmission de pouvoirs d'un ministre valide à un sujet idoine.

b) *Le rôle des évêques voisins*

1) Les évêques sont témoins de la vie de leur Église

Les évêques voisins qui, depuis Nicée, doivent au moins être trois, les autres évêques de la province donnant leur accord par écrit, agissent ici en témoins de la foi de leur Église et symboliquement de l'Église entière. La catégorie de témoignage est essentielle pour comprendre l'ordination.

2) Ils sont ministres du don de l'Esprit au sein de l'épiclèse de l'assemblée entière.

La tradition Apostolique 2 enjoint : « que tous prient dans leur cœur pour la descente de l'Esprit ». L'*ecclesia* est donc le sujet de l'épiclèse, même si seuls les évêques imposent les mains. Ainsi est articulée la *traditio* exprimée par les évêques et la *communio* exprimée par l'*ecclesia*, ceci dans l'unité de l'Esprit. Ainsi est exclue toute hiérarchiologie qui s'appuierait exclusivement sur le processus de *traditio*, comme est évitée la dissolution de la *communio* quand ne serait plus assurée la fidélité à la *traditio*.

Les évêques sont ici les acteurs d'une tradition-réception entre Églises-sujets : avec l'ensemble de l'*ecclesia* ils reçoivent verticalement le don de Dieu, et ils sont en même temps les acteurs d'une tradition horizontale en recevant l'Église locale comme apostolique et dotée d'un ministère apostolique.

c) *Sens du ministère épiscopal pour les Églises-sujets*

1) L'évêque apparaît ainsi à la fois comme le trait d'union, mieux comme le *lien médiateur entre des églises-sujets*. C'est inscrit symboliquement dans la structure même de son ordination ; ce symbole indiquant sa tâche. L'évêque doit représenter son Église auprès de toutes les autres et l'ensemble de l'Église dans la sienne : tâche de communication, de communion, de catholicité qu'il n'est pas seul à assumer, comme on le verra, mais qui lui revient par sa fonction.

2) L'évêque est à la fois *dans l'Église* et *vis-à-vis* d'elle. Dans son Église il est seul à pouvoir représenter l'Église entière de par sa fonction : il est le lien avec les autres églises (collégialité), avec l'Église des Apôtres (succession). Ce membre qui est à la fois

dans l'Église et vis-à-vis d'elle exprime qu'aucune Église ne peut
être autonome : elle est véritablement sujet ; elle se construit
dans une relation nécessaire aux autres, ceci pour être fidèle à
son identité même.

3) L'évêque reçoit un charisme de l'Esprit pour être ministre
du Christ en tant qu'il est ministre de la foi et de la communion
de l'Église.

Ce point est essentiel à saisir pour comprendre qu'il ne saurait
y avoir dans l'Église de représentation immédiate du Christ dans
ses ministres pas même dans la papauté, quoiqu'il en soit de
certaines idées courantes. Dans l'ecclésiologie traditionnelle, on
n'est *in persona Christi* que si l'on est *in persona ecclesiae* et dans
la mesure où on le demeure. La médiation de la foi apostolique et
de la communion actuelle de l'Église conditionnent toute
représentation du Christ. Cela se vérifie encore dans le cas du
prêtre retourné à l'état laïc et qui absout un moribond : pour cet
instant l'Église le reconnaît pour ministre du Christ.

Bien d'autres enseignements pourraient être tirés du modèle
proposé. Pour le légitimer si besoin était on le comparera au
modèle christomoniste que l'on rencontre encore souvent dans
les manuels latins. Modèle christomoniste

Le Christ (transmet ses pleins pouvoirs)

↓

Saint Pierre et les autres apôtres

↓

Les évêques et les prêtres

↓

Les chrétiens (gouvernés, enseignés, assistants)

Ce modèle christomoniste n'est évidemment pas homogène à
une église-sujet car il ne part pas de la koinonia :
— il part d'une scission initiale entre un groupe de chrétiens
actifs et un groupe passif ;

— l'ordination y est abstraite de l'*ecclesia* pour devenir transmission verticale de pouvoirs d'individu à individu[33] ;

— l'autorité des ministres y est seulement conférée : ils sont face à l'Église, sans être situés en elle.

Les faiblesses théologiques d'une telle représentation sont évidentes et se résument en un seul point : cette vision n'est pas trinitaire. Tout le reste en découle : ecclésiologie pyramidale et cléricale, réduction de l'ordination à une transmission de pouvoirs entre ministres valides et sujets idoines, distance par rapport à la tradition ancienne.

Modèle trinitaire

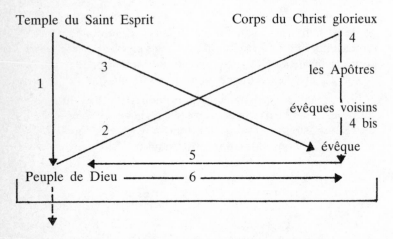

tout entier apostolique, fraternel, responsable solidairement quoique diversement

La validité théologique de ce modèle lui vient, non de son ancienneté, mais de son équilibre dogmatique, essentiellement trinitaire : dans les processus vivants qui la constituent, l'*ecclesia* est ici manifestement le peuple de Dieu le Père, le Temple du

---

33. Dans ce contexte théologique, à la limite, l'ordination secrète d'un évêque par un autre, sans témoins, est parfaitement imaginable. Sans être l'idéal bien sûr, elle sera, sur le fond, parfaitement inattaquable, les conditions de matière, de forme, d'intention et de licéité étant réunies.

Saint-Esprit, le Corps du Christ (flèches 1,2,3,4). Relevons comment dans ce modèle l'*ecclesia* est église de sujets et église sujet :

— tous y sont solidairement quoique diversement responsables de l'Église une, sainte, catholique et apostolique (ainsi flèches 1, 6),

— les ministres y sont les partenaires des chrétiens : c'est le sens de la double flèche 5 et 6 indiquant que l'évêque est autant dans l'Église que face à elle,

— les églises sont toutes ensemble responsables de la tradition apostolique manifestée par le témoignage et la réception de la même tradition des Apôtres (4 et 4 bis). Elles sont sujet à l'égard les unes des autres.

III. L'ECCLÉSIOLOGIE TRINITAIRE REQUIERT DES ÉGLISES-SUJETS RÉFLEXION THÉOLOGIQUE

Le modèle théologique que nous venons d'élaborer ne se veut nullement un modèle de retour à l'Église primitive car la tradition est trahie lorsqu'elle devient répétition mécanique ; elle est sauvée lorsque son esprit est sauvegardé dans des fonctionnements sociaux différents.

Le but poursuivi était de mettre à jour les potentialités ecclésiologiques de la vision trinitaire de l'Église reconnue à Vatican II, car une telle vision théologique n'est pas d'ordre discursif. Ainsi ce détour nous aura apporté une conceptualité susceptible de fonder solidement l'évolution empirique, commencée par le concile, sur des bases plus saines que celles offertes par le débat sur la collégialité et la primauté. Nous pourrons ainsi dessiner quelques contours des Églises-sujets, locales ou particulières, et situer leur relation à la primauté de façon renouvelée.

1. *Une ecclésiologie trinitaire requiert des Églises-sujets*

Si l'Église est le Peuple de Dieu le Père, le Corps du Christ, le Temple de l'Esprit, elle est d'abord et avant tout une communion et ne pourra de ce fait qu'être une Église de sujets : l'*ecclesia* sera le sujet intégral de toute célébration ; l'autorité des ministres, sans en être diminuée, sera située en elle et non au-dessus d'elle et tous seront appelés, à la mesure de leurs moyens, à participer à la construction de l'Église.

a) *L'ecclesia* est le sujet intégral de toute célébration.

On reprend ici le thème d'une étude très connue du P. Congar[34]. Cette perception, récente dans le catholicisme moderne[35] se fonde dans le fait que le Peuple de Dieu est aussi le Temple de l'Esprit. Car c'est l'Esprit qui nous donne d'être en communion avec le Christ et entre nous. Le *nous* que le président utilise presque constamment dans la liturgie est celui de l'*ecclesia* qu'il représente, et non un pluriel de majesté. Son rôle propre se situe ainsi au sein de l'épiclèse de l'assemblée entière, épiclèse si heureusement réintroduite ou plus exactement introduite dans les anaphores latines après le concile, introduction qui contribuera à mieux situer le pouvoir sacramentel du prêtre et à favoriser la perception de l'Église comme sujet. Cette perception de l'*ecclesia* comme sujet intégral de la célébration est capitale tant les structures liturgiques et les structures ecclésiologiques sont solidaires, comme l'a si bien montré Hans Dombois[36].

b) *L'autorité des ministres ordonnés se situe dans l'Église et non au-dessus d'elle*

Ce titre sonne aujourd'hui comme un slogan. Pourtant voilà une vérité solidement traditionnelle : le modèle trinitaire que l'on

---

34. Y. Congar, l'*Ecclesia* ou communauté chrétienne, sujet intégral de l'action liturgique », in *La Liturgie après Vatican II*, Paris 1967, 241-282 (Unam Sanctam 68).

35. Qu'on se rappelle Mediator Dei, citée supra « le sacrifice est consommé, que les fidèles y assistent ou n'y assistent pas, n'étant requis en aucune manière que le peuple fidèle ratifie ce que fait le ministre sacré ». C'est moins l'énoncé qui doit susciter la critique que sa tendance : dans une vision christomoniste et donc cléricale, on justifie la situation que l'on devrait éviter chrétiennement !

36. cf. H. Dombois, *Das Recht der Gnade*, Witten, 1969², 998 : « Le principe formel de toute organisation et de tout droit de l'Église, c'est l'agir liturgique auquel l'Église est tenue. Le principe matériel de toute structure de l'Église est l'intelligence particulière qu'aura telle Église de sa fonction (d'organiser la liturgie). Toute structuration juridique de l'Église, au cours de l'histoire, peut être ramenée à une manière particulière de concevoir la liturgie. Des mutations du droit sont des indices de mutation de la liturgie ».

vient de proposer montre qu'il ne saurait y avoir dans l'Église de représentation immédiate du Christ. Le refus de Vatican II de prendre en considération le titre d'*alter Christus* pour les prêtres est significatif en ce sens [37]. Non immédiate, une telle autorité n'est pas non plus sans réciprocité avec la responsabilité de l'*ecclesia*, comme cela ressort du modèle et du témoignage de la tradition ancienne. Certes légitimée formellement dans l'ordination et le don de l'Esprit, une telle autorité n'a pas à se mériter, mais réellement elle doit se gagner par la qualité du service et du témoignage rendus. Enfin une telle autorité n'est pas autosuffisante : le gouvernement de l'*ecclesia* se fait en coordination avec l'ensemble des dons que l'Eesprit fait à l'Église ; ces dons ne dérivent pas du ministère ordonné.

Toutefois sans être au-dessus de l'Église une telle autorité est face à l'Église. Ici le slogan post-conciliaire selon lequel tout pouvoir est un service est mystificateur dans la mesure où par un langage éthique on détourne aussi bien ses détenteurs que ses usagers ou ses critiques de l'analyse concrète de son fonctionnement. En effet, la question essentielle, qui n'appartient pas aux seuls théologiens mais autant aux canonistes et aux sociologues, est celle de la structure du pouvoir.

c) *Tous les chrétiens sont appelés, selon leurs moyens, à construire l'Église*

Le modèle que nous avons construit, la structure de la célébration de l'ordination comme celle de l'exercice de l'autorité montrent que dans la construction de l'Église il ne saurait y avoir d'acteur unique. Certes un modèle christomoniste peut favoriser la scission entre le clergé, responsable de l'Église, et les laïcs responsables du monde [38], mais dans une pensée trinitaire une telle scission est surmontée.

Mais si la scission est surmontée, les différences ne sont pas

---

37. Sur le thème de la représentation du Christ en général voir P.J. CORDES, «Sacerdos alter Christus ? Der Repräsentationsgedanke in der Amtstheologie» in *Catholica* 26, 1972, 38-49 ; sur son traitement à Vatican II. id., *Sendung zum Dienst... op.cit.*, 176-208.

38. Cette scission remonte à la querelle des investitures, cf. HUMBERT DE SILVA CANDIDA, *Lib. de Lit.* I, 208.

abolies. Au contraire, une pneumatologie véritable garantit les différences, mais en les articulant dans un ensemble.

Les analyses qui précèdent montrent qu'une ecclésiologie trinitaire permet de corriger des représentations théologiques dont les effets de distorsion sont évidents. Elles pointent aussi dans la direction de pratiques différentes. Toutefois on ne peut spécifier celles-ci que par une démarche pluridisciplinaire qui, elle-même, peut-être une forme d'obéissance à l'Esprit.

2. *Une ecclésiologie trinitaire conséquente appelle les Églises locales et les Églises particulières à agir en responsables les unes des autres et toutes ensemble de l'Église entière et de sa mission*

a) *Les conséquences du processus de traditio-receptio*

Le processus de traditio-receptio, que l'on retrouve au-delà de l'ordination, montre que, dans leur structuration même, les Églises sont des Églises sujets. Dans ce processus la *traditio* est déterminante. Aucune Église ne devient telle par sa réception par d'autres : elle le devient par don de Dieu. Ce don les tient toutes ensemble. Parce que l'unique Esprit qui habite en chacune d'elles, leur donne accès à l'unique tradition, sous des formes diverses, et parce qu'aucune ne peut prétendre monopoliser l'Esprit, pour dominer les autres ou mener son propre jeu, tout ensemble sont fondées à collaborer et obligées de le faire et de se soucier les unes des autres et, toutes ensemble, de l'unité et de la mission : *traditio traditionis*.

Aucune Église locale ne peut donc se passer de la réception des autres et se soustraire à leur reconnaissance car, comme le dit J. J. von Allmen, elle fausserait ainsi sa nature même : au lieu d'être, commes les autres, sacrement de la Jérusalem céleste, elle se prendrait pour la Jérusalem céleste [39].

b) *L'esprit lui-même est à l'origine de la diversité des Églises et de leur vocation à communiquer*

Le décret Ad Gentes 4 présente la Pentecôte comme le jour « où fut préfigurée l'union des peuples dans la catholicité de la

---

39. J.J. von Allmen, L'« Église locale parmi les autres églises locales », in *Irénikon* 43, 1970, 521.

foi, par l'Église de la Nouvelle Alliance qui parle toutes les langues... et triomphe ainsi de la dispersion de Babel ». L'Esprit fait ainsi de l'Église l'antitype de Babel, la faisant vivre dans toutes les cultures. Ainsi l'Esprit, principe d'identité pour l'Église est aussi principe de sa différence et son œuvre n'est accomplie que lorsque la communication est établie dans la diversité. Là se trouve le fondement de la synodalité des Églises : l'Esprit en fait des Églises-sujets.

c) *La synodalité de l'Église requiert tout naturellement l'exercice de la collégialité épiscopale*

Vatican II a sans doute été trop étroitement soucieux d'équilibrer la primauté par la collégialité. Cela explique qu'il ait moins bien articulé la collégialité des évêques à la synodalité des églises. L'origine des synodes demeure encore obscure ; peut-être sont-ils nés dans le cadre de l'ordination des évêques [40] ou encore de la nécessité pour l'*ecclesia* de s'affirmer comme le lieu de l'Esprit face aux extravagances montanistes [41], ou encore en se coulant dans le modèle des assemblées provinciales de l'Empire ; quoi qu'il soit [42], ils devaient nécessairement être des assemblées d'évêques (même s'ils peuvent compter et, comptaient de fait, d'autres membres), car leur position structurelle même dans l'Église du fait de leur ordination, en fait les représentants et témoins par excellence de la foi de leurs Églises.

Ainsi la synodalité des églises s'exprime tout normalement par la collégialité des évêques. De ce point de vue n'y aurait-il pas un risque en notre période post-conciliaire à ne qualifier de collégialité qu'une réunion rassemblant tous les membres du collège unis à leur tête ? Ce qu'écrivait dès 1963 le Père Jérôme Hamer demeure éclairant pour notre propos :

il n'y a pas deux collégialités épiscopales : celle qui s'exercerait à l'échelle universelle et celle qui se manifeste-

---

40. Ainsi L. MORTARI, *Consacrazione episcopale... op.cit.*, 138.

41. Ainsi G. KRETSCHMAR, « Le développement de la doctrine du Saint Esprit du Nouveau Testament à Nicée », in *Verbum Caro* 22, n° 88, 1968, 30.

42. Pour une remarquable présentation d'ensemble du problème, voir E. LANNE, « L'origine des synodes », in *Theologische Zeitschrift*, 27, 1971, 201-222.

rait à une échelle régionale quelconque. Il n'y en a qu'une, mais qui connaît des modalités variées [43].

Dans cette ligne il faudrait souligner l'importance de réunions de groupes d'évêques de continents différents. Cela ne permettrait-il pas l'interpellation des Églises d'Occident par celles du Tiers Monde, ou le soutien d'Églises en difficulté ou la prise de conscience des problèmes des jeunes Églises? L'important ne serait pas d'appeler de telles réunions collégiales, mais qu'elles aient lieu.

3. *Dans une ecclésiologie trinitaire la primauté de l'Église de Rome s'exercera dans un contexte de relation entre Église-sujets*

   a) *La primauté de l'évêque de Rome est aussi la primauté d'une Église-sujet*

On sait que c'est en élisant l'évêque de Rome qu'on élit le Pape, pour autant qu'il succède à Pierre. Le rapporteur de la Foi le disait déjà à Vatican I: «Quiconque succède dans l'épiscopat succède de droit divin dans la primauté» [44]; ce que rappelle la dernière constitution pour l'élection du souverain pontife [45].

De fait la primauté de l'évêque de Rome est indissociable de la primauté qui revient à son Église, à la suite de celle de Jérusalem et du fait que Pierre et Paul y rendirent le suprême témoignage au Christ. Situé ainsi comme évêque d'une Église locale, le pape demeure visiblement et concrètement inséré dans la collégialité des évêques, au service de la synodalité des églises: il ne peut

---

43. J. HAMER, «Les conférences épiscopales, exercice de la collégialité», in *Nouvelle Revue Théologique* 85,1963,969. La perspective d'H. de Lubac réduisant l'activité collégiale aux actes de la collégialité universelle, nous paraît trop rigide lorsqu'il écrit, à la suite de Mgr W. Onclin: «Les décisions des conférences épiscopales ne sont ni directement ni indirectement des actes émanant du collège des évêques, mais ce sont des mesures prises par des évêques usant du pouvoir qu'ils détiennent dans les Églises particulières qui leur sont confiées», *Les Églises particulières dans l'Église universelle*, Paris, 1971,90.
   44. Mgr d'AVANZO, *Mansi* 52,1308 et DS 3057.
   45. *Constitution Apostolique Romano Pontifici Eligendo*, n° 88, AAS 67, 1975,644: «Après l'acceptation, l'élu, qui a déjà reçu l'ordination épiscopale, est immédiatement évêque de Rome et en même temps vrai pape et chef du collège épiscopal... Si l'élu n'a pas le caractère épiscopal, il doit aussitôt être ordonné évêque».

prendre la figure du président directeur général d'une multinationale. Il n'y a, en effet, d'eucharistie que de l'Église locale ; aussi éminente que soit son église, le pape demeure l'évêque d'une Église-sujet, ce qui garantit la véritable catholicité contre un faux universalisme [46]. Telle est la doctrine même de Lumen Gentium [47].

b) *La primauté est à situer dans le cadre de la synodalité des Églises*

Le can. 34 des Apôtres situe de façon intéressante pour notre propos la primauté au sein d'une église particulière en relation avec la glorification de la Trinité :

> Il faut que les évêques de chaque nation sachent qui d'entre eux est le premier et qu'ils le considèrent comme leur tête. Ils ne doivent rien faire sans son assentissement, même s'il appartient à chacun de traiter les affaires de son propre diocèse et des territoires qui en relèvent. Mais lui non plus (c'est-à-dire celui qui est le premier) ne devra rien faire sans l'assentiment de tous les autres. Ainsi règnera la concorde et Dieu sera glorifié par le Fils dans le Saint-Esprit [48].

---

46. Cf. H.M. LEGRAND, « Le ministère romain et le ministère universel du pape. Le problème de son élection », in *Concilium* n° 118, 1975, 43-54. L'insistance avec laquelle Jean-Paul II se présente comme évêque de Rome est particulièrement heureuse en ce sens et pour le dialogue avec l'Église orthodoxe. Le refus de la papauté comme épiscopat universel est commun même dans les milieux curiaux, cf. recension de R. Minnerath, *Le pape évêque universel ou premier des évêques* ? Paris 1978, dans l'*Osservatore romano* du 7-12-1978 : « Ce ne serait pas le moindre mérite de ce petit ouvrage s'il pouvait contribuer à enlever au dialogue à poursuivre avec les Églises séparées — à cause de la question de la primauté — l'obstacle infranchissable que constituerait une ecclésiologie identifiant purement et simplement le suprême pontificat à un épiscopat universel ».

47. LG13 « Il existe légitimement, au sein de la communion de l'Église, des Églises particulières jouissant de leurs traditions propres — sans préjudice du primat de la chaire de Pierre qui préside au rassemblement universel de la charité, garantit les légitimes diversités et veille en même temps à ce que, loin de porter préjudice à l'unité, au contraire, lui soient profitables (et il existe) entre les diverses parties de l'Église, des liens de communion intense quant aux richesses spirituelles, aux ouvriers apostoliques et aux ressources matérielles ».

48. Nous reprenons la traduction donnée par P. DUPREY, « La structure synodale de l'Église dans la tradition orientale, in *Proche-Orient Chrétien* 20,1970,124 ; ce dernier commente la finale trinitaire comme suit : « il existe une

Cet idéal pourrait-il servir de modèle à la primauté romaine elle-même ? Si nous le transposions cela supposerait que le pape ne fasse rien sans les autres évêques. Mais cette clause, qui impliquerait une réciprocité entre le pape et les évêques, a été exclue juridiquement par Vatican I qui permet toujours au pape d'agir seul, chaque fois qu'il estime devoir le faire en vertu de son ministère. Le P. Tillard a des remarques intéressantes au sujet de la façon dont Vatican II a rééquilibré cette perspective : dans Lumen Gentium, le pape n'est plus l'englobant, mais l'on part « d'une présentation de l'Église dans son origine apostolique, la fonction de l'évêque de Rome étant lue à l'intérieur de cette apostolicité qu'elle garantit, mais qui la déborde »[49]. Malgré tout on ne peut exclure, de façon absolue, la nécessité pour le pape d'agir seul, mais c'est un peu une hypothèse d'école. En pratique l'humoriste qui n'accordait aux synodes d'évêques auprès du pape qu'un pouvoir acclamatoire ou déclamatoire, est démenti par les faits : ces synodes permettent à Rome de faire acte de réception à l'endroit de la parole des Églises locales et cela a abouti, par exemple, à Evangelii Nuntiandi.

Toutefois il conviendrait de mesurer les effets induits par la possibilité reconnue au pape d'agir seul, même théorique et même non utilisée, en particulier au plan œcuménique.

c) *Plus les Églises deviendront sujets et plus l'Église de Rome sera appelée à prendre des initiatives*

Dans la perspective évoquée, il n'y a ni à craindre ni à souhaiter que Rome devienne un vague centre de communion. Dans cette dynamique, la primauté sera requise de devenir une force d'initiative et de proposition, soutenant les Églises faibles par rapport à l'Évangile ou face à l'Etat ; ou encore faibles par rapport aux Églises riches, d'argent ou de réflexion, favorisant

relation entre l'action collégiale dans la concorde (homonia) et la glorification de Dieu le Père par le Christ dans le Saint-Esprit. Cette finale du canon rappelle la formule que le diacre prononce dans la liturgie byzantine pour inviter les fidèles à se donner le baiser de paix avant de réciter le Credo : « Aimons-nous les uns les autres afin de pouvoir confesser dans la concorde (homonia) le Père, le Fils et le Saint-Esprit, Trinité consubstantielle et indivisible », *ibid*,125.

49. Cf. J.M.R. TILLARD, « La juridiction de l'évêque de Rome », in *Irénikon* 51,1978,510-511.

des rencontres entre épiscopats de continents différents, pas toujours à Rome forcément. Plus d'importance serait ainsi donnée au leadership et moins à la bureaucratie quotidienne.

IV. Ecclésiologie sacramentaire et Églises-sujets Réflexions institutionnelles

L'une des lacunes les plus graves de Vatican II pour notre sujet est l'absence d'une théologie du droit[50]. Les intentions théologiques des textes votés se heurtent à la conceptualité du droit en vigueur, c'est-à-dire, en fait, aux catégories du Codex de 1917, véritable lit de Procuste pour l'ecclésiologie, telle qu'elle s'exprime à Vatican II dans ses perspectives trinitaires et sacramentaires, car non seulement le concept de koinonia n'y est pas structurant, il en est même absent.

1. Plaidoyer pour une ecclésiologie sacramentaire conjuguant sacrement, droit et Esprit-Saint

Le Codex ne reconnaît dans l'Église que des individus juxtaposés. Sa perspective est individualiste et il reproduit une scission entre hiérarchie et fidèles. L'unique canon positif consacré aux laïcs, le c.682 leur assure le droit de recevoir les sacrements et les secours spirituels de la part des clercs, qui, pour leur part, se voient consacrer 379 canons ! Le moment de la communion ecclésiale, celui où les chrétiens, clercs et laïcs ensemble, disent nous, ne trouve aucune traduction institutionnelle.

De plus le droit du Codex est essentiellement un droit de la loi promulguée par le législateur et pas un droit de la grâce qui se déploierait dans des processus sacramentaires et la reconnais-

---

50. Dans le même sens, L. Bouyer, *l'Église de Dieu*, Paris, 1970,208-209 : « On est frappé par dessus tout de deux lacunes générales de l'enseignement de Lumen Gentium, pour lesquelles on chercherait vainement dans les autres textes conciliaires quelque compensation. Ces deux manques peuvent apparaître comme antithétiques. Mais leur simultanéité n'en est que plus frappante. La Constitution sur l'Église ignore à peu près complètement le droit canon... Mais, chose curieuse, à part un beau paragraphe, plus pieux que doctrinal, elle n'ignore guère moins complètement le Saint-Esprit ! ».

sance des charismes. Face à cette difficulté, il peut être utile de revenir, en tant qu'exemple, à notre modèle qui permet de conjuguer sacrement, droit et Esprit-Saint. L'ordination nous est, en effet, apparue comme un processus concret à la fois :

— ecclésial : l'Église dans laquelle et pour laquelle se fait l'ordination est concernée par elle autant que l'ordinand, et cette ordination concerne aussi l'Église entière. Célébrée au sein de l'assemblée eucharistique, elle manifeste sa finalité qui est de construire le corps du Christ.

— confessant : la structure de l'ordination est testimoniale et l'on y accède au ministère apostolique.

— épiclétique : l'ordination se déroule dans le contexte de l'épiclèse de l'assemblée entière,

— juridique : l'ordination confère une charge, reconnue dans l'Église entière, à laquelle sont rattachés des pouvoirs.

Le baptême et les principaux sacrements ont une structure identique. Les conséquences ecclésiologiques en sont considérables. On découvre ainsi la relation essentielle existant entre le processus sacramentaires et l'institutionnalité fondamentale de l'Église : celle-ci est le résultat du déploiement de la grâce de l'Évangile qui prend corps quand l'Église, dans l'obéissance au Christ, prêche la Parole, baptise, célèbre l'eucharistie, pardonne les péchés, ordonne au ministère.

Une telle perspective permet de débloquer théologiquement des contentieux aussi lourds que ceux que révèlent des expressions courantes « Église-institution » ou « pouvoir clérical ». Car ici sont dépassées les oppositions entre peuple et hiérarchie, entre sacrement et droit, droit et Esprit.

Comme théologien je ne puis que démontrer une grande reconnaissance à des maîtres comme H. Dombois ou à des collègues comme Corecco[51], Hoffman[52], Rouco Varela[53], ou Sobanski[54], pour n'en citer que quelques uns, qui retrouvent la

---

51. E. CORECCO, « Teologia del diritto canonico, in *Nuovo dizionario di teologia*, 1977, repris dans *Théologie des Kirchenrechts*, Trier, 1980.

52. J. HOFFMANN, « Statut et pratique du droit dans l'Église ; réflexion d'un théologien », *Revue de droit canonique* 27,1977,5-37.

53. A.M. ROUCO VARELA, « Le statut ontologique et épistémologique du droit canonique. Notes pour une théologie du droit canonique », RSPhTh 57, 1973, 203-227.

54. R. SOBANSKI, « Die methodologische Lage des katholischen Kirchenrechts », in *Archiv für kath. Kirchenrecht* 147,1978,435-476.

source originelle du droit en prenant résolument leurs distances par rapport à des modèles exogènes de *societas perfecta* ou d'*ordinamento juridico.* De cette façon pourra être dépassé un grand malaise : celui qui vient de ce qu'un droit de législation organisationnelle prend le pas sur le droit fondamental de la grâce. Ainsi également sera plus nettement distingué ce qui relève de l'institutionnalité fondamentale de l'Église (*Church Order; Kirchenordnung*) et ce qui relève du droit organisationnel, à situer dans cette sphère ecclésiale *semper reformanda.*

Mais ici s'arrête le travail du théologien. En matière d'institutions il est requis de faire appel simultanément au concours des canonistes, des sociologues et des théologiens. Peut-être un colloque comme celui-ci pourrait-il encourager ce type de collaboration.

2. *Le droit sacramentaire, droit homogène à des églises-sujets et à une ecclésiologie de communion*

Nous avons procédé jusqu'ici plus inductivement que déductivement, partant des processus plus que des doctrines. A cet égard l'élaboration du droit devrait d'ailleurs être attentive aux dons de l'Esprit extra-sacramentels et pas seulement à ces derniers, par exemple à la vie monastique, à la théologie faite aujourd'hui par des laïcs, femmes et hommes. Dans cette perspective inductive, il serait souhaitable encore de se demander :

— la coutume et la jurisprudence ne pourraient-elles retrouver une capacité de créer le droit ?

— dans un esprit de large catholicité, ne pourrait-on rendre leur place aux processus de « réception des lois » et des décisions ? Sinon on a des lois universelles certes, mais pratiquement mal appliquées...

— ne pourrait-on finalement concevoir la future Loi Fondamentale moins comme une constitution pour l'Église que comme le corpus des processus et des fonctions fondamentales qui constituent une Église en un lieu et la font sujet dans l'Église catholique ; ces structures et ces fonctions (liturgiques, juridiques) permettant aux Églises de se reconnaître les unes les autres[55].

3. *Droit de la communion et sociologie : questions ouvertes.*

On voudrait terminer en énumérant quelques tâches dépassant la seule compétence des théologiens et peut-être même des canonistes mais qu'il est nécessaire de mentionner pour donner figure réaliste aux relations entre Église-sujets. Sans doute des sociologues seraient ici d'un grand secours.

a) *Devenues sujets, les Églises ne cesseront pas pour autant d'être inégales. Comment objectiver ces inégalités pour qu'elles ne soient pas perturbantes ou destructives ?*

L'histoire de l'Église n'a jamais connu jusqu'ici l'égalité entre les Églises. Elle témoigne plutôt du pouvoir que les plus fortes ont pu exercer sur de plus faibles, plus d'une fois pour leur bien, mais pas toujours. Les abus des Églises-mères à l'égard de leurs églises filles sont bien connus : l'Église d'Ethiopie a dû recevoir ses évêques d'Alexandrie du Ve siècle à 1952 ! L'Église syrienne de l'Inde du Sud a reçu ses métropolites de Mésopotamie des origines jusqu'à l'arrivée des Portugais au Malabar au 16e s., et ces derniers s'empressèrent de les latiniser et de leur donner des évêques portugais ! L'Église de Constantinople a aussi byzantinisé la vie liturgique du patriarcat d'Antioche et pourvu d'évêques phanariotes la plupart des sièges des Balkans durant la Turcocratie. Quant à la dépendance disciplinaire des églises locales latines, et même orientales à l'égard du Siège romain elle est bien connue. Pourtant aucune Église locale n'est à proprement parler mère d'une autre Eglise locale : la fraternité naît entre la mère et la fille dès que la nouvelle Église est née. Et pourtant...

Aussi les thélogiens ne peuvent se satisfaire d'affirmer, avec conviction et chaleur, l'égalité entre les Églises. Ils devraient bien

55. Nous nous inspirons ici directement de J. HOFFMANN, *Statut et pratique... op.cit.*,37. On pourra également voir H.M. LEGRAND, « Grâce et institution dans l'Église : les fondements théologiques du droit canonique », in *L'Église institution et foi*, Bruxelles 1979, 139-172 (Publication des Facultés universitaires Saint Louis 14).

plutôt prendre acte avec réalisme que les Églises ont toujours été inégales et le demeureront. Les sociologues pourraient nous aider à objectiver ces relations qui ne sont pas toujours des relations de conflits : le rôle de l'argent entre les Églises riches et les autres devrait être analysé autrement que dans les termes convictionnels de la charité ; le rôle des ressources théologiques autrement que comme un service rendu à une Église plus démunie ; les rôles du lustre et de la sainteté ne devraient pas plus échapper à ce type de démarche. Des exemples du passé pesant encore lourdement sur le présent devraient être pris en compte : la querelle des rites chinois et indiens, la réception du Codex Juris Canonici. De telles analyses assainiraient la situation et permettraient à chaque groupe d'Églises de devenir encore plus sujets. Les Églises plus fortes ou plus savantes y gagneraient, à coup sûr, en simplicité évangélique et en fraternité.

b) *La question des Églises-sujets renvoie à celle de la catholicité*

Le problème est sociologique pour une large part : comment vivre une foi unique à travers une considérable diversité d'éthos culturels ? C'est un problème récurrent dans la vie de l'Église sous bien des formes, celle de la diversité de la foi des simples et des savants, ou celle, providentielle selon Unitatis Redintegratio, de la diversité de la vie chrétienne entre l'Orient et l'Occident.

La question des Églises-sujets renvoie ainsi à notre capacité de conjuguer l'unité et la différence dans la catholicité. Les sociologues ont-ils des modèles de fonctionnement à nous offrir ? Théologiquement la voie est ouverte. Qu'on songe aux belles paroles de Paul VI :

> Se retrouver un dans la diversité et la fidélité ne peut être l'œuvre que de l'Esprit d'amour. Si l'unité de la foi est requise pour la pleine communion, la diversité des usages n'y fait pas obstacle, bien au contraire. Saint Irénée « qui portait bien son nom car il était pacificateur par son nom comme par sa conduite (Eusèbe H.E.V, 24,8) ne disait-il pas que la différence des coutumes confirme l'accord de la foi » ? Quant au grand docteur de l'Église d'Afrique, Augustin, il voyait dans la diversité des coutumes une des raisons de la beauté de l'Église du Christ [56].

---

56. Paul VI, *Tomos Agapis*, Vatican-Phanar, n° 172, p. 374.

La singularité des cultures où l'Église catholique se trouve désormais rend le problème plus urgent : les frontières atlantiques et méditerranéennes sont dépassées ; qu'en sera-t-il en Amérique Latine, en Afrique, en Asie ?

c) *Taille des Églises locales et particulières*

Un dernier point qui ne relève pas de la théologie mais des sociologues et des canonistes : quelle doit être la taille idéale d'un diocèse (variable selon les pays) pour que le ministère épiscopal puisse s'y exercer adéquatement ? A la suite des recommandations de *Christus Dominus*, seule l'Italie, semble-t-il, a entrepris une réforme de la taille de ses diocèses. Le problème ne se poserait-il pas ailleurs ? Tant qu'il ne sera pas résolu et que l'on aura dans certains pays d'immenses diocèses, les assertions théologiques sur l'évêque, comme sur la théologie de l'Église locale demeureront abstraites pour les catholiques et peu convaincantes dans le dialogue œcuménique.

CONCLUSION

Sans résumer ce qui précède, peut-être sera-t-il permis, au terme de ce parcours, de souligner la spécificité théologique de ce que représentent des Églises-sujets comme l'importance de la tâche qui pourrait être affrontée si une telle dynamique se poursuivait.

Promouvoir des Églises-sujets, ce n'est pas simplement reprendre l'idée de communauté chrétienne, en termes d'immédiateté et de relations interpersonnelles. C'est au contraire prendre en compte, en ecclésiologie, la solidarité de tous dans la responsabilité dans une diversité de ministères ; la complexité des différentiations culturelles ; les conflits d'ethos à l'intérieur de l'Église locale comme entre elles ; les conflits entre églises inégales par la culture, la richesse économique, le poids de la tradition ; la catholicité n'étant pas la négation de ces diversités mais leur constante *négociation* afin que l'Église se rassemble « de toute race, langue, peuple et nation autour du trône de l'Agneau ».

Comme tâche et comme valeur l'enjeu est important. En termes de tâches, si la négociation (*receptio*) se substitue à l'imposition des normes, alors la *traditio* reprendra vie, c'est-à-dire la mission, dans les diverses cultures, y compris dans celles de notre Occident entré dans une ère nouvelle. C'est le même mouvement qui rendra possible la recomposition de l'unité chrétienne car le modèle unitaire de l'unité de l'Église ne peut être un modèle de l'Église réunie. L'avenir de la mission et celui de l'œcuménisme sont liés entre eux par la médiation de la reviviscence d'Églises-sujets. Pas seulement empiriquement, nous croyons l'avoir montré, mais parce que leur réalité est liée à la communion avec un Dieu Père, Fils et Saint Esprit, un Dieu qui nous sauve dans son Fils et nous rassemble dans la diversité par son Esprit de Pentecôte.

Les tâches et valeurs que nous venons d'évoquer ne peuvent pourtant être poursuivies sans des structures qui leur soient homogènes. En l'espèce, il est essentiel de remarquer que ces structures — celles d'Églises-sujets — ne sont pas seulement organisationnelles. Plus que de la seule organisation, elles relèvent de la communion, en fidélité à la réalité sacramentaire et trinitaire de la vie chrétienne. De ce point de vue, le travail théologique fait pour accompagner la réception de Vatican II est capital : les initiatives, plutôt empiriques par lesquelles ce concile a voulu susciter la reviviscence des Églises locales comme Églises-sujets doivent être reliées aussi bien à la tradition patristique qu'à l'équilibre trinitaire de notre foi qui structure le début de Lumen Gentium. Elles doivent aussi être approfondies à cette double lumière. Ainsi deux questions sont capitales pour l'avenir même de ce que Vatican II a commencé.

L'une est formelle et concerne l'herméneutique conciliaire : Vatican II ne doit pas être interprété comme un corpus clos sur lui-même mais sur l'arrière-fond de la grande tradition avec laquelle il a expressément voulu renouer, sans toujours y réussir parfaitement. D'un point de vue herméneutique, une formule comme «tout le concile, rien que le concile» ne peut qu'être insatisfaisante si elle aboutissait à enfermer ce concile de façon positiviste, dans ses seuls énoncés textuels, mais en le coupant de la tradition.

L'autre question, qui touche le fond, est celle d'une théologie du droit. Cette absence du droit à Vatican II a été le signe que tout ce qui touche à l'institution avait été par trop négligé par la communauté théologique. Si dans les années à venir les théologiens qui se sont reconnus dans le concile contribuaient, aussi modestement que par le passé à la tâche d'élaborer une théologie de l'institution avec les canonistes, ils pourraient bien continuer d'avoir la parole, mais ce qui importe ne sera-t-il pas décidé, non seulement sans eux — ce qui n'est pas le plus grave ! — mais aussi sans les critères théologiques qui leur tiennent à cœur ?

Piet FRANSEN

LA COMMUNION ECCLÉSIALE, PRINCIPE DE VIE

La communion est un terme ecclésial. Il trouve son origine dans les écrits du Nouveau Testament. Les Églises orientales de langue grecque ont le bonheur de pouvoir conserver dans leur théologie et langage d'Église le terme même tel qu'on le trouve dans le Nouveau Testament : «koinonia». Ce serait une expérience salutaire d'interroger nos fidèles occidentaux pour leur demander ce que pour eux pourrait signifier «communion». La seule signification qu'ils connaissent dans leur vie de foi est celui qui touche à l'Eucharistie. «Ils reçoivent», en effet, «la communion eucharistique». Beaucoup ne pourraient pas dire plus !

La communion caractérise la vie et l'action des baptisés. C'est une notion assez difficile à définir, car elle s'exerce à différents niveaux de l'existence chrétienne. En profondeur elle affirme que les chrétiens se trouvent intimement unis dans le Christ, et dans ce sens elle se rapproche de la notion de Corps mystique. L'origine, en effet, de notre communion réside dans l'intention du Père de rassembler déjà dans ce monde Ses enfants en vue du Royaume. Cette unité dans la communion est sans aucun doute visible, «tangible» comme disait Bellarmin. Mais elle est aussi un mystère de salut, caché de toute éternité dans le Père, et révélé par et dans le Fils. C'est un mystère de grâce. Par le don ineffable de Leur Esprit le Père et le Fils continuent «à réunir dans l'unité les enfants de Dieu qui sont dispersés» (Jean 11,52). Il est plus qu'évident que la source divine de cette communion doit rester pour nous tous l'essentiel, le principe qui détermine nos actions et qui guide nos réflexions.

En effet, une fois réuni par la grâce du baptême dans une unité qui est continuellement actualisée dans l'Eucharistie, les fidèles, membres du Peuple de Dieu, cherchent spontanément à exprimer dans leur langage et dans leur vie cette vie d'unité qui leur a été donnée. La communion est en effet donnée à des hommes. C'est en fait J.B. Möhler qui a retrouvé auprès des Pères anciens ce principe d'ecclésiologie, que l'Occident avait si tragiquement oublié.

Parce qu'il s'agit d'activités humaines dans ce monde, il est évident que ce procès d'actualisation de la communion, qui en partie comporte un mouvement d'extériorisation, doit déboucher sur des structures humaines. Même si celles-ci sont souvent inspirées par des exemples profanes, ces structures, une fois intégrées dans la vie de l'Église, doivent défendre, supporter et corriger continuellement la réalité de communion ecclésiale.

La vie de communion fait surgir des structures et des activités de communion. On peut naturellement renverser l'ordre de priorité, et confier avant tout aux structures juridiques d'autorité et de gouvernement cette tâche d'unification du Peuple de Dieu dans la foi et la vie chrétienne. Il est en plus évident que les structures et la réalité de communion se conditionnent mutuelle-ment dans une certaine mesure, surtout au cours du procès d'acculturation de la foi à l'intérieur d'une culture donnée.

Mais dès que l'autorité ecclésiastique se laisse tenter à accorder une confiance plus grande aux structures d'autorité, et par contre coup, à se méfier, surtout sur le plan pratique et concret, de la source divine de cette communion, ou plutôt de la capacité des fidèles de s'ouvrir à cet instinct de communion, nourri par l'Esprit, la réalité même de la communion se trouve menacée. Comparer la communion évangélique à la discipline d'un corps d'armée est une mystification. C'est une mystification dange-reuse, comparable aux diverses tentations qui vident de sa substance la réalité même de l'acte religieux.

Cette déformation de la communion s'est manifestée régulière-ment dans les Églises d'Occident. On exalte l'efficacité des arguments d'autorité, des structures monolithiques et des formes d'unité extérieures parce qu'au fond on ne parvient pas à croire sérieusement à l'action de l'Esprit Saint. Je sais que plusieurs protesteront contre cette allégation. Mais l'homme religieux occidental, et surtout l'homme méditerranéen est parvenu à développer une mentalité schizophrène qui rend possible une co-existence assez remarquable de théories assez sublimes d'une part avec des attitudes pratiques inspirées de principes d'efficacité assez terre à terre au nom d'un réalisme un peu cynique. Cette mentalité évoque le pélagianisme si typiquement occidental. Comme tout pélagianisme, c'est une hérésie pratique. En fait on a plus de confiance dans ses propres efforts et sa propre initiative.

On pourrait dire aussi que c'est une maladie professionnelle de tous ceux qui sont chargés d'autorité, surtout si cette autorité s'exerce au nom de Dieu. L'idée même de parler dans un certain sens au nom de Dieu renforce le sens de la responsabilité, ce qui est un bien, mais souvent aussi laisse sourdre d'obscurs complexes d'anxiété. Embarassés par l'angoisse et les scrupules ils perdent le sens des réalités spirituelles. Sans s'en rendre compte on s'engage bien vite sur une voie qui au fond est pélagienne. L'Église attend tout de nos efforts. Dans ce climat parler de communion donne l'impression de rêver. Comme l'anxieux se sent terriblement seul, tout semblant de critique tourne à la rébellion.

C'est ainsi que les prophètes dans l'Église « sont tout aussi mal reçus dans leur patrie » qu'ailleurs. Jésus l'a Dit, et il ne pensait pas exclusivement aux Juifs. Il est important de s'en rendre compte. Car tout chrétien sincère doit avoir quelque chose en soi du prophète. Il y a sans doute dans notre Église « les grands prophètes », les saints, envoyés par Dieu pour nous convertir. Mais « les petits prophètes » sont tout aussi nécessaires, quoique sur un plan plus restreint. Mais un prophète est celui qui dans des circonstances concrètes témoigne de la voix intérieure de l'Esprit qui l'inspire. Si l'Église est prophétique dans un sens très réel, elle ne peut l'être que dans la communion de la foi et de la vie chrétienne et évangélique. Le Saint Esprit n'est pas le monopole de quelques personnes, une illusion cependant assez répandue.

Nous avons ainsi redécouvert la communion comme fondement de la vie ecclésiale. Toute découverte invite à l'enthousiasme. L'enthousiasme engendre l'exagération et le mythe. Ainsi notre époque nous force à de nouvelles réflexions critiques pour rester dans la vérité et l'authenticité. Cet examen de conscience ecclésiale peut se faire de diverses manières. Nous avons choisi nous adresser à la sociologie, parce que la sociologie par sa propre nature s'intéresse aux phénomènes communau-

taires qu'elle rencontre dans l'histoire. Sociologie n'est pas
théologie. Mais ce serait une illusion très dangereuse de croire
que l'Église échappe par le fait de son origine divine, surnaturelle
comme on aime le dire, à la condition humaine. L'Église est une
communauté humaine, sujette aux lois psychologiques et sociales
qui influencent toute collaboration humaine sur le plan culturel
et historique. La sociologie ne peut nous donner une théologie de
l'Église, mais elle peut démasquer les mensonges et les illusions
qui poussent comme de l'ivraie, partout où des hommes et des
femmes veulent vivre ensemble, et créer une communauté de vie
et de travail.

I. Objections des sociologues

Au cours de différentes rencontres nationales et internationales sur les ministères, la communauté ecclésiale et la
communion, nous avons souvent été frappé par la réticence des
sociologues présents en face des allégations des théologiens.
C'est un peu la raison personnelle pour laquelle nous nous
somme occupés de sociologie depuis une dizaine d'années.

Leurs objections se portent surtout sur l'emploi idéologique et
même mythologique que se permettent les théologiens un peu
hâtifs et trop enthousiastes de la notion de « communauté ». Mais
il n'y a pas de communauté sans communion. Les deux aspects se
touchent.

Les professeurs K. Dobbelaere et J. Billiet de l'Université de
Louvain (la K.U.L.) présentent une série d'objections dans un
« paper » présenté au Congrès International de Théologie à
Louvain en 1976 ; *Faith and Society, Foi et Société, Acta
Congressus*, éd. par M. Caudron, Gembloux, 1978, 211-259.

Leur intervention comporte un chapitre d'introduction avec le
titre « The Ideology of Community », ibid., 213-226. Ils prennent
comme point de départ des textes théologiques ou pastoraux
publiés par différentes organisations catholiques en Flandre
pendant ces dernières années. Nous résumons quelques unes de
leur objections.

1. *Idéalisation des textes de Luc, Actes* 2, 42-47 ; 4,4, 32-35 ; 5,
12-16 etc.

Dans ces passages Luc décrit la communauté-mère de
Jérusalem. Ces textes forment comme des moments de repos ou
de réflexion au cours de la narration des premiers évènements
qui formèrent l'Église primitive. Luc souligne « l'unité de cœur »,
l'entente et la solidarité fraternelle qui caractérisait cette
première communauté chrétienne. Il est évident qu'on peut
idéaliser ces descriptions assez condensées de Luc, mais une
exégèse sobre du Nouveau Testament permet facilement de
corriger ces mystifications. Ainsi la parabole de l'ivraie (Mat. 13,
24-30) et celle de l'aire (Mat. 3, 12 Cf. Luc 3, 17) ont permis à
Saint Augustin de se faire une image très réaliste de l'Église qui
ne laisse rien à l'illusion [1].

2. *Idéalisation consciente ou insconsciente de l'idée de la famille,
comme idéal de communauté*

Il est un fait que l'autorité ecclésiastique et les théologiens ont
depuis longtemps aimé proposer l'image de la famille comme
idéal de communauté. Cette préférence se comprenait facilement
dans une société fondalement rurale. C'est ainsi qu'en Afrique
encore de nos jours les hommes d'Église et les hommes d'État se
réfèrent volontiers à la conception africaine de la famille pour
construire la nouvelle société africaine post-coloniale. C'est leur
droit, et cela semble bien fonctionner dans une culture
foncièrement rurale et familiale.

Mais dans une culture industrielle et post-industrielle la famille
n'a plus le même rôle. Elle a perdu en grande partie sa force
d'inspiration, puisqu'elle participe elle-même à la crise profonde
de notre civilisation occidentale. La famille d'ailleurs peut être
vécue selon divers modèles culturels.

L'objection principale regarde la distinction si importante
entre micro-structures et macro-structures. La famille comporte
essentiellement un groupe assez restreint. Les structures d'autorité sont très simples, quoiqu'elles puissent être assez différentes

1. Cf. P. BORGOMEO, *L'Eglise de ce temps dans la prédication de saint Augustin*,
Paris, 1972, 279-356.

selon les milieux culturels. Dans une société complexe comme celles d'Occident, s'inspirer de la famille nous mène facilement à un paternalisme naïf, soit de la part de l'évêque ou de la part du prêtre. Les fidèles sont « ces chers enfants ». C'est lui qui décide partout et toujours.

Finalement le modèle ou le paradigme de la famille concentre l'attention sur les relations personnelles, sinon intimistes, sur les rapports « face à face » comme on le dit souvent. La communauté ecclésiale, même locale, est plus complexe. Elle comporte plusieurs formes de relations que l'on trouve moins à l'intérieur de la famille, des relations moins intimes peut-être, mais nullement moins importantes, comme les relations de solidarité dans la foi, dans la responsabilité commune à l'intérieur de la paroisse ou du diocèse, des relations de tolérance mutuelle en face d'opinions diverses ou des conceptions différentes de la vie, incarnées dans des organisations politiques, sociales et autres.

Tout cela vit à l'intérieur de la paroisse et du diocèse, pour ne pas parler de l'Église nationale ou universelle. Le modèle de la famille sera très peu utile, et devra nécessairement engendrer des illusions.

3. *Une fausse interprétation du fameux livre de Ferdinand Tönnies, Gemeinschaft und Gesellschaft*[2]

Tous connaissent les termes de « Gemeinschaft » et de « Gesellschaft », même s'ils ne connaissent pas l'allemand. Ils servent indûment à opposer la communauté locale, spontanée et amicale, éventuellement la « communauté de base », à L'Église institution.

L'idée de Tönnies est toute autre. Il pense avec nostalgie à l'Allemagne d'avant la guerre 1914-1918 et la révolution industrielle. « Gemeinschaft » se rapporte à l'unité « naturelle » d'un peuple, encore plus ou moins agraire et féodal, portée par une soit disant « Wesenswille », une volonté profonde d'unité et de solidarité, spontanée et de nature, tandis que « Gesellschaft »

---

2. La première édition date de 1887, la plus récente est parue à Darmstadt en 1979.

définit une société rationelle, contractuelle et technologique d'après la révolution industrielle.

Dans les deux cas l'institution est non seulement présente, mais nécessaire, quoique différente par sa nature. Dans le « Gemeinschaft » cette autorité, encore féodale « repésente » la « Wesenswille » du peuple · entier ; elle en est le symbole et l'incarnation. C'est une autorité très hiérarchique, ayant des racines dans l'histoire et la culture du peuple. Dans la « Gesellschaft », au contraire, l'institution fait partie de la structure administrative et technologique d'une société fondée sur des relations objectives et neutres d'efficacité et de productivité [3].

En appeler à Tönnies pour créer une communauté romantique, sans institutions ni structures stables est prouver son ignorance. On parle de choses qu'on a jamais lues ni étudiées. On est en plein dans l'idéologie. C'est cependant très courant quand on parle de « Gemeinschaft ». Même des théologiens comme Hans Küng n'échappent pas toujours à cette illusion.

On trouve un écho de ces tendances dans les États-Unis, repésentées avant tout par Charles Horton Cooley (1864-1929), qui appartient à la seconde génération des sociologues américains avec John Dewey et Georges Herbert Mead. Intéressé par les « organismes sociaux » humains naturels il s'attache avant tout à l'idée des « primary groups », comme milieu naturel dans lequel la personnalité humaine peut et doit se développer. Nous retrouvons chez lui l'intérêt pour les formes organiques fondamentales d'association humaine que nous avons rencontrées chez Tönnies en même temps que le mythe de la famille, comme modèle d'association. Il eut en Amérique pas mal de succès. Cooley était plutôt philosophe naturiste que sociologue. Mais il représente très bien certaines tendances qui continuent leur vie cachée chez certains théologiens [4].

---

3. Cf. par ex. *Ferdinand Tönnies. A New Evaluation*, Essays and Documents, éd. par Werner J. Cahnmann, Leiden, 1973, R.A. NISBET présente un aperçu historique dans son excellent livre, *The Sociological Tradition*, Londres, 1960, chap. 3, « Community », 47-106. Voir aussi Jerzy SZACKI, *History of Sociological Thought*, Londres, 1979, 337-345. Tönnies y est discuté avec G. Simmel et M. Weber comme « humanist sociologists ».

4. Par ex. *Human Nature and Social Order*, New York, 1902, Cf. J. SZACKI, *op. cit.*, 410-416.

Nous avons rencontré une autre critique plus récente de l'idée de communauté chez Jessie Bernard[5]. Pour elle la notion de communauté est une notion hybride. Elle comporte deux ou même trois composants assez dissemblables : la proximité spatiale, une série de relations interpersonnelles et l'idée de durabilité. On ne sait jamais si on parle d'une communauté réelle et concrète ou de la Communauté idéale qui n'existe pas. Pour J. Bernard notre société moderne occidentale semble exclure l'idée de communauté. La proximité spatiale est souvent inexistante. Les relations personnelles comportent un écheveau extrêmement complexe de rôles sociaux, qui souvent ne sont pas assez durables pour constituer une communauté réelle. Elle pense évidemment surtout à la vie sociale en Amérique du Nord, qui est très instable et mouvante.

Nous désirons présenter en troisième lieu certaines expériences vécues dans notre séminaire inter-disciplinaires de théologie et de sociologie à l'Université de Louvain. Selon des récentes études certains sociologues belges ont remarqué que le sentiment de solidarité et de cohésion entre chrétiens en Belgique semble *en fait* devoir plus aux multiples organisations culturelles, sociales et professionnelles qui caractérisent l'Église belge ainsi que celle des pays environnants. Simple avertissement, qui n'est pas une objection. Mais cela nous fait réfléchir. En durcissant un peu l'expérience on pourrait dire qu'un syndicat chrétien rassemble davantage ses membres à l'intérieur d'une vision chrétienne de la vie que le fait de se rencontrer à l'église le dimanche et de recevoir les mêmes sacrements. Les structures culturelles et sociales rassemblent leur membres en leur communiquant une même conception de vie. Notre collègue sociologue réagissait simplement contre la position dogmatique qui prétend que la « communion » se base uniquement sur l'unité de foi et des sacrements. Il ne voulait pas nier l'apport dogmatique, mais désirait attirer l'attention des théologiens sur d'autres facteurs qu'ils semblent parfois ignorer.

A notre avis ces deux aspects ne doivent pas s'exclure. La foi s'enracine dans le culturel et devient de ce fait religion. Sans

---

5. *The Sociology of Community*, Londres-Glenview III, 1973.

aucun doute ce développement comporte des risques sérieux, comme l'histoire de l'Église le prouve, mais ces risques sont inévitables, si notre foi veut s'incarner dans le monde. Plusieurs théologiens et hommes d'Église en appellent alors à la nature «surnaturelle» de l'Église par laquelle elle échappe nécessairement à ces dangers. Nous rencontrons ici peut être l'illusion et le mythe le plus dangereux d'une certaine théologie de manuels. Sans le savoir elle retourne au dualisme ontologique qui caractérisait le suarézianisme scolastique. D'une part on peut observer la vie humaine telle que l'expérimentent les hommes. Mais l'Église possède en plus une vie cachée, vraiment «surnaturelle» qu'aucune réalité psychologique ou sociale humaine ne peut toucher ni menacer. Pour comprendre notre critique de cette vue assez répandue on doit se rappeler l'essentiel de la théologie de la grâce telle qu'elle fût défendue encore récemment dans les manuels scolastiques de tradition suarézienne.

Une autre réflexion que nous avons rencontrée dans nos discussions dé séminaire est la suivante. Elle s'inspire davantage de la différence de méthode entre la théologie et la sociologie.

La sociologie est le plus souvent conçue comme une science positive, purement formelle, et pas normative : pure observations des faits et de leurs relations mutuelles. Pour arriver à des conclusions plus ou moins stables la sociologie a besoin de disposer de «notions claires et distinctes», nécessairement univoques, au moins en principe. C'est pourquoi les notions de base sont en sociologie souvent si tenues, puisqu'elles doivent couvrir d'une façon univoque une multitude de faits assez différents par ailleurs.

C'est pourquoi la sociologie n'aime pas l'idée d'une communauté dont on prétend «qu'elle existe déjà et qu'elle doit encore se faire», la dialectique de l'indicatif et de l'impératif. Une idée pareille est inutilisable en sociologie, au moins pour celle que nous venons de décrire : la sociologie expérimentale de type anglo-saxon.

Ce n'est pas ainsi en théologie. En théologie cette dialectique est absolument nécessaire et constitue la structure fondamentale du salut. Le Royaume est déjà là, et cependant il attend sa réalisation eschatologique auprès du Père. Nous sommes sancti-

fiés et cependant pécheurs. La foi chrétienne devient une
« religion » dans le sens péjoratif du mot dès qu'elle oublie cette
dialectique du « déjà » et du « pas encore ». Ici théologie et
sociologie suivent des méthodes différentes et irréductibles.

Sous forme de conclusion nous aimerions référer à un livre qui
nous a intéressé, l'étude de Robert Glatzel[6], il est lui-même
sociologue. Il montre par l'analyse d'exemples concrets, rencontrés en Allemagne, comment des idées fausses sur la communauté ont en fait inspiré des solutions pastorales, surtout sur le plan
paroissial ou diocésain qui inévitablement devinrent des échecs.
Nous croyons· qu'une étude pareille est extrêmement salutaire
pour des théologiens dogmatiques ou pastoraux qui s'enferment
trop exclusivement dans le monde des idées abstraites, et
cependant prétendent proposer des solutions concrètes pour
l'édification de la communauté chrétienne, suggestions qui
doivent nécessairement causer des désillusions amères, parce
qu'inspirées de vues mythiques ou idéologiques de la communauté.

II. QUELQUES EXEMPLES TIRÉS DE L'HISTOIRE

Dans ce chapitre nous ne désirons aucunement faire l'histoire
de la communion ecclésiale au cours des siècles. Nous voulons
simplement attirer l'attention de nos collègues sur le fait que la
communion était avant tout une réalité vivante au sein de
l'Église.

Pendant plusieurs siècles la communion est avant tout *un mode
de vie et d'action*. On ne sent pas la nécessité de l'expliquer, ni
d'en faire la théologie. C'est d'ailleurs un fait d'expérience que,
dès que l'on sent le besoin de se justifier et de motiver un
ensemble d'attitudes, d'activités et de structures existantes, on
peut souvent supposer que la conviction profonde, qui nécessairement devrait supporter et animer ces différentes formes
d'activité, s'est extrêmement affaiblie. On commence à écrire sur

---

6. *Gemeindebildung und Gemeinsdestruktur*. Ein Beitrag der Christlichen
Sozialwissenschaften zur einer Kernfrage des christlichen Lebens, (Abhandlun-
gen zur Sozialethik, 14), Paderborn, 1976.

la communion quand soudainement on s'aperçoit que le sens de communion s'est volatilisé.

C'est le cas pour notre époque.

Cette première constatation implique que la communion se manifestait et s'exprimait de multiples façons. On voyage et aime se visiter. On continue après à s'écrire. Les hommes d'Église s'envoient mutuellement des copies de leurs textes liturgiques et canoniques conservés dans leur « scrinia ». On concélèbre avec les évêques et les prêtres qui visitent une église. Les voyageurs chrétiens reçoivent de leur évêque un passeport ecclésiastique, avec le beau nom de « litterae pacis », qui leur permet d'être reçus dans les communautés chrétiennes et surtout d'assister à l'Eucharistie[7].

Le phénomène le plus important dans l'Église des Pères et du Moyen Age est la naissance, le développement de l'organisation synodale et conciliaire, tant sur le plan local[8] que sur le plan métropolitain, patriarchal et universel[9]. Nous désirons surtout souligner l'importance du Consistoire à Rome, héritier du synode romain antique[10]. Mais ce 'n'étaient pas les seuls cardinaux de Rome qui manifestaient une responsabilité d'Église qui était vraiment collégiale, mais le principe de co-responsabilité de tous les membres de l'Église était encore très nettement perçu pendant le Moyen Age. L'ironie de l'histoire nous montre comment des Papes comme Innocent III en appelèrent à un principe de droit romain pour mettre en pratique une conviction

---

7. L'ouvrage classique en cette matière est de L. von Hertling, « Communio und Primat », *Miscellanea historiae pontificiae* 7 (1943) 3-48. Cet ouvrage fut republié en 1962 à la veille du Concile en allemand et en italien, et encore récemment en anglais sous la forme d'une brochure : *Communio, Church and Papacy in Early Christianity*, Chicago, Loyola Univ. Press, 1972.

8. Nous recommandons tout spécialement l'étude de J. Hajjar, *Le synode permanent de l'Église byzantine*, Rome, 1962. Il s'agit du fameux « synodos endemousa » de Constantinople qui existe encore de nos jours. Parallèlement on peut étudier G. Roethe, *Zur Geschichte der römischen Synoden*, Stuttgart, 1937.

9. Avant Vatican II, Y. Conger et H. Marot publient *Le Concile et les conciles*, Paris, 1960. Récemment H. J. Sieben a publié ces articles sous forme de livre : *Die Konzilsidee der Alten Kirche*, Paderborn, 1979. Otto Wermelinger nous raconte dans son étude historique *Rom und Pelagius*, (Päpste und Papsttum, 7), Stuttgart, 1975 les multiples activités synodales dans une grande partie de l'Église en réaction contre l'hérésie de Pélage initiatives d'autant plus intéressantes que l'Orient et Carthage n'étaient pas du même avis en la matière.

10. G. Alberigo, *Cardinalato e Collegialità*, Bologne, 1969.

profonde d'Église [11]. Ainsi si les évêques restent conscients de
leur propre responsabilité comme « juges de la foi » [12], les prêtres,
les diacres et laïcs ont presque toujours participé aux anciens
conciles, et ceci de diverses façons. On y trouve naturellement, à
cause de leur caractère sacré, des empereurs, des rois et leur
cour. Mais aussi les laïcs ont pu participer aux conciles en qualité
de théologiens, surtout en Orient, d'ambassadeurs et de
conseillers [13].

Ce bref aperçu d'une histoire qui manifeste une mentalité bien
ferme de communion est sans aucun doute trop succinct pour
intéresser notre groupe de spécialistes en ecclésiologie. Mais
nous tenions cependant à l'inclure dans notre papier, n'était ce
que pour nous rappeler aux cours de nos discussions dans quelle
mesure notre Église s'est éloignée de son passé. Dans l'article
cité plus haut [14] Congar nous rappelait comment Innocent III
décida d'inviter quelques chanoines au IVᵉ Concile du Latran,
parce qu'on allait traiter de leur cas. Quand Paul VI décida de
nommer une commission qui étudierait la place et le rôle de la
femme dans l'Église, aucune femme fut invitée.

III. Réflexions théologiques

1. *Le principe de subsidiarité*

Le principe de subsidiarité est un principe pratique de
gouvernement. Il pose que toute tâche qui peut être menée à
bien à un échelon inférieur, ne doit pas être usurpée par l'échelon
supérieur.

C'est un principe *de bon sens*. L'expérience prouve qu'on
obtient des hommes un engagement plus satisfaisant quand on les

---

11. Y.-M. Congar, « Quod omnes tangit, ab omnibus tractari et approbari
debat », *Revue historique de droit français et étranger*, 36 (1958) 210-259. Cf. le
travail de synthèse du même P. Congar dans *Jalons pour une théologie du laïcat*,
Paris, 1964, surtout dans le chapitre sur la fonction prophétique du laïcat.
12. Par ex. R. Cren, « Concilium episoporum est », *RScPhilThéol* 46(1962)45-
62.
13. Par ex. G. Tangl, *Die Teilnehmer an den allgemeinen Konzilien des
Mittelalters*, Cologne, 1969.
14. « Quod omnes tangit, ... », *art. cit.*

laisse achever ce qu'ils font bien, et même moins bien, à la place qui est la leur.

C'est un principe *de justice*, car on ne peut priver les hommes du droit de trouver dans la vie la satisfaction du travail bien accompli, ou au moins de pouvoir achever soi même quelque chose qui donne un sens à la vie.

C'est un principe *de loyauté*. Dans une communauté chacun respecte la tâche des autres.

Nous savons comment Pie XI a introduit cette notion dans la doctrine sociale de l'Église.Cette idée avait été introduite dans la doctrine sociale de l'Église par H. Schäfer de Heidelberg [15]. Il voulut fonder cette doctrine sur trois principes fondamentaux : le principe de la personne, celui de la solidarité et celui de la subsidiarité.

Depuis Pie XI on rencontre de temps en temps une référence au même principe dans les documents de l'Église. Jean XXIII y fait allusion dans « Mater et Magistra » pour qualifier les rapports entre l'État et les individus. Vatican II l'applique trois fois. Une fois dans *Gaudium et spes* (V, II, 86) à propos des relations entre les grandes puissances et les pays pauvres. Deux fois on le retrouve dans la Déclaration *Gravissimum educationis momentum* (n°s 3 et 7), pour défendre les parents, les écoles et les autorités locales contre l'ingérence abusive de l'État en matière d'enseignement.

Il est remarquable que, pour autant que nous sachions, l'Église officielle n'a jamais appliqué ce principe à son propre gouvernement. Est-ce qu'une fois de plus en cette matière le « droit divin » des papes et des évêques ou la « nature surnaturelle » de l'Église les dispensent de se laisser guider aussi par des principes élémentaires de sagesse humaine ?

Pour conclure, il nous semble que ce principe de subsidiarité ne fasse pas partie de la communion au sens strict. Mais il peut et doit sans aucun doute inspirer la découverte de nouvelles expressions ecclésiales de notre communion, et les attitudes nécessaires pour les animer.

---

15. *LTHK* IX , 918-920.

2. La communion

a) Fondement anthropologique

La communion n'est pas une dimension étrangère à notre existence humaine, comme un « mode surajouté » (superadditum) qui définisse cette même nature humaine d'une façon mystérieuse et plus ou moins artificielle selon les principes de la scolastique suarézienne. Nous formerions « ontologiquement » une unité « surnaturelle », qui n'aurait aucun rapport avec notre expérience de la vie concrète. Nous ne pourrions que l'affirmer dans un acte de foi plus ou moins aveugle.

Posons donc ce principe : *Dieu nous sauve tels qu'Il nous a créés*. Il nous a créés personne *et* communauté, et cela dans un monde où la corporéité définit notre mode d'existence.

Cela implique nécessairement que nous ne pouvons nous réaliser comme personne que dans et par la communauté. Cela veut dire en plus que nous ne pouvons découvrir la vérité et les valeurs de notre vie *qu'ensemble* [16]. Ce que Rahner écrit sur la découverte de la vérité vaut tout aussi bien pour la découverte des valeurs humaines, morales, esthétiques et techniques.

Nous avons essayé d'élaborer une théologie de la grâce sur le fondement d'une anthropologie largement inspirée par la sociologie de la connaissance, surtout celle de Peter Berger [17]. Nous appartenons tous à un peuple, à une culture historique, soit par naissance, soit par libre choix. Cette culture comporte un langage (dans le sens le plus large du mot), des schémas de conduite (patterns of behaviour) et des structures. Ceux-ci forment l'héritage de nos ancêtres, le fruit de leur expérience de la vie sur terre. En assimilant cette culture nous apprenons à devenir hommes là où Dieu nous a placés.

---

16. K. RAHNER, « Uber die kollektive Findung der Wahrheit », *Schriften zur Theologie*, VI , 1965, 104-110.
17. P. BERGER, *The Social Construction of Reality*, New York, 1967. P. FRANSEN, « Grace, Theologizing, and the Humanizing of Man », *Proceedings of te Catholic Theological Society of America*, vol. 27, Bronx, 1973, 55-77, et « The Anthropological Dimension of Grace », *Theology Digest* 23 (1975)217-223, un large résumé d'un article en néerlandais paru dans *Collationes* 5(1975)167-185.

On peut appliquer le même raisonnement au Peuple de Dieu, à l'Église. Elle aussi possède un héritage sacré, *la Tradition* que nous ont laissée les prophètes, les apôtres, les grands et humbles saints du passé. Le Christ en forme la clef de voûte par Ses paroles et par Ses actes et attitudes. C'est pourquoi l'Écriture forme l'inspiration principale de cette Tradition[18].

Nous devenons chrétiens *concrètement* en rentrant de plein pied dans cette sainte succession, fondée sur la Parole, et demeurée vivante parmi nous par l'action continuelle de l'Esprit. Ce même héritage est aussi menacé, et même souillé et déformé par nos péchés, eux aussi tant personnels que collectifs, et par notre «pesanteur humaine». Ce fait fonde la nécessité des prophètes, grands et petits. Sans eux notre Tradition devient une idéologie, une aliénation du monde, de nos frères et sœurs et de Dieu.

b) *La communion, climat nécessaire de notre indéfectibilité sans la foi*

De nos jours on discute beaucoup sur l'infaillibilité. D'aucuns préfèrent employer le terme d'indéfectibilité, qui est plus compréhensif, plus existentiel, et moins entaché du rationalisme propre au XIXᵉ siècle. Nous n'y voyons pas d'objections aussi longtemps qu'on ne veuille pas exclure par ce terme la réelle possibilité pour l'Église, comme Peuple de Dieu, d'exprimer sa foi dans un langage et des formes de vie humaines (fides et mores). Ce langage et ces formes de vie chrétienne ne peuvent évidemment pas être conçues comme une copie exacte de la Parole de Dieu, comme un décalquage conceptuel de la pensée et des intentions mêmes de Dieu (illusion rationaliste). Ce langage et ces formes de vie chrétienne doivent pouvoir nous *garantir* — par l'assistance de l'Esprit — que l'*intentionalité* de notre acte de foi, de notre vie, tant personnelle que communautaire, ne peut nous tromper, c'est-à-dire nous éloigner et nous aliéner de Dieu tel qu'il est manifesté dans le Christ et qu'il reste auprès de nous par son Esprit. L'intention de notre pensée de foi et de notre agir chrétien doit pouvoir continuer à *pointer* vers le Dieu de

---

18. Voir le beau livre de Y.-M. CONGAR, *La tradition et les traditions*, Paris, 1960-1963.

Jésus-Christ, ou, si l'on veut, à continuer *à signifier* fidèlement et authentiquement le mystère divin du salut tel qu'il est caché dans le Père, le Fils et l'Esprit Saint.

Nier cette dimension humaine de notre fidélité dans la foi nous semble nier en même temps le principe essentiel de l'Incarnation. Dieu est vraiment descendu parmi nous ; donc aussi au niveau si fragile et mouvant de notre dire et de notre agir. Cette Présence gracieuse de Dieu dans le monde *s'actualise* dans l'Église comme Sacrement du salut pour tous les hommes et femmes. Nous ne nions pas que Dieu ne puisse atteindre le cœur des humains en dehors de l'Église, mais l'Église, unie à son Seigneur, ne peut pas nous induire en erreur. Pour accomplir cette tâche difficile elle doit pouvoir à son tour parler et agir. Si elle ne peut être indéfectible sur ce plan, le message divin doit inévitablement se perdre dans les méandres de l'histoire.

Pour autant que je sache, les théologiens n'ont pas beaucoup réfléchi sur les sources de cette indéfectibilité, ou plutôt sur le problème concret comment cette indéfectibilité s'inscrit en fait à l'intérieur de l'épaisseur historique de notre existence de chrétiens.

La seule source de l'indéfectibilité comme de l'infaillibilité est sans aucun doute l'assistance continue de l'Esprit Saint. Avec *Lumen Gentium* (I, 12) nous songeons ici avant tout à l'Église comme communion. D'ailleurs Vatican I a défini l'infaillibilité du Pape en fonction de cette infaillibilité fondamentale de l'Église entière. La hiérarchie est au service de l'Église et de son indéfectibilité. Elle n'en est pas la source. Tous nous avons reçu l'Esprit Saint. *Actes* 12, 17-18 et *Lumen Gentium*, II, 12 ne sont pas des textes purement poétiques. Ils doivent être pris au sérieux, tant en théorie — et cela se fait couramment — qu'en pratique. Ce dernier aspect semble plus difficile à réaliser. Dans le mystère de la grâce l'Esprit continue à nous attirer vers le Dieu vivant de Jésus Christ. Ainsi il réalise et parfait l'œuvre du Christ. Cette présence de l'Esprit dans nos cœurs, au plus profond de notre être, est nécessairement souveraine et *immédiate*. Cela veut dire qu'au cœur même de notre existence, au plus profond de nous-même cette attraction et inclination de grâce sont nécessairement *en soi infaillibles*, Dieu ne peut ni ne veut nous tromper.

Mais avant d'émerger sur le plan de notre conscience claire cette attraction divine doit s'ouvrir un chemin à travers l'épaisseur complexe de notre personnalité, le chassé-croisé de nos multiples motivations et tendances, bonnes ou mauvaises. Cette même personnalité supporte le poids de nos divers déterminismes génétiques, culturels et sociaux, de notre éducation, de nos expériences passées, personnelles et collectives, de nos limitations, imperfections et péchés. Laissée à elle-même cette attraction divine de la grâce, ce « sensus fidei » pourrait subir le sort dont parle la parabole du semeur. Elle serait vite étouffée et violée par les multiples appels de nos sens, de nos désirs (l'« épithymia » biblique, qui n'est pas exclusivement sexuelle !), de nos obstinations et de nos révoltes.

La communion dans la foi et dans la vie chrétienne doit donc nous aider à trouver *ensemble*, en nous corrigeant mutuellement, comment exprimer fidèlement par nos paroles et nos actes ce que Dieu attend de nous. C'est tout le problème du discernement des esprits, qu'il ne faut pas réduire à un simple problème de spiritualité individuelle. Mais on ne souligne pas suffisamment que ce discernement doit se faire avant tout à l'intérieur de la communion ecclésiale. Écoutant *ensemble* ce que Dieu nous dit à tous et à chacun d'entre nous nous nous libérons continuellement de la zizanie qui étouffe Sa voix, tant à l'intérieur de notre cœur que dans les conceptions diverses qui vivent à l'intérieur de la communauté des croyants. Car aussi la communauté est sujette aux influences « des démons », à ce refus collectif de nous ouvrir à Sa Parole [19].

On peut donc conclure qu'il y a moins d'infaillibilité dans la foi là où la communion entre nous s'est affaiblie. *La communion est donc une loi de notre vie de chrétiens.* N'importe quel membre de l'Église qui tend *à s'isoler* de la vie de foi vécue par ses frères et sœurs est menacé d'erreurs. Cela vaut aussi bien pour le Pape, les évêques que pour les simples fidèles et les théologiens. L'infaillibilité dans l'Église n'est pas une mécanisme plus ou moins miraculeux qui produit « ex opere operato » des dogmes éternels quand certaines conditions juridiques sont réalisées. Et

---

19. Dom Paul M. GRAMMONT, O.S.B., « L'autorité de la Parole intérieure », *Problèmes d'autorité*, publié par John-M. Todd, Paris, 1962, 101-126.

ce travail et effort de recherche de la volonté et de la pensée de Dieu ne sont, ici sur terre, jamais achevés. Chaque époque pose de nouvelles questions, et attend de nouvelles réponses.

C'est ici que s'inscrit le ministère propre de l'Épiscopat en communion avec le Saint Père. Les évêques ont toujours été considérés comme « les juges de la foi ». Ils sont, en effet, responsables, en dernière instance, de l'expressions *publique* de la foi dans le langage et dans les formes de vie chrétienne. Le droit médiéval le savait très bien ; « Ecclesia non judicat de occultis », si ce n'est au for intérieur de la Pénitence, et ceci encore dans certaines limites, comme tout confesseur averti le sait par expérience.

On pourrait aussi dire que les évêques sont les « Docteurs de la foi », puisqu'ils ont charge d'âmes et doivent prêcher l'Évangile. Mais ici nous aimerions ajouter un avertissement. Il nous semble que la révalorisation du ministère épiscopal par Vatican II a provoqué souvent une inflation idéologique. Dans certains pays les évêques manifestent une certaine euphorie épiscopale. Possédant « la plénitude du Sacerdoce » un évêque pourrait penser qu'il est le seul dans son diocèse à penser la foi, qu'il est théologien, spécialiste en pastorale, catéchèse et liturgie, etc. On ne devient pas « docteur de la foi » automatiquement, presque « ex opere operato » par la force de son ordination épiscopale. Il faut pour le devenir en fait, et pas seulement en droit, prier, étudier et consulter, c'est-à-dire se mettre à l'écoute du Saint-Esprit tant dans son propre cœur qu'à l'intérieur de la communion locale et universelle.

Plus grave est l'illusion qui voit dans l'évêque « le prophète » de la communauté. La prophétie est par excellence un don charismatique que l'Esprit-Saint accorde à ceux qu'il a choisis, *et qui* s'ouvrent sincèrement à Son appel. Vatican I et II n'accordent aux évêques qu'une *assistance spéciale* du Saint Esprit, mais pas de révélations spéciales ni d'inspirations comme aux auteurs des Livres Saints. La parole des évêques n'est pas indentiquement la Parole de Dieu, au moins comme nous l'entendons quand nous affirmons et croyons que l'Écriture est œuvre d'hommes et cependant Parole de Dieu. Assistance implique nécessairement par la force même des choses collaboration personnelle de l'évêque, engagement et disponibilité entière pour percevoir à travers la complexité des problèmes et des situations ce que Dieu attend de nous. Nous avons voyagé pas mal à travers le monde, et visité pas mal de diocèses et parlé avec plusieurs évêques. Il est souvent difficile de reconnaître dans leurs actes et paroles des «docteurs de la foi», et encore moins «des prophètes».

L'idéologie sous-jacente se trahit bien vite quand on lit ou entend dire que les théologiens n'ont pas d'autres charges que d'interpréter et d'expliquer les décrets, les décisions et les enseignement du Magistère. Les théologiens sont sans aucun doute soumis à l'autorité des évêques, mais pas comme des militaires, des employés engagés à cet effet. Ils doivent se mettre à l'écoute de la Parole de l'Esprit telle qu'elle se manifeste *dans toute l'histoire* de l'Église. C'est pourquoi ils étudient la Bible, les Pères, les grands scolastiques, la doctrine des saints, les multiples activités de Dieu dans l'histoire de l'Église et du monde. Ils doivent aussi se tenir à l'écoute de la Parole de Dieu dans l'histoire. C'est pourquoi leur travail ne peut pas éviter d'être *critique*. Ils respectent l'autorité du Magistère, mais le Magistère ne fut pas inventé ce siècle dernier. Il a parlé de siècle en siècle. Ils se doivent d'éviter le scandale des simples. Ils doivent humblement rester conscients qu'ils peuvent se tromper. La communion est aussi pour eux une loi fondamentale. Mais en conscience ils seront obligés parfois de nuancer des affirmations trop simplistes ou trop unilatérales. J.-H. Newman dans sa fameuse préface à la troisième édition de son *The via media* nomme les théologiens les prophètes de l'Église [20].

Nous ne désirons pas le suivre en ceci sans réserves. On abuse trop de la qualification prophétique. Il nous faut garder à la prophétie son sens fort qu'elle possède dans l'Écriture. Pour qu'un théologien puisse s'imaginer qu'il est prophète, il ne suffit pas qu'il soit un savant, qu'il ait un esprit éminent et des vues remarquables. Il doit lui aussi être un homme de l'Esprit, et donc aussi un homme de prière et d'obéissance intérieure. Une

---

20. J.H. NEWMAN, *The Via Media of the Anglican Church*, «Preface to the Third Edition», Londres, 1895, pp. XV-XCIV. Cette Préface, trop souvent ignorée, a été étudiée par R. BERGERON, *Las abus de l'Église d'après Newman*, (Recherches, Théologie, 7), Paris-Montréal, 1971.

exigence tout aussi ardue pour lui que pour tout autre chrétien. N'empêche que la fonction critique qui est le propre de la théologie peut atteindre une densité prophétique quand elle se met franchement au service de la communion dans la foi et l'Esprit.

C'est aussi ici que se place la réalité de la « *réception* » que nous, Occidentaux, commençons à redécouvrir[21]. Certes la « réception » des lois fut d'abord une règle d'interprétation juridique, un principe de bon sens et d'expérience du droit. Mais sur le plan ecclésial la « réception » des décrets de l'Église possède une qualité très différente. Elle est une autre forme de la communion. En langage sociologique on peut d'une certaine façon comparer la « réception » au procès bien connu d'assimilation et d'identification par lequel tout homme devient un membre réel d'une communauté. La « réception » ecclésiale ne peut être en effet réduite à n'importe quel acte juridique de confirmation ou d'acceptation. Ceux-ci peuvent en faire partie. Mais la « réception » ecclésiale dans la foi est fondamentalement un procès d'assimilation sans aucun doute, mais nourri et inspiré par les mouvements de l'Esprit dans l'Église. C'est donc un procès de communion. Dans l'Église en effet ce procès d'identification avec des décrets ou des directives du Magistère est activé par le Saint Esprit, ou, si l'on veut, par le « sensus fidei » des fidèles. Saint Thomas le compare à l'« instinct » de foi, qui permet de reconnaître l'économie divine dans les expressions de la foi et de la vie chrétienne que le Magistère s'efforce de nous donner. Qui admet communion, admet par le fait même « réception ». Mais « réception » implique aussi la possibilité de résistance intérieure.

D'aucuns objectent que la « réception » n'est pas pratique, qu'elle n'apporte aucune solution claire et nette dans les cas difficiles, parce qu'il n'est pas si facile de l'évaluer. En effet, la seule motivation du procès de « réception » doit être la fidélité à la foi, et non pas n'importe quel autre sentiment d'enthousiasme ou de dissentiment. C'est bien vrai. Mais qui nous dit que les catholiques romains ont droit à des certitudes concrètes étran-

21. Y.-M. Congar, « La réception comme réalité théologique », *RScPhilThéol* 56 (1972) 403. Cet article contient une bonne bibliographie.

gères à la condition humaine ? Les intentions divines ne peuvent pas être établies avec clarté par n'importe quel clerc ! Nous ne parlons pas de « réception » parce que nous désirions trouver un autre moyen pour nous entourer de certitudes que tant d'autres hommes n'ont pas. Ce qui nous intéresse dans la « réception » est qu'elle appartient à la réalité de la vie dans l'Église bien plus qu'à des techniques de gouvernement. La vie est toujours plus riche que nos notions computérisées. Rien n'empêchera l'Église de se trouver à chaque époque en face de la profondeur et de la richesse du mystère divin dans l'histoire. La hiérarchie parle certes au nom de Dieu et du Christ, mais n'est pas identique à Dieu ni au Christ. La « réception » est finalement l'œuvre du Saint Esprit à l'intérieur de la communion. Dieu est patient. Il nous mène avec beaucoup de douceur par les dédales de l'histoire. Il ne nous sied pas d'exiger des certitudes qui n'appartiennent pas à la condition humaine, surtout en face de Son Créateur. Doit nous suffire la communion avec nos frères et sœurs, enfants de Dieu, frères du Christ, et temples de l'Esprit.

CONCLUSION

On peut définir la communion d'une façon statique. Elle se fonde alors sur l'unité dans le Christ par la vertu de l'Esprit Saint qui rassemble continuellement ses fidèles dans l'obéissance au seul Dieu.

Meilleure est une description dynamique, car communion est avant tout une attitude d'ouverture en face de Dieu dans l'histoire. Elle se rapporte à l'Église-Événement. Elle consiste dans une disponibilité profonde de *tous* les membres du Peuple de Dieu à se laisser rassembler par l'Esprit Saint autour du Christ en face du Père. Elle est donc bien trinitaire d'inspiration, d'origine et de sens. Elle s'étend sur nos multiples activités de chrétien. Elle s'exprime par une vie de solidarité, de fraternité et d'amour. Elle nous pousse à une écoute attentive de l'Esprit en nous et dans les autres, dans le désir commun de reconnaître « les signes des temps », thème remarquable de *Gaudium et spes*. Finalement elle fait appel dans ce but à toutes les formes de vie qui fondent, développent et défendent notre unité dans le Christ.

Il est évident que dans une culture largement démocratique ce même Peuple de Dieu pourra faire appel à ces formes et ces structures de collaboration et de corresponsabilité élaborés ces derniers siècles. Mais communion n'est pas démocratie. Elle est une densité de fraternité, voulue par Dieu lui-même. Dieu ne nous sauve pas individuellement, mais comme Sa famille, ses enfants, son Peuple.

Knut WALF

LACUNES ET AMBIGUÏTÉS
DANS L'ECCLÉSIOLOGIE DE VATICAN II

D'un côté, le thème que je voudrais traiter ici aujourd'hui donnera peut-être l'impression, par son titre critique et négatif, d'être provocant. J'en suis conscient. De même, il est clair pour moi que, dans ces exposés très condensés, je suis constamment confronté au danger de la généralisation et de la simplification.

D'un autre côté, il est possible ainsi de donner de l'air d'une manière concentrée à cette morosité refoulée qui, depuis la fin de Vatican II, s'est accumulée de plus en plus chez les spécialistes catholiques de l'ecclésiologie et du droit canonique, en présence de l'évolution ecclésiale de fait. Naturellement, je ne parle ici que pour moi-même, et pour nul autre. Pourtant il existe suffisamment de signes indiquant que des collègues venant de nombreuses Églises partielles sentent et pensent aujourd'hui d'une manière semblable.

Entrons donc *in medias res*. Que la doctrine de l'Église de Vatican II présente des failles et des déséquilibres, cela ne s'est pas manifesté seulement après le Concile et n'apparaît pas seulement aujourd'hui — 15 ans plus tard. Au contraire, bien des Pères conciliaires et de nombreux théologiens ont vu cela dès le temps du Concile. Et la *suprema auctoritas* elle-même n'est pas la dernière à avoir reconnu cela, à partir de sa propre situation d'intérêt et avec une précision lucide, et c'est pourquoi, on le sait, elle a ajouté — jusqu'à présent pour la première fois dans l'histoire des conciles — à la Constitution dogmatique sur l'Église la *Nota explicativa praevia*.

Et par là commença finalement la longue série, certainement loin d'être achevée, des interprétations, de caractère officiel comme de caractère privé, de la doctrine du Concile sur l'Église.

Alors on remarque avec surprise que les difficultés se manifestent
moins dans le contenu proprement théologique et dogmatique de
ces déclarations conciliaires que là où importent, dans le langage
et la formulation, la plus grande acribie et précision, c'est-à-dire
dans les déclarations ecclésiologiques avec un effet direct sur
l'organisation vécue de l'Église. En d'autres termes : « L'impuissance de l'ecclésiologie contemporaine en face des structures
juridiques [1] » se montrait pour la première fois, mais aussi très
clairement, dans les textes de Vatican II lui-même. Ce fait a eu
déjà jusqu'à présent des conséquences fatales pour l'Église
catholique. Et la fin de cette évolution inquiétante n'est pas en
vue.

Pendant et aussi après le Concile, il se manifesta des
conséquences fâcheuses, c'est-à-dire que les dogmaticiens —
relativement rares — qui s'occupaient spécialement de questions
ecclésiologiques, firent preuve d'une attitude méprisante souvent
inconvenante à l'égard du droit canon et de ses représentants.
Les canonistes au contraire voulaient — d'une manière tout à fait
déplacée — se comporter comme des professeurs à l'égard des
dogmaticiens. Je suis assez sûr qu'en définitive ces difficultés
d'entente entre les dogmaticiens et les canonistes ont contribué
aux incohérences verbales des textes conciliaires. Mais, au sein
de ces deux groupes aussi, il y avait, on le sait, des opinions et des
interprétations facultatives. Il est par conséquent tout à fait
logique qu'après le Concile ces malentendus se soient prolongés.
C'est ainsi que divergeaient et divergent encore, par exemple, les
opinions sur la force obligatoire des décisions conciliaires ou les
interprétations de ce qu'elles voulaient dire, et ceci assez souvent
dans une large mesure.

Naturellement, le langage écrit suscite constamment des
possibilités de compréhension et des interprétations différentes.
C'est le langage lui-même qui, malgré les meilleurs efforts de
l'homme, n'est pas exempt d'ambiguïté. Mais justement parce
qu'il en est ainsi, et que des expériences souvent amères nous
l'ont appris, celui qui parle, surtout qui parle dans une question
importante, doit faire l'effort le plus grand possible de clarté. S'il

---

1. Richard Potz, *Die Geltung kirchenrechtlicher Normen — Prolegomena zu
einer kritisch-hermeneutischen Theorie des Kirchenrechts*, Wien 1978, 162.

ne le fait pas, s'il n'y parvient pas, surgissent des *ambiguïtés*. Si les difficultés d'une « mise en paroles » de certains contenus sont trop grandes, si par conséquent on préfère à l'occasion se taire sur ces sujets, si on laisse consciemment subsister des vides, alors on parvient forcément à des *lacunes,* dont il est question pareillement dans le titre de ces développements.

Les points critiques

En quelques points de l'ecclésiologie de Vatican II, ont été laissées, d'une manière particulièrement nette et surprenante, des ambiguïtés et des lacunes. Je voudrais ici en repérer et en citer quelques-unes.

1. *Le langage de Vatican II en des points relevant du droit canon*

Dans les commentaires des textes conciliaires, on a souvent attiré l'attention sur l'intention foncière de Vatican II : il aurait été un concile avec une finalité pastorale, non avec une finalité dogmatique ou, à plus forte raison, canonique. De là résulterait aussi la rédaction peu claire et peu univoque des textes. Laissons en suspens la question de savoir si des textes avec une finalité « seulement » pastorale devraient n'être pas clairs et univoques. Je pars uniquement de la prétention librement choisie par la majorité des Pères conciliaires, de vouloir compléter ou achever Vatican I par Vatican II. Or Vatican I fut un concile qui eut des conséquences larges et profondes pour la structure juridique de l'Église. Le *Codex Iuris Canonici* constitue pour ainsi dire le sommaire canonique de Vatican I. Il est donc logique qu'un canoniste conservateur comme Bertrams considère les documents de Vatican II pareillement comme des documents de nature juridique. Mais à cela s'oppose que Vatican II n'a pas voulu formuler ses déclarations d'une manière juridiquement claire et univoque et en leur conférant une efficacité juridique.

En vertu de l'idée, à mon avis mal comprise, d'une théologisation en soi nécessaire du droit canonique, le vieil appareil conceptuel, pourtant éprouvé, quoique dans l'ensemble non parvenu à une clarté définitive, du droit canonique[2] fut à peine utilisé. Au lieu de cela, on utilisa d'autres concepts, à peine connus jusqu'à présent dans la théologie catholique, qui — comme il fallait s'y attendre — eurent besoin après le Concile d'un travail considérable d'éclaircissement.

Je ne voudrais nullement ici parler contre l'introduction et l'insertion de nouveaux éléments conceptuels et de nouvelles constructions conceptuelles dans notre théologie. Quelque chose de ce genre lui est nécessaire pour rester en vie. Seulement il existe une différence fondamentale entre le fait que le magistère ecclésiastique, dans ce cas le Concile, manie des concepts dont les contenus étaient théologiquement — jusqu'alors du moins — insuffisamment travaillés ou guère adaptés dans la théologie catholique, et le fait que le processus de formation de concepts mène, en passant par la réflexion théologique, à l'application du Concile dans toute l'Église. Même si le Concile avait délibéré plus longtemps que cela n'est arrivé, il ne lui aurait pas été possible, donc pas possible au pape et aux évêques, de réaliser ce processus de formation de concepts. Malgré l'aide consultative des meilleurs théologiens et canonistes, il manquait presque toute possibilité, dans le laps de ce temps relativement court, de mesurer suffisamment la portée des concepts nouveaux et des textes dans lesquels ils étaient placés. Ce fait peut être illustré de la manière la plus convaincante par les traductions des nouveaux concepts, par exemple du mot *munus*. On voit alors clairement dans quelle large mesure peuvent différer les contenus théologiques qui viennent au jour lors de l'interprétation inévitable du concept à l'occasion de sa traduction.

Une circonstance aggravante fut que, provenant de domaines tout différents et d'importance inégale, des concepts déjà remplis par ailleurs d'un contenu furent importés et adaptés : de la théorie protestante allemande du xixᵉ siècle, de la doctrine sociale catholique, du langage juridique général, et en faisant appel à des composantes historiques dissemblables (exemple : élément «synodal»).

En face de cette situation, un grand nombre de Pères conciliaires, et par là le Concile lui-même, eurent assez souvent

---

2. Exemple : *Potestas ordinis — potestas iurisdictionis.*

recours, lors de la formulation définitive des textes conciliaires, à des formules de compromis. Finalement, c'est par là seulement sans doute qu'on parvint à sauver le Concile. Mais à quel prix !

Le politologue allemand considéré Theodor Eschenburg (université de Tübingen) a indiqué que surtout la réglementation trouvée par Vatican II sur le rapport entre le pape et le Concile constitue un exemple typique de formule de compromis. Alors il se réfère à la définition de la formule de compromis dans la doctrine constitutionnelle du professeur de droit public allemand, jadis connu, Carl Schmitt. Cette définition est la suivante : « La formule de compromis consiste en ceci : trouver une formule qui satisfasse à toutes les exigences contradictoires et, grâce à une tournure ambiguë, laisse indécis les véritables points litigieux [3] ».

Je me rattache à la conception d'Eschenburg et rappelle les dangers impondérables que les formules de compromis peuvent avoir pour conséquences et qu'elles ont aussi en général. Nous les rencontrons principalement dans les constitutions des Etats et dans les lois étatiques, et assez souvent aussi dans les traités internationaux. Elles ont eu « un effet paralysant et perturbateur et ont assez souvent gêné les tribunaux suprêmes [4] ». Le dernier cas ne pourra pas se présenter dans l'Église catholique. Mais justement pour cela, les formules de compromis sont dans son domaine encore plus dangereuses que dans le domaine étatique. Depuis longtemps, il est arrivé ce qu'il fallait craindre dès le début : les formules de compromis de Vatican II sont interprétées et expliquées d'une manière autoritaire et unilatérale. Ainsi, par exemple, du côté des auteurs d'une Loi fondamentale pour l'Église catholique, dans laquelle on peut largement constater une utilisation éclectique des textes conciliaires, et en premier lieu des passages contenant des formules de compromis.

Il est ainsi apparu depuis le Concile que le caractère de compromis justement des déclarations conciliaires décisives a donné lieu à des ambiguïtés.

---

3. Carl SCHMITT, *Verfassungslehre*, Berlin 1928, 32.
4. Theodor ESCHENBURG, *Über Autorität*, Francfort, 1976, 237.

2. *Le rapport du primat et de l'épiscopat.*

Dans la littérature conciliaire correspondante, on a sans cesse souligné que Vatican II avait renouvelé le rapport entre le pape et les évêques, ou l'avait placé sur une base nouvelle, une base repensée. Je pense que ces affirmations vont beaucoup trop loin. D'une manière légitime et en outre prenant appui sur les expériences pratiques postconciliaires, on pourra uniquement dire que certains accents théologiques ou ecclésiologiques ont été placés autrement. «En ce qui concerne le rapport entre le pouvoir papal et celui des évêques, on en est resté au fond malgré un dur conflit (au cours du Concile) à la vieille réglementation de 1870[5]». Des concepts sans cesse mentionnés dans la littérature favorable au Concile, «collégialité» et «élément synodal», nous voulons ici provisoirement faire abstraction. Ils ont besoin — comme nous avons dû l'apprendre après le Concile — du remplissement concret et ne signifient en soi et pour soi que peu de choses pour la construction structurelle de l'Église. Et ce qui est encore pire : Ces concepts et leurs contenus indistincts peuvent être employés par abus pour voiler d'une manière persistante les rapports réels et efficaces de domination.

Le changement important, peut-être unique, qu'a apporté le Concile dans le rapport entre le pape et les évêques consiste dans *un* mot, l'adjectif *plena* qui a été ajouté à la *potestas* du Concile œcuménique. Tandis que le CIC fait encore la différence subtile, d'après laquelle le pape possède la *suprema et plena potestas iurisdictionis* sur toute l'Église (c. 218), le concile au contraire uniquement la *suprema potestas* (c. 228), la Constitution dogmatique sur l'Église reconnaît aussi à l'*ordo Episcoporum* la *suprema ac plena potestas* (n° 22). Mais cette assertion elle-même est anxieusement et de plusieurs manières protégée contre les erreurs. Pour prévenir toutes les méprises, le pouvoir du pape dans ce contexte est souligné, en supplément de *plena* et *suprema*, par l'épithète *universalis*. C'est encore plus loin que va le projet d'une loi fondamentale pour l'Église catholique ; ce projet appelle le pouvoir du pape *suprema, plena, immediata et universalis* (can. 29,2, LEF).

---

5. *Ibid.*, 235.

Dans ce contexte, je voudrais indiquer une autre ambiguïté de Vatican II. Dans la Constitution dogmatique sur l'Église, l'épithète *immediata* n'est pas employée au sujet du pouvoir du pape. Cela n'est arrivé que dans le décret *Christus Dominus*, auquel on n'accorde que peu d'attention en général, surtout de la part des spécialistes de l'ecclésiologie. Cependant il s'ajoute encore que la Constitution dogmatique sur l'Église parle d'une *potesta immediata* de l'évêque diocésain sur son diocèse. Ce transfert — je voudrais le dire ainsi une fois — d'un concept ou d'un élément de concept n'est certainement pas accidentel. La *potestas* du pape agit aussi immédiatement dans les Églises locales. On devra donc se demander s'il n'existe pas, dans le domaine des Églises locales, les pouvoirs concurrents du pape et des évêques : par là indirectement les évêques seraient de nouveau — dans le sens du concile de Trente — ramenés au rang de vicaires du pape.

Ce n'est pas seulement sur ces exemples qu'on pourrait montrer que les textes de Vatican II, considérés du point de vue du langage juridique, sont pleins de pièges et d'incohérences. Le langage en tout cas clair de Vatican I n'est pas atteint, et peut-être même nullement recherché, et cela justement là où il s'agit d'une assertion centrale du Concile, de la délimitation du pouvoir papal et du pouvoir épiscopal et ainsi de la primauté de juridiction du pape.

Il est surprenant en effet que Vatican II ne parle pas d'un *primatus iurisdictionis*, mais mentionne plutôt le *sacer primatus*. Mösdorf écrit à ce sujet : « le non-emploi du terme *iurisdictio* donne à penser, parce que des changements dans la terminologie entraînent assez souvent aussi des changements dans la chose elle-même [6] ». Or nous savons maintenant que des changements dans la chose ne sont pas intervenus et que, étant donné la situation, ils ne devraient plus être attendus. Le fatal en cela est plutôt que, derrière le concept juridiquement vague de *sacer primatus*, se cache le vieux contenu, vraiment clair, du primat de juridiction. Pour la comparaison, il vaut la peine ici de jeter aussi un regard sur le projet de Loi fondamentale (LEF). On y parle en

---

6. Klaus MÖRSDORF, « Das oberste Hirtenamt des Papstes im Lichte des Zuordnungsverhältnisses von Gesamtkirche und Teilkirchen », in : *Etudes de droit et d'histoire*, 1976, 321.

termes secs de la *potestas ordinaria* du pape sur toute l'Église (can. 29, § 2).

3. *Les conférences épiscopales.*

L'ambiguïté des déclarations du Concile sur le rapport entre le primat et l'épiscopat devait se manifester le mieux là où de nouvelles structures étaient créées dans ce secteur ecclésial, c'est-à-dire à l'occasion des synodes d'évêques, mais tout spécialement à l'occasion des conférences épiscopales.

Ici aussi apparaissent des défauts du langage juridique comme des manques de précision. Les difficultés commencent avec le sens littéral de *ecclesia particularis* qui, dans le langage du Concile, n'est pas constant (Mösdorf). Mais ce qui est absolument plein de pièges, c'est la manière dont le Concile a rempli le contenu du concept de «collège épiscopal». C'est ainsi qu'il a sans doute constaté et décrit l'existence de ce collège, non cependant son but. Les conséquences juridiques d'une telle lacune se manifestent maintenant depuis le Concile dans l'existence peu claire des conférences épiscopales. Elles existent actuellement dans toutes les parties de l'Église universelle, pourtant on ne voit pas clairement quelle qualité juridique elles possèdent, elles et leurs décisions. Si l'on suit Mörsdorf et d'autres interprètes, les conférences épiscopales seraient de nouvelles et authentiques instances hiérarchiques intermédiaires entre le pape et l'évêque diocésain. S'il en est effectivement ainsi, les décisions de la conférence épiscopale sont en fait des décisions d'espèce *collégiale* donc pas des actes *collectifs* qui ne seraient rien d'autre que l'addition des décisions des membres particuliers de la conférence épiscopale. Mörsdorf écrit : «l'acte collégial (est) l'intégration des volontés des membres du collège dans l'unité du vouloir collégial. Par cette intrégration, l'acte collégial est là pleinement détaché des volontés des membres particuliers du collège[7]».

La conception de Mörsdorf est — dans son interprétation des décisions du Concile — logique et cohérente. Pourtant on devra se demander avec quelque légitimité si la majorité conciliaire

7. Klaus MÖRSDORF, «Die Rolle des Ortsbischofs in dem Zuordnungsverhältnis von Gesamtkirche und Teilkirche», in : *Ortskirche-Weltkirche*, Würzburg, 1973, 457.

avait aperçu la problématique de la conférence épiscopale en tant qu'instance intermédiaire entre le pape et l'évêque diocésain et si elle voulait la concevoir telle que Mörsdorf l'interprète. Autrement dit : la construction effective des conférences épisco-pales ainsi que leur efficacité pratique (limitée) dans les 15 ans après le Concile font aussi surgir la question justifiée suivante : le Concile a-t-il vraiment voulu ce que Mörsdorf et d'autres veulent apercevoir dans la conférence épiscopale comme instance juridique ?

Certains critiques perspicaces de l'ecclésiologie de Vatican II ont du reste très tôt reconnu ce problème. Ainsi Hans Barion indiquait déjà en 1965 que dans la Constitution dogmatique sur l'Église « deux constructions juridiques contradictoires du minis-tère épiscopal sont mélangées [8] ».

En fait, des difficultés de pensée presque insurmontables apparaissent, quand on veut expliquer théologiquement comme exégétiquement et historiquement un pouvoir propre de juridic-tion du collège épiscopal, surtout quand il ne s'agit *pas* de sa représentation totale dans le concile œcuménique. Surtout le n° 22 de la Constitution *Lumen Gentium* a présenté dès le début les plus grandes difficultés d'interprétation, qui se montrèrent déjà par exemple clairement dans la *Nota explicativa praevia*. C'est ainsi que l'admission dans le collège des évêques est liée premièrement à la responsabilité pour toute l'Église, tandis que l'évêque, par la consécration, pour un siège épiscopal déterminé, reçoit d'abord la juridiction ecclésiale particulière ou locale. La doctrine du collège épiscopal, de Vatican II, contient incontesta-blement des chances, pourtant les dangers d'une dissimulation du fait que le pouvoir épiscopal a son origine dans l'Église particulière pourraient bien être jugés très grands. Probable-ment, il s'agit ici finalement pourtant d'une complication inutile du rapport pape-évêque. De plus, du point de vue exégétique comme de celui de l'histoire de l'Église, il est impossible de considérer le collège épiscopal comme le successeur collectif du collège des apôtres. C'est ce qu'a indiqué avec raison Barion et — longtemps avant lui, ainsi qu'indépendamment de la problé-matique que Vatican II a déclenchée — Rudolf Sohm.

---

8. Hans BARION, « Das Zweite Vatikanische Konzil — Kanonisticher Bericht (II) », in : *Der Staat*, 4 (1965), 347.

Sans doute, la majorité du Concile a vu partiellement les difficultés, du moins elle les a pressenties. C'est ainsi qu'au n° 22,2 de *Lumen Gentium*, il est dit, d'une manière intéressante, que l'*ordo episcoporum* succède au collège des apôtres dans la fonction doctrinale et pastorale, donc non dans le ministère sacerdotal. Je tiens les essais postérieurs de sauvetage, qui cherchent à attribuer au collège épiscopal le plein pouvoir sur l'Église dans le domaine du triple ministère du Christ, pour une entreprise douteuse, puisque finalement elle ne sert à rien.

L'attitude hésitante, à mon avis fondée, du Concile à l'égard d'une «unité théologique» du collège épiscopal eut des conséquences très concrètes sur la vision de la conférence épiscopale par Vatican II. Avec peine, le Concile tenta de parler de la réalisation concrète de l'état d'esprit collégial par les conférences épiscopales (LG, n.° 23). C'est là le signe qu'ici se trouve une lacune. Il n'est rien dit en effet dans la Constitution de juridiquement important sur la compétence de la conférence épiscopale, bien qu'ici précisément plus qu'à tout autre endroit des textes conciliaires quelque chose aurait pu — et dû! — être dit sur la concrétisation de ce qu'on appelle l'action collégiale du collège épiscopal!

C'est jusqu'à présent un problème pareillement non résolu d'une manière convaincante que Vatican II a laissé dans ce contexte : la question de l'appartenance et du droit de participation à la conférence épiscopale. Conformément au n° 22 de *Lumen Gentium*, on devient membre du corps épiscopal «par la consécration sacramentelle et par la communion hiérarchique avec le chef du collège et ses membres». Alors reste cependant hors de l'attention la différence juridictionnelle tout autre entre les évêques résidentiels et les évêques titulaires ; c'est là en particulier une conséquence de la doctrine changée du Concile sur la *potestas sacra*.

4. *Prêtres et laïcs : la communauté paroissiale*

Si nous prenons la distinction traditionnelle entre la *potestas ordinis* et la *potestas iurisdictionis* comme règle de notre examen critique de Vatican II, nous devrons dire que le Concile s'est penché d'une manière interprétative et didactique plutôt sur l'*ordo* que sur la *iurisdictio*. C'est ainsi que, dans l'ensemble, la «Constitution dogmatique sur l'Église» suit la division de la *hierarchia ordinis*. Dans le domaine de la *hierarchia iurisdictionis*, la Constitution traite du pape et des évêques, donc de ce qu'on appelle les ministères fondamentaux, tandis qu'elle ne dit rien des ministères dépendants d'eux. La conséquence fatale devait être qu'aucune attention n'est accordée en fait à la base pastorale, aux communautés paroissiales et à leurs pasteurs. Ce qui doit apparaître comme surtout troublant, c'est qu'il n'est nullement question du ministère du chef de communauté, donc du curé. Toujours est-il qu'il y avait, jusqu'à Vatican II, des canonistes qui considéraient également le ministère du curé comme un ministère fondamental, donc non comme un ministère auxiliaire dépendant de l'évêque. Ainsi la riche théologie de la communauté qui s'est développée après le Concile, dans de nombreuses Églises partielles, ne peut guère se réclamer du Concile.

Quand le Concile parle des laïcs, il esquisse leur «caractère séculier» (LG, n.° 31). Leur participation au triple ministère du Christ n'est pas décrite concrètement; une activité apostolique éventuelle des laïcs est vue plutôt comme une aide en cas de nécessité, qui peut être apportée quand les prêtres manquent. Ainsi non seulement le laïc, dans la vue du Concile, apparaît comme un bouche-trou dans le domaine des tâches ecclésiales, mais c'est plutôt la théologie elle-même des laïcs dans les textes conciliaires qui est lacunaire, en tout cas pour autant qu'il s'agit de la position ecclésiologique du laïc.

Une Église, une *communio*, dans laquelle les laïcs sont vus uniquement comme des «gardiens» passifs (Stutz), se bouche son propre avenir. La communauté ecclésiale aussi, et elle précisément, ne peut pas prospérer sans la coopération *active* de *tous* les membres de l'Église. Le Concile n'a donc pas vu que la doctrine ecclésiale comme la structure ecclésiale sont des grandeurs correspondantes qui, sans l'accord et la coopération du «nouveau peuple de Dieu», sont condamnées à une anémie silencieuse. Le Concile n'a pas vu, ou du moins n'a vu qu'insuffisamment, la solidarité et même l'action réciproque entre le *magisterium* et le *sensus fidelium*. C'est pourquoi il est tout simplement logique que la législation ecclésiale post-

conciliaire, y compris le projet d'un nouveau code de droit
canonique, parte d'un concept imaginaire de législation et
sous-estime le facteur de réception par les membres de l'Église.
D'une manière absolument comparable aux innombrables for-
mulaires spongieuses du concile, il n'est pas rare que « sous le
slogan de la 'réception de l'esprit du Concile', on tire des
formulations indéterminées du Concile ce qui plaît et comme il
plaît à chacun [9] ». Cela s'applique tout particulièrement au projet
d'une loi fondamentale pour l'Église catholique.

RÉSUMÉ

Si nous considérons rétrospectivement aujourd'hui les résultats
de Vatican II, si l'on tente en outre d'appréhender la littérature
conciliaire dont l'ampleur est devenue insaisissable, ce qui nous
reste surtout, c'est un sentiment désagréable d'ambivalence.
D'un côté, on ne peut contester que le Concile a favorisé de
nombreux changements dans l'Église, bien qu'il ne les ait pas
déclenchés — et ceci doit être souligné contre de nombreux
interprètes. De l'autre côté, on ne se débarrassera pas des
nombreuses questions qui ont pour objet la valeur, la profondeur
et la durée de ces changements.

L'attente sans doute la plus illusoire au sujet du Concile et de
ses conséquences fut certainement ce qu'on a appelé la
démocratisation de l'Église. Que cette démocratisation ne soit
ecclésiologiquement pas possible, en tout cas pas dans l'Église
catholique, c'est ce qui fut et est sans cesse souligné par la
hiérarchie et aussi par les canonistes. On parla, au lieu de cela, de
la construction de l'élément synodal, mais aussi ce qu'on
attendait à cet égard ne pouvait ou ne devait en définitive pas se
réaliser. Vatican II a mené tout au plus à donner un caractère
collégial à l'aristocratie ministérielle, ou disons-le d'une manière
encore plus concise : un caractère aristocratique à la hiérarchie.

Quinze ans après le Concile, non seulement nous pouvons
présumer, mais nous devons constater avec réalisme : la
composition et le langage des textes conciliaires à portée

---

9. POTZ, *loc. cit.*, 178.

ecclésiologique ne se sont pas, à cause de leurs lacunes et de leurs ambiguïtés, révélés comme capables de constituer un fondement solide.

Éclairons ceci pour terminer par quelques exemples :

1. On espérait, pour ainsi dire d'une manière euphorique, de la nouvelle construction de la «Constitution dogmatique sur l'Église» (donc d'abord les déclarations sur le nouveau peuple de Dieu, ensuite seulement sur la structure hiérarchique de l'Église) — disons-le une fois — un changement de mentalité, une nouvelle conscience ecclésiale. Quoique les projets d'un nouveau *Codex* et d'une loi fondamentale pour l'Église observent de nouveau cette division, on doit pourtant parler d'un essai finalement stérile du Concile. La structure hiérarchique, sur la base de son existence depuis des temps immémoriaux, ne s'est pas révélée comme susceptible d'être rejetée à la périphérie ou en marge et ainsi d'être relativisée. Les laïcs engagés qui, par la valorisation de tous les membres de l'Église, telle qu'elle fut affirmée au Concile, avaient ressenti une stimulation pour une activité intra-ecclésiale, se sont depuis lors pour la plupart sentis frustrés et se sont résignés. Qu'on se rappelle seulement la coopération positive du peuple de Dieu avec la hiérarchie pendant le concile pastoral hollandais, ou encore au synode allemand ! Quand on regarde cependant leurs résultats, on pourrait presque désespérer. Ici ce n'est pas seulement du temps et de l'argent qui furent jetés par les fenêtres. Pire que tout cela : les espoirs et les attentes justement des laïcs engagés furent détruits.

2. Le Concile parlait plus volontiers de *munus* que de *potestas*. Le pape, les évêques et les prêtres devaient considérer leurs ministères comme un service en faveur des baptisés, non comme des formes de domination sur ceux-ci. Dans le nouveau droit canon au contraire, surtout dans le projet de Loi fondamentale, nous rencontrons plutôt le terme *potestas* que celui de *munus*. Nous devons nous demander avec quel arbitraire on peut réellement manier et manipuler les déclarations d'un Concile, quand, dans la nouvelle Loi fondamentale (can. 55 2), on voit attribuer au *munus regendi* pour ainsi dire une position supérieure aux deux autres *munera*. Cela touche exactement au

grotesque quand certains concepts tout à fait « prudents » de Vatican II sont maintenant employés de telle sorte qu'avec leur aide on construit et on peut réellement construire une Église juridique encore plus rigide que la précédente. De là, il faut malheureusement conclure que cette manière d'agir est en particulier favorisée aussi par les déclarations ambiguës du Concile.

3. Le Concile projetait la vision d'un développement original des Églises partielles et des Églises locales. Assez souvent, on trouve maintenant, même dans les traités de droit canon, l'indication que, d'après le Concile, le principe de subsidiarité aurait une grande importance, et même une importance de premier rang. Nous savons cependant maintenant que l'évolution effective se déroule autrement. Les efforts originaux dans les Églises partielles sont avec persistance bloqués par Rome. Je ne cite que l'un des exemples les plus récents : selon la Constitution *Sapientia Christiana*, de l'année 1979, qui introduit un nouveau droit ecclésial pour les universités, le *Nihil obstat* pour les enseignants ne doit plus être donné par les autorités des Églises partielles, jusqu'à présent habilitées à cet effet, mais par Rome. Comment cela se laisse-t-il concilier avec la teneur fondamentale d'un Concile, telle du moins que nous l'avons comprise et que nous voulons la comprendre encore ? Mais si une pareille chose est possible aujourd'hui, c'est que quelques points dans ce Concile et ses déclarations ne doivent pas être assez clairs.

4. Le Concile parle, à l'occasion, sur un ton pastoral du pape comme du « pasteur de toute l'Église » (LG, n.° 22). Le projet d'une LEF au contraire affirme la primauté papale d'une manière déjà fort inhabituelle. Les formulations rappellent les déclarations absolues de Vatican I. Cependant, pour justifier ces (nouvelles) déterminations légales, on cite plutôt et davantage Vatican II. Cela jette — à mon avis — une lumière curieusement chatoyante sur ce Concile.

5. Vatican II avait défini que l'évêque diocésain recevait par la consécration épiscopale aussi le *munus regendi* (LG 21). A ce sujet, le projet d'une loi fondamentale pour l'Église fait, dans le

can. 43 2 LEF, pareillement de nettes restrictions : si des coutumes irrévocables ou des réglements promulgués par le pape ou reconnus légalement (Églises orientales !) ne s'y opposent pas, les évêques reçoivent du pape la *missio canonica*.

6. Le Concile a suggéré d'assouplir les structures centralistes de l'Église romaine. Là où il s'agit plus ou moins d'organes de consultation (synode des évêques, conférences épiscopales), quelques résultats ont été obtenus en fait. Cependant, avec la meilleure volonté elle-même, on ne peut pas découvrir que ceci serait aussi arrivé dans le domaine de l'exercice effectif du pouvoir. Au contraire, nous constatons des tendances et des essais réussis d'édifier des institutions centralistes. C'est ce qui est arrivé par exemple, dans la réforme de la curie, pour la position du Secrétariat d'État (maintenir la super-congrégation !). C'est ce qu'on a pu constater aussi pour le *Motu proprio* de 1969 sur les nonces pontificaux. Nous le voyons aussi pour l'essai tenté par le pape actuel de relativiser la position du synode des évêques par la revalorisation inattendue du collège des cardinaux (consistoire).

Je dois arriver à la conclusion de ce résumé peu encourageant. Si nous nous trouvons aujourd'hui, 15 ans après Vatican II, presque avec les mains vides, si les résultats de Vatican II, jadis commentés et interprétés d'une manière si prometteuse, sont à peine reconnaissables dans la récente législation ecclésiale, cela tient, à mon avis, en grande partie aux lacunes et aux ambiguïtés des déclarations ecclésiologiques de Vatican II. Ce pourrait être plus qu'une question seulement morale que celle-ci : est-ce à dessein que ces déclarations ont été laissées comme hypothèques à notre génération ?

Traduit de l'allemand par Robert Givord)

Antonio ACERBI

L'ECCLÉSIOLOGIE A LA BASE DES INSTITUTIONS ECCLÉSIALES POST-CONCILIAIRES.

Cet exposé se divise idéalement en deux parties. La première s'occupe de quelques nouvelles institutions ecclésiastiques issues d'un acte de réforme législative ; la seconde, au contraire, examine une nouveauté de type vital et existentiel, c'est-à-dire les communautés de base. Ce faisant, cet exposé n'a pas la prétention d'épuiser le panorama des nouveautés post-conciliaires, et, en tout cas, la tâche qu'il se propose n'est pas celle de prendre directement position sur les problèmes théologiques dont il considère les données comme un élément préalable, ni de passer au crible les thèses ecclésiologiques, mais bien celle de révéler, comme dans une radiographie, les présupposés ecclésiologiques à l'œuvre dans les institutions de l'après-Concile et d'expliciter les liens qui existent entre les institutions et les doctrines.

I. QUELQUES PRÉMISSES RELATIVES À L'EXAMEN DES RÉFORMES CANONIQUES

Quand il s'agit de réforme canonique, il n'est pas possible d'avancer dans cette tâche d'un pas assuré. L'organisation canonique passe par un stade de fluidité. La réforme générale du droit est encore en cours ; mais même pour les institutions déjà réformées les actes de réformes eux-mêmes parlent parfois d'un stade provisoire et destiné à des meilleurs développements. Là, on sent certainement la nécessité d'un rodage, mais aussi l'influence de mobiles prudentiels et de raisons de nature psychologique[1]. La conclusion évidente est qu'on ne peut faire remonter uniquement à des options théologiques le stade actuel des institutions canoniques.

Une autre remarque. Dans l'état actuel de fluidité de l'organisation canonique, il faudrait grandement tenir compte d'une réalité difficilement déterminable : la praxis. Dans une période de transition, elle concourt fortement à fixer les linéaments des institutions : certaines nouveautés qui, sur le plan institutionnel, semblent mises dans l'ombre peuvent, au contraire, recevoir une signification et une vigueur des dynamismes vitaux qui parcourent l'institution.

Ces remarques s'entrecroisent avec le donné de « l'autonomie » du droit. Franz Wieacker a écrit : « Une société peut s'être modifiée fondamentalement sans que la forme extérieure et la technique juridique d'une codification soient changées en même temps avec elle ; finalement, le même type de codification et jusqu'au même code rendent également un bon service à des conditions de vie et à des conceptions du monde en principe opposées »[2].

Wieacker se réfère aux codifications du droit privé, mais l'observation vaut aussi, dans une certaine mesure, pour le droit constitutionnel et public. Dans un État, non seulement les théories sociales, mais la constitution réelle elle-même, peuvent se modifier notablement sous le couvert d'une même constitution formelle. Même si, au-delà de certaines limites, le lien de dépendance entre l'organisation juridique et le modèle social est inévitable, les raisons proprement juridiques et d'organisation

---

1. Par exemple, dans l'homélie de la messe d'ouverture du Synode de 1969, Paul VI déclarait que les développements du Synode étaient liés à l'existence d'un climat d'entente entre Rome et la périphérie : « si la grâce de Dieu nous assiste et si la fraternelle concorde facilite nos rapports mutuels, l'exercice de la collégialité dans d'autres formes canoniques pourra avoir un plus ample développement » (Cf. G. Caprile, Le synode des évêques, première assemblée extraordinaire (11-28 octobre 1969), Rome, 1970, p. 60). Mais déjà dans le Motu proprio « Apostolica sollicitudo », qui instituait le Synode, on lisait que cette nouvelle institution « Omnium humanorum institutorum more, successu temporis, perfectiorem usque formam assequi poterit » (AAS LV. II (1965), p. 726).
2. F. Wieacker, Das Sozialmodell der klassischen Privatrechts-gesetzbücher und die Entwigklung der modernen Gesellschaft, Carlsruhe, 1953, p. 3.

peuvent, cependant, au moins jusqu'à un certain point, justifier une norme, sans qu'il soit besoin de recourir à la permanence ou à la modification d'un modèle social. En tout cas, il faut être prudent quand on affirme qu'il y a une relation entre une théorie sociale et des institutions juridiques. Un principe, qu'il soit philosophique ou théologique, peut se traduire dans des formes juridiques (jusqu'à un certain point) différentes, et une institution juridique peut être compatible avec des principes sociaux (jusqu'à un certain point) différents.

I. Primauté, collégialité et formes de gouvernement de l'Église

Souligner les difficultés ne signifie pas exclure l'opportunité de la réflexion. Il suffit de tenir compte du fait que la portée canonique de la collégialité, et, par suite, le rapport entre les énoncés théologiques et les normes canoniques, a constitué le point de friction à Vatican II. Ce simple rappel explique qu'un des points critiques de l'analyse soit évidemment la relation entre le pape et les évêques dans le gouvernement de l'Église universelle.

1. *Un regard sur le débat théologique.*

Au fond des relations entre le pape, le synode des évêques et la curie réformée, il y a, naturellement, le problème du rapport entre la primauté et la collégialité. J'emploie le terme « problème », parce que ce rapport, avant d'avoir trouvé un statut canonique, semble ne pas avoir encore trouvé une systématisation théologique universellement acceptée. Cela dépend aussi, entre autres, de la « nouveauté » des affirmations conciliaires sur la collégialité. On remarque que celle-ci a émergé et s'est imposée au cours du Concile comme fruit d'une prise de conscience que le fait conciliaire lui-même suscitait et renforçait[3].

---

3. A noter que la collégialité épiscopale n'avait eu que très peu et même pas de place dans la réflexion ecclésiologique préconciliaire et ne paraissait pas dans les « vœux » recueillis pour la préparation de Vatican II.

Il est également à noter que la formule au n° 22 de « *Lumen gentium* » est une formule « ouverte ». Devant les diverses conceptions présentes dans l'assemblée conciliaire, la Constitution a formulé des définitions qui pouvaient constituer un fond commun ou étaient, du moins, acceptables par les deux tendances, et elle a laissé de côté les définitions qui auraient comporté une option dans un sens ou dans l'autre. C'est dans l'espace laissé ouvert par le texte de la Constitution que s'est placée la « *Nota praevia* » avec l'intention de préciser la déclaration conciliaire dans le sens suivant : le gouvernement collégial de l'Église n'est autre qu'une des deux formes possibles de l'exercice du pouvoir suprême du pape, lequel garde la libre décision du choix d'exercice de son activité de gouvernement : sous le mode personnel ou sous le mode collégial (cf. *nota praevia,* n° 3).

Il me semble avoir montré ailleurs que la « *Nota praevia* » n'est pas à même de résoudre, d'une façon qui oblige, les problèmes laissés ouverts dans « *Lumen gentium* »[4]. Une contre-épreuve, si on peut ainsi s'exprimer, a été donnée au Synode de 1969 où deux façons de comprendre la collégialité en rapport avec la primauté sont ressorties avec toujours autant de vigueur. On peut dire que l'épiscopat, qui n'avait pas discuté au Concile la *Nota praevia*, quand il a été appelé à prendre position sur le problème, ne l'a pas acceptée. En effet, un groupe très important a continué à lui opposer une autre position : « Tous, dans cette assemblée, — a déclaré le Cardinal Suenens — nous voulons avec une égale fidélité affirmer que l'Église est gouvernée par le collège épiscopal *cum* et *sub Petro* ; nous ne sommes pas en désaccord sur l'acceptation de la primauté ou de la collégialité, mais sur la façon de concevoir l'exercice de la primauté ou de la collégialité, selon la volonté du Christ... Nous ne sommes pas non plus d'accord sur la façon dont doit s'exercer la collégialité pour être l'expression réelle et efficace d'une vraie coresponsabilité et pas seulement le fruit d'un vague esprit collégial »[5].

---

4. Sur la valeur et la portée de la « *Nota praevia* », cf. ACERBI, *Due ecclesiologie. Ecclesiologia giuridica ed ecclesiologia di communione nella Lumen gentium,* Bologne, 1975, pp. 471-474.
5. Cf. CAPRILE, « *Il Sinodo dei vescovi...* p. 86

Une formulation sans équivoque de la position qui se rapportait à la *Nota praevia* a été proposée par Mgr. C. Colombo : « Il y a parfait exercice de la collégialité, conforme à l'attitude des autres Apôtres vis-à-vis de Pierre, quand les successeurs des Apôtres, en pleine communion d'âme, adhèrent à cette forme d'exercice du pouvoir suprême que le Pontife romain détermine en usant de son charisme de Vicaire du Christ » [6]. De l'autre bord, le cardinal Doepfner déclarait au contraire : « Il est bien certain, et il faut le traduire dans la pratique, que l'activité collégiale des évêques ne consiste pas d'abord dans l'aide que, sur la demande du Pontife, les évêques lui donnent pour l'accomplissement de son ministère... Les rapports entre les divers membres du collège, c'est-à-dire le pape et les autres évêques, doivent être ultérieurement déterminés selon des normes claires qui permettent de rendre stable cette collaboration. Ces normes sont sans doute de droit humain, dans l'Église, mais elles doivent être telles qu'elles rendent l'action collégiale de ce sujet de pouvoir suprême pratiquement possible, garantie, et qu'il ne s'agisse donc pas d'une exception » [7].

Je n'entre pas dans le débat théologique ; je n'en ai rappelé les points que pour pouvoir introduire le problème spécifique de mon exposé : si l'on s'en tient aux termes de la problématique théologique, dans quelle position se sont placés les textes de réforme canonique de l'après-concile ? Mais, avant de répondre à cette question, il est utile de faire allusion à quelques aspects du débat sur la primauté. Il ne s'agit pas d'une discussion sur le dogme de Vatican I — que tout catholique doit accepter — mais bien sur quelques déterminations ultérieures du ministère de la primauté, relatives surtout à ses modalités d'exercice.

Dans la réflexion théologique et dans la spiritualité ecclésiale des deux derniers siècles, une idée de la papauté a eu cours que j'appellerais « mystique ». Le pape, par son charisme unique et incommunicable de pasteur du troupeau du Christ, est placé immédiatement face à Dieu dans une solitude (à la limite même existentielle) qui est l'expression de la spécificité de sa responsa-

---

6. *Ibid.*, p. 126.
7. *Ibid.*, pp. 76-77.

bilité personnelle : «*ipse solus*». Le charisme de la primauté est au-dessus et en dehors du charisme épiscopal, parce que c'est un «mystère» qui situe la mission du pape au-delà de ces dons et de ces réalités divines, qui sont communicables, d'une façon et dans une mesure différente, aux autres membres de l'Église. La conséquence institutionnelle de cette conception — qui dépasse les termes du dogme de Vatican I — est la nécessité du gouvernement discrétionnaire et personnel du pape ; toutes les déterminations canoniques sont exclues de ce caractère «mystique» qui soustrait le pape à toute prise de mesure et à tout système d'équilibre d'ordre institutionnel.

Cette opinion a eu ses exagérations. A. Grea, par exemple, soustrayait le pape à «l'ordre épiscopal» parce qu'il le plaçait dans «l'ordre du Christ» lui-même. Sans aller jusqu'à ces extrêmes, un théologien plus proche de nous et plus influent, le Cardinal Journet, situe le «mystère» du pape dans la ligne de l'Incarnation et de l'Eucharistie et en tire logiquement les conclusions du point de vue institutionnel [8].

Non dénuée de points de contact avec cette conception est l'intervention de Mgr C. Colombo au Synode de 1969 dont nous avons vu la conclusion : il intègre dans la doctrine sur la primauté la dimension collégiale du gouvernement ecclésiastique, mais il en prend le point de départ et le fondement propre de la spécificité mystique du ministère pétrinien-papal. En conclusion, la collégialité ne déplace absolument pas les termes institutionnels du rapport pape-évêques : le droit de l'épiscopat, tout en étant reconnu comme constitutionnel et divin, est subordonné à l'unicité et à la singularité du charisme papal, qui exclut tout limite au caractère personnel et discrétionnaire du gouvernement pontifical [9].

---

8. Selon Journet, si on se trouvait devant le cas d'un pape qui agirait «*in destructionem Ecclesiae*», la Communauté n'aurait d'autre remède que de prier Dieu de faire mourir le Pape» (Cf. J. JOURNET, «*L'Église du Verbe incarné,*» I, 1955, 2, pp. 525-527, 547-550. Pour GRÉA, Cf. *L'Église et sa divine constitution*, Tournai, 1965, pp. 141-146 et 150-152.

9. Je crois utile de rappeler les passages principaux de cette intervention : «...Le charisme de la primauté n'est pas un fait purement ou principalement juridique, mais un fait spirituel et surnaturel, c'est-à-dire l'action du Christ qui, par le pasteur choisi par lui, dirige et soutient l'Église en suscitant dans les âmes

L'alternative, c'est-à-dire la compatibilité avec la primauté des formes permanentes du gouvernement collégial de l'Église — évidemment avec le consentement du pape et en subordination à lui — se réfère à l'idée que le ministère papal est certainement unique et n'a pas d'égal dans l'Église, mais est inséré dans un tout, à l'intérieur duquel il reçoit du Christ son fondement et sa légitimité. La primauté est sûrement aussi un donné charismatique, mais le fondement pneumatique ne l'isole pas, mais le met

---

des pasteurs et des fidèles une certaine participation et cette attitude de respect que les apôtres avaient pour Pierre ; et il soutient aussi les successeurs de Pierre pour que, malgré leur fragilité humaine, ils sachent confirmer leurs frères évêques et toute l'Église dans la doctrine du Christ et dans l'amour fidèle envers Lui. Par ce renouvellement en nous de l'attitude des Apôtres et de Pierre après l'Ascension et après la descente de l'Esprit-Saint sur eux, nous devrions nous laisser guider dans la détermination des normes juridiques en cette matière. Si nous approfondissons la juste notion de la primauté et la raison profonde de la communion épiscopale et de son exercice, nous voyons que le rapport des Apôtres avec Pierre n'a pas été indentique à celui de Pierre avec les Apôtres, et que, à plus forte raison, cette différence de rapports subsiste pour ce qui regarde les évêques et les successeurs de Pierre. Le rapport du pasteur avec son troupeau n'est pas le même que celui du troupeau avec son pasteur... Si donc la suprême autorité dans l'Église est fondée sur deux charismes distincts, c'est-à-dire sur la consécration épiscopale, d'où dérive le pouvoir collégial, et sur le charisme de la primauté, d'où dérive le pouvoir singulier et personnel du pontife romain, il s'ensuit que ce pouvoir suprême peut être exercé avec un droit égal et en soi avec la même efficacité pour arriver aux buts de l'Église, soit d'une façon personnelle, soit d'une façon collégiale. Les circonstances historiques dans leur grande diversité et la nature des sujets eux-mêmes suggéreront — dans le climat d'une très grande liberté — la forme à préférer. Mais tandis que la forme personnelle est non seulement permanente mais aussi, de par sa nature, toujours en acte, l'autre — la collégiale, même si elle est permanente ne se traduit pas toujours et nécessairement en acte strictement collégial comme le dit justement la *Nota praevia* (n° 4) au chapitre 3 de Lumen gentium, à la lumière de laquelle est compris le pouvoir collégial. La détermination de la forme d'excice du pouvoir suprême dans l'Église — personnelle ou collégiale appartient à celui qui, en tant que pasteur de tout le troupeau est, par cela même, pasteur des pasteurs. Il n'est pas nécessaire pour cela que, dans son jugement prudentiel sur cette matière, il soit infaillible pour pouvoir réellement représenter le Christ pasteur de l'Église et interpréter son action invisible. Il y a parfait exercice de la collégialité, selon l'attitude des Apôtres envers Pierre, quand les successeurs des Apôtres en pleine communion d'âme adhèrent à cette forme d'exercice du pouvoir suprême que le pontife romain détermine avec son charisme propre de Vicaire du Christ (...). On ne devra jamais concevoir l'autorité du collège et son exercice de telle sorte que soit diminuée la pleine et réelle liberté, non seulement juridique mais aussi morale, du Pontife romain de décider quand et en quels cas particuliers l'une ou l'autre forme d'exercice du pouvoir suprême est plus opportune, selon qu'il le jugera préférable ou utile pour le bien de l'Église ». (Cf. CAPRILE, *Il sinodo dei vescovi...* pp. 125-127).

en communication avec tout le corps et avec le collège épiscopal [10]. Puis, à l'intérieur de cette vision, il y a tous ceux qui accentuent le lien entre la primauté et l'épiscopat romain (le pape est pape parce qu'il est évêque de Rome, ou, au moins, pas sans relation avec son épiscopat dans l'église romaine), et donc entre la primauté et la consécration épiscopale [11]. D'autres mettent l'accent sur l'idée que la spécificité du ministère papal se trouve dans la concentration du pouvoir en une seule personne, et non dans une diversité essentielle par rapport au ministère propre du collège, de telle sorte que la primauté soit exercée au sein du collège des évêques dont le pape est le premier avec droit au libre exercice personnel de la puissance suprême (en quoi consiste spécifiquement la primauté) [12]. Enfin, il y a tous ceux qui font valoir la distinction entre la « ratio primati » et la « virtus primati » [13]. En tout cas, le pape n'est pas isolé institutionnellement et sa « liberté » est reconnue et garantie aussi sur le plan institutionnel, mais non au prix d'une élimination des dimensions institutionnelles des fonctions du gouvernement de l'Église universelle reconnues à l'épiscopat. Le problème d'un équilibre institutionnel, qui garantisse la « liberté » du pape, est délicat, mais ne se résout pas en rejetant la dépendance canonique par rapport aux autres éléments constitutifs de l'organisation ecclésiale.

---

10. Cf. H.-J POTTMEYER, *Petrusamt in der Spannung von Amt und Charisma* dans *Una Sancta 31* (1976), pp. 299-309.

11. Le « *munus regendi* » conféré dans la consécration épiscopale pour une église locale contient en soi (en raison du « caractère local » du ministère épiscopal et non malgré lui) une ordination à l'Église universelle, laquelle est limitée par la participation collégiale des autres évêques. Au contraire, l'évêque de Rome, en raison du primat de l'« *ecclesia romana* », est constitué tête du collège épiscopal, et, à cause de cela, le « *munus regendi* » reçu dans la consécration prend, dans son cas, toute sa virtualité universelle. Le charisme de la primauté ne serait donc pas, selon cette conception, un charisme différent du charisme épiscopal, conféré en dehors de la structure sacramentelle (ce qui évite de nier, dans le cas le plus important, le principe de l'unité entre ordre et juridiction, principe affirmé par Vatican II, et, de ce fait, n'élimine pas le donné traditionnel de la primauté de l'« *ecclesia romana* »).

12. L'expression majeure de cette tendance se trouve de façon notoire dans les thèses de K. Rahner sur le rapport entre primauté et épiscopat.

13. A la « *ratio primati* » appartiennent ces actes qui ne peuvent être posés que personnellement par le pape et dont l'exclusion signifierait la négation de la primauté. (Qu'on pense à la confirmation d'un concile œcuménique ou à la concession de la communion aux évêques). A la « *virtus primati* » se rattachent au contraire, ces actes que le pape peut poser légitimement en vertu de la primauté,

2. *Le point de vue du pape Paul VI.*

La position du pape est complexe et se traduit en affirmations qui suivent une certaine progression. En effet, le magistère de Paul VI conserve les traces de la conception « mystique » de la papauté. Il propose de corriger le texte de *Lumen gentium* sur les rapports entre le corps épiscopal et le pape justement par la formule « dummodo ipse (papa) *uni Domino devinctus* eos (episcopos) ad actionem collegialem vocet » [14]. Et, soit durant, soit après le Concile, il est revenu avec prédilection, spécialement dans ses discours aux fidèles, sur l'idée de l'unicité et de la spécificité du lien qui unit le pape au Christ : « seul le pape possède cette prérogative de représenter le Seigneur au cours de l'histoire et sur la face de la terre ; il n'y a que lui à avoir cette plénitude d'autorité » [15]. Du reste, dans certaines confidences venant après les difficultés d'*Humanae vitae*, et dans sa

en se les réservant, mais qui pourraient aussi être accomplis par une autre autorité ecclésiastique ou par le pape avec d'autres, sans que ce soit aller contre la primauté, par exemple : la nomination des évêques ou la convocation d'un concile œcuménique. Cette distinction de plans est implicitement présente dans les n°ˢ 22 et 24 de *Lumen gentium*, quand on distingue les diverses formes d'intervention du pape au concile et dans la mission canonique des évêques en raison de leurs besoins divers (Cf. A. ACERBI, *Due ecclesiologie...* pp. 208-209, 213, 388-390, 395-396 et spécialement 538-545). Ce n'est pas par hasard que la *Nota praevia* ne coïncide pas sur ce point avec le texte conciliaire. Elle affirma que seul le pape peut convoquer le concile et en approuver les normes d'action, en raison de sa fonction de « chef du collège » (n° 3). Au contraire, *Lumen gentium*, (n° 22) limite la nécessité de l'intervention personnelle du pape à la confirmation ou réception du concile, en présentant comme actuelles prérogatives du pape, qui ne revêtent pas le même degré de nécessité et qui dépendent d'une réserve papale, les droits sanctionnés par le Code de droit canonique à convoquer, présider et confirmer le concile. (Pour la doctrine, Cf. G. THILS, Papauté et épiscopat. Harmonie et complémentarité, dans *Sonderdruck aus Volk Gottes* (Festgabe J. Höfer), R. Baümer et H. Dolch, Fribourg 1967, pp. 41-63.

14. Le père Tromp, en défendant la formule, a précisé qu'elle pouvait avoir un sens moral : « responsable uniquement devant le Seigneur », et un sens ontologique, selon la pensée de Boniface VIII et de Pie II, c'est-à-dire : « qu'il constitue un seul chef avec le seigneur » (Cf. « mystici corporis », AAS 1943, p. 211) Cette façon christologique de considérer le pape, ajoutait Tromp, est absente du schéma et à l'origine de toute sa pauvreté. (Cf. ACERBI, *Due ecclésiologie...* p.389).

15. Discours du 8-3-1964, dans « *Insegnamenti di Paolo VI,* » Il (1964), p. 1076 ; Cf. aussi le discours du 22-7-1964, pp. 923-924.

Méditation sur la mort, le pape a laissé percer le sens très élevé qu'il avait de sa mission personnelle et qui le conduisait à porter seul le poids des décisions et de la responsabilité devant Dieu.

Par ailleurs, Paul VI n'ignore pas l'«una cum fratribus», et même il fait continuellement appel à la solidarité de l'épiscopat uni autour de lui, et en exalte le fondement théologique, qui est la communion des évêques, communion sacramentelle, spirituelle, affective, mais aussi institutionnelle, de telle sorte qu'elle revêt en certains cas la forme de la collégialité au sens strict [16]. Mais spécialement dans les textes relatifs aux réalisations canoniques de l'unité entre le pape et les évêques, entre les divers aspects de la collégialité, il met l'accent sur le réconfort qui en découle pour sa mission et établit un équilibre entre les affirmations sur le lien collégial et les revendications de la spécificité du ministère papal, spécificité qui justifie sa pleine liberté dans le gouvernement personnel de l'Église, et, dans le cas du synode, la fonction seulement consultative de celui-ci [17].

Mais encore, dans d'autres documents, de teneur œcuménique, l'horizon de la fraternité épiscopale s'élargit au-delà du réconfort donné au ministère papal. En effet, dans ces

---

16. La communion entre le pape et les évêques et leur aide mutuelle ont été exaltées par le pape en plusieurs occasions. Cf. allocution d'ouverture de la 3ᵉ Session du Concile («Enseignements de Paul VI», II (1964) pp.542-544 ; le discours d'ouverture du synode extraordinaire de 1969 (VII, 1969), pp. 670-675 ; le discours aux évêques d'Asie, le 28-10-1970 (VIII, 1970, p. 1212).

17. Pour le pape, le synode dans son organisation actuelle exprime la collégialité. Voir «l'homélie d'ouverture du Synode de 1969 : «Nous croyons avoir déjà donné la preuve de notre volonté de donner un accroissement pratique à la collégialité épiscopale en instituant le Synode des évêques...» (CAPRILE, *Il sinodo dei vescovi...* p. 60) ; ainsi que le discours du 30-4-1969 aux cardinaux : «le Synode reflète plus directement la collégialité épiscopale autour du successeur de Pierre...» (enseignements de Paul VI, VII (1969), p. 268). Mais l'idée que la collégialité a pour but «d'apporter un nouvel appui à la fonction unique du successeur de Pierre» est expressément affirmée dans le discours du 5-1-1966 (Cf. *ibid.,* IV (1966), p. 893) et surtout dans l'homélie d'ouverture du Synode de 1969. Là, le pape rappelle la spécificité et l'absolue indépendance de son ministère de primauté, et, par ailleurs, dessine l'accroissement de la participation des évêques au gouvernement de l'Église comme visant «à l'avantage commun, au soulagement et soutien de notre lourd et grandissant travail apostolique, à un plus visible témoignage de l'unique foi et de la charité sincère qui doivent être au sommet hiérarchique de l'Église plus que partout ailleurs» (Cf. CAPRILE, *Il Sinodo dei vescovi...* p. 62).

documents, le pape livre quelques éléments d'une ecclésiologie « koinoniale » qui, en conséquence, implique une fonction pas seulement auxiliaire des évêques vis-à-vis du pape. Dans le discours de Genève, adressé au CEC le 10 juin 1969, Paul VI a souligné que la primauté est un « ministère de communion » qui n'isole pas le pape. Mais, surtout, dans le bref « *Anno ineunte* » du 25 juillet 1967, il fait entrer un aspect essentiel de l'ecclésiologie traditionnelle de l'Orient, c'est-à-dire l'idée des « églises sœurs ». La « fraternitas » passe des personnes (même les non catholiques sont « fratres in Christo ») au plan des rapports entre les églises, avec les conséquences qui en découlent sur les rapports entre les diverses autorités, conséquences que le pape commence à dessiner dans la perspective d'une union complète et parfaite [18].

III. SYNODE DES ÉVÊQUES ET CURIE RÉFORMÉE

Il est maintenant possible d'aborder l'objet spécifique de notre exposé. Inutile d'insister sur l'importance théologique d'une réforme de la curie. Le lien très étroit entre la curie et l'exercice du pouvoir papal, mis aussi en relief par Paul VI, fait que la première conditionne les formes d'exercice de la primauté et a donc une influence sur le développement de l'idée et de la réalité de celle-ci (la primauté). Par contre, il vaut la peine de s'arrêter un moment sur l'attitude de Paul VI au sujet du rapport entre les « nouveautés » du concile et l'héritage reçu du passé. Le pape n'a pas caché une volonté de continuité, non seulement quant aux données de la foi et de la constitution divine de l'Église, mais aussi quant aux éléments de la tradition ecclésiastique qui ne sont pas couverts par l'autorité du droit divin : « la réforme que vise le

---

18. Pour le discours au CEC, Cf. AAS LXI (1969), p. 506. Sur l'idée « d'églises sœurs », Cf. le Motu proprio « *Anno ineunte* », *(25-7-1967), dans Tomos agapis*, Rome-Istamboul, 1971, pp. 390-393. Quelques conséquences institutionnelles affleurent, par exemple, dans l'allocution prononcée à Phanar, le 25-7-1967 : les chefs des églises doivent diriger le retour à la pleine communion « en se reconnaissant et en se respectant comme pasteurs de la portion du troupeau du Christ qui leur est confiée » (*Tomos agapis,* p. 376), et dans la lettre pour le 7ᵉ centenaire du Concile de Lyon, où celui-ci est appelé « *sextum inter generales Synodos in Occidentali orbe celebratas* » (AAS LXVI (1974), p. 620)

concile, ce n'est pas un bouleversement de l'Église, ou une rupture avec sa tradition en ce que celle-ci a d'essentiel et de vénérable, mais c'est plutôt un hommage à cette tradition dans l'acte même qui veut la dépouiller de toutes manifestations caduques et défectueuses pour la rendre authentique et féconde », avait déclaré le pape à l'ouverture de la seconde session du concile. Et lui qui, dans un autre discours, avait dit que le concile n'avait été ni transformateur ni radicalement réformateur, mais bien rénovateur, et même, *sur certains points* doctrinaux et pratiques, innovateur, a appliqué particulièrement aux perspectives de la réforme canonique l'affirmation qu'on vient de citer en la reportant dans la constitution *Regimini Ecclesiae universae*[19]. Donc, plus que d'une refonte radicale, il s'agissait d'éliminer quelques rameaux secs ou pourris d'un tronc destiné plus à se développer grâce à des greffes nouvelles qu'à se transformer par des modifications substantielles jugées inutiles et inopportunes.

Etant donné cette orientation, il faut avant toute autre chose, se demander ce que la réforme *n'a pas* innové. On répond : le cadre général dans lequel s'insèrent les nouvelles institutions, cadre qui, au contraire, sort substantiellement renforcé même dans ses contours historiquement variables. Il est alors licite de se demander si le « nouveau » n'a pas fini par être subordonné à la logique du donné théologico-canonique déjà existant, au lieu de jouer le rôle de levain par rapport à l'ensemble des facteurs théologiques et historiques soudés ensemble au cours des siècles.

De cette « nouveauté », le synode est le fait institutionnel le plus important. Il rompt, en effet, avec la praxis, maintenant séculaire, par laquelle, même dans l'Église, était en vigueur le principe des monarchies absolues : le monarque n'accepte dans son conseil que ses « créatures » (ici les cardinaux). En effet, la majorité des membres du synode ne relève pas d'une nomination papale ; on reprend donc, sous une forme nouvelle, la tradition antérieure au concile de Trente qui s'était exprimée dans les grands synodes du Latran.

---

19. Cf. Allocution papale 29-9-1963, AAS LV (1963), p. 851 ; Discours 23-12-1965, dans « enseignements de Paul VI », III, (1965), p. 798 ; Motu proprio « *Regimini Ecclesiae universae* », AAS LIX (1967) p. 887.

A côté de la nouveauté, la limite. Le rôle du Synode est de donner son opinion au pape, non celui de se tourner avec autorité vers l'Église pour exprimer le jugement de l'épiscopat sur certains problèmes. En effet, les conclusions du Synode sont adressées au pape et lui sont réservées, encore qu'il puisse, s'il le juge bon, décider qu'elles soient rendues publiques. En d'autres termes, le rôle du Synode se borne à concourir au processus de formation de la volonté souveraine du pape. Il est vrai qu'existe la possibilité qu'en des cas particuliers il assume un rôle de décision ; mais le fait qu'il s'agit là de concessions occasionnelles apporte la confirmation que le synode est un organe ordonné au meilleur service de l'autorité personnelle du pape, aussi bien quand celui-ci lui demande un avis que lorsqu'il lui confie une tâche de décision. Compte tenu aussi que le pape, à l'inverse de ce qui a lieu pour le concile, ne fait pas partie du Synode, celui-ci peut bien difficilement être considéré comme une expression de la collégialité épiscopale dans laquelle s'exerce le droit propre du corps des évêques.

Mais on ne pourra donner un jugement sur la portée du Synode qu'après avoir examiné la réforme de la curie romaine. Nous en avons déjà vu les critères : ni bouleversement ni rupture des traditions, mais plutôt reconnaissance et renforcement de celles-ci et émondage des points caducs et défectueux . Ce qui s'est traduit, d'une part, par le maintien du cadre général déjà existant — substantiellement celui né de la réforme de Pie X — et, d'autre part, par une série d'interventions novatrices, à un double niveau : celui de l'adaptation des formes existantes et celui de l'adjonction de nouvelles institutions.

1. *La modification des formes existantes*

Il n'est pas possible ici d'analyser longuement les caractères de la curie fixés par la réforme de Pie X. Je rappelle seulement que l'intervention du pape Sarto ne venait pas de l'intention de réformer la curie sur la base de principes théologiques différents de ceux sur lesquels elle s'était construite à l'époque postridentine, mais bien de l'ajuster sur la base de critères de rationalité bureaucratique, puisés dans les modèles des administrations étatiques modernes et dans les principes actuels de la science administrative, en vue d'obtenir une architecture plus claire, mieux répartie et un instrument plus efficace [20]. Cette intention de rationalisation bureaucratique, satisfaite seulement en partie par la réforme de Pie X, inspire encore certains aspects de la réforme de Paul VI [21].

Mais cette dernière sous-entend aussi quelques principes théologiques. Je ne me réfère pas d'abord à l'insertion des évêques résidentiels dans les congrégations. Sur cette disposition ont certainement influé le développement donné par le concile à la théologie de l'épiscopat et la considération accrue qu'a reçu le rôle des évêques dans le gouvernement de l'Église. Mais si le principe est important, les modalités restrictives de sa réalisation ont fini par le rendre de peu ou de nul poids sur le plan pratique, si bien que ce n'est certainement pas dans cette innovation que se trouve le cœur de la réforme de Paul VI.

A mon avis, le point névralgique de la réforme se trouve, au contraire, dans certaines modifications qui n'avaient pas été demandées par le concile et qui expriment l'intention propre de Paul VI. Il s'agit des normes sur le caractère temporaire des charges, sur le retrait des préfets de congrégations à la mort du pape, sur l'exclusion du droit à la promotion et sur la limite d'âge imposée à tous les membres de la curie, cardinaux compris, et même, en premier lieu, aux cardinaux, nonobstant la formule d'exhortation par laquelle on introduit le principe des démissions au terme de la 75me année [22].

---

20. Sur la réforme de Pie XI, ainsi que sur celle de Paul VI, Cf. des observations intéressantes dans deux articles de J. SANCHEZ Y SANCHEZ, « La Constitution apostolique Regimini ecclesiae universae, six ans après », dans : *L'Année canonique* 20 (1976), pp. 33-66, et de G. ALBERIGO, servir la communion des Églises, dans *Concilium* 1979, 7, pp. 39-68.

21. L'aspect principal de rationalisation bureaucratique est constitué par l'attribution au tribunal de la Signature apostolique de la mission de régler les conflits de compétence entre les congrégations auquel fait « pendant » sur le plan administratif et dans le but de prévenir ces conflits, la nouvelle institution des réunions mixtes entre responsables de congrégations différentes (canons 13-18 et 107 de « Régimini Ecclesiae universae ».

22. Les normes relatives aux charges suprêmes dans la curie romaine sont concentrées dans les canons 1 et 2 du Motu proprio. « *Ingravescentem aetatem* » (démission des charges de direction à 75 ans et exclusion du conclave et des congrégations à 80 ans pour les cardinaux) et dans le canon 2 et 5 du M.P. « *Regimini Ecclesiae universae* » (Limite des charges à 5 ans et retrait à la mort du pontife).

Ces normes, en dehors de quelques cercles directement
intéressés, ont été accueillies favorablement, comme une
contribution décisive au dépassement du «carriérisme» et de
l'immobilisme de la curie. Mais je ne crois pas qu'elles aient
atteint toute leur portée dans ce domaine pratique. A mon avis, il
faut se référer à l'importance qu'ont les règles relatives à
l'acquisition d'un office (par héritage, par désignation d'un corps,
par grâce du souverain...) et à la cessation de celui-ci (obligation
de démissionner, cessation pour raison d'âge, caractère temporaire, ou bien inamovibilité, durée à vie, liberté de démission...),
à leur importance, disais-je, pour établir les rapports entre le
détenteur d'une autorité suprême et ses collaborateurs, et donc
pour déterminer le rôle (politique ou seulement bureaucratique)
de ces derniers.

Max Weber, par exemple, a indiqué, dans la liberté de donner
sa démission, le critère qui distingue l'«homme politique» du
«bureaucrate». Au premier, s'il n'est pas d'accord avec le
souverain, est reconnu le droit et le devoir de manifester son
dissentiment en donnant sa démission, et de sauvegarder ainsi
son rôle qui n'est pas purement d'exécution ; au second, au
contraire, ce droit n'est pas reconnu, parce que, de par sa
fonction, peu importe qu'il soit ou non d'accord avec le
souverain. De ce point de vue, déjà selon le Codex juris canonici,
l'unique personne qui peut librement donner sa démission est le
pape, tandis que pour tout autre titulaire d'une charge, y compris
les cardinaux, il faut l'acceptation du supérieur qui a conféré la
charge.

Les parallèles entre les institutions civiles et les institutions
ecclésiastiques exigent toujours d'être établis avec précaution.
En tout cas, je n'ai certainement pas l'intention de dire que le
collège des cardinaux a été réduit à un rôle simplement
bureaucratique et exécutif. Il conserve, entre autres, le droit
d'élire le pape, et, au plan de la conduite habituelle du
gouvernement ecclésiastique, les cardinaux préfets des congrégations conservent une large marge de libre décision. Mais il est
indubitable que la réforme a provoqué une *deminutio* du statut
institutionnel des cardinaux. Avant la réforme — tout en
n'accédant aux charges qu'en vertu de la volonté souveraine — ils
étaient inamovibles et conservaient à vie les droits inhérents à

leur état. Aujourd'hui, ils sont soumis, comme tous les autres titulaires d'un haut office de la curie, au principe des charges temporaires, à l'obligation de démissionner, et, de plus, à la différence des autres, à celle de sortir de charge (sauf quelques exceptions) à la mort du pape. La chute de niveau de la charge cardinalice est évidente. Désormais, non seulement l'accès, mais aussi la permanence dans la fonction et dans les charges dépendent de la volonté du pape, exprimée « ope legis » ou moyennant un acte particulier. Ce fait est rendu encore plus clair par la place prise par la Secrétairerie d'État : la réforme lui assigne le rôle de clé de voûte de tout l'organisme curial. [23] et la distingue des autres organismes de la curie par sa collaboration *directe* avec le pape [24]. Ce qui signifie que les congrégations — dont le pape ne fait désormais plus partie — ne collaborent pas directement avec le pape, mais par l'intermédiaire et sous le contrôle de la Secrétairerie d'État. Autre signe de la chute de niveau des cardinaux, si on tient compte que, dans un système monarchique, ce qui assure le poids politique, c'est l'accès immédiat au monarque.

La diminution de la signification politique des cardinaux se joint toutefois au fait qu'ils continuent d'être *tout* dans la curie. Ce qui veut dire, en dernière analyse, que la curie aussi a cessé d'être, dans une certaine mesure, un contre-poids institutionnel à l'autorité personnelle du pape. Il est hors de discussion que l'autorité du pape n'est pas despotique. Elle se situe dans un cadre théologique et canonique dont les éléments fondamentaux doivent être respectés, mais, à la différence des siècles passés, cette situation de l'autorité papale n'a plus aucune expression institutionnelle, pas même celle formée par un collège cardinalice soustrait, au moins dans une certaine mesure, aux limites d'une

---

23. La chose est évidente à condition de remarquer le classement très divers des canons relatifs à la secrétairerie d'Etat dans le code de droit canonique (can. 263, parmi les offices, comme avant-dernier canon de tout le chapitre IV) et dans « Regimini Ecclesiae universae » (can. 19-25 situés dans la Section II, en même temps que le Conseil pour les affaires publiques, en dehors et avant les congrégations, auquel est consacrée la Section III.

24. « *Secretaria status seu papalis... munus obtinet proxime iuvandi Summum Pontificem, tum in cura universae Ecclesiae, tum in rationibus cum Discasteriis romanae curiae* ») can. 19,1 de « *Regimini Ecclesiae universae* »

fonction seulement bureaucratique. La Secrétairie d'État ne peut pas constituer un contre-poids institutionnel, du moment qu'elle n'a pas une signification autonome par rapport au pape. La Secrétairie d'État est complètement « ad nutum pontificis ». Ce qui correspond à un rôle fiduciaire qui offre de grandes possibilités d'influence sur le gouvernement de l'Église et justifie la situation de la Secrétairie comme centre coordinateur de toute la curie. Mais justement, à cause de cela, exclut qu'elle ait un poids institutionnel autonome par rapport à l'autorité du pape.

Je n'entends pas exalter la fonction théologique du collège des cardinaux. Le concile a montré dans le corps épiscopal le terme institutionnel, relevant du droit divin, avec lequel l'autorité du pape doit entrer en relation et se maintenir en équilibre. Mais on ne peut pas dire que le synode des évêques, dans son organisation actuelle, représente un facteur d'équilibre institutionnel. On reviendra sur ce point plus loin.

2. La « nouvelle curie ».

Par ce terme, je me réfère à cet ensemble de nouveaux organismes dont les plus représentatifs sont les trois Secrétariats. Ce n'est pas une pure coïncidence si Paul VI qui, dans « Ecclesiam suam », a désigné le « dialogue » avec les églises, avec les autres religions et avec le monde comme étant le programme de son pontificat, a voulu se munir d'instruments adaptés. Le dialogue et la rencontre avec les autres églises et avec le monde sont, en effet, inscrits dans la finalité et les normes d'action de ces nouveaux organismes [25]. La curie n'est plus seulement un service interne de l'Église ou un service pour les relations avec les gouvernements civils, mais elle devient un instrument pour une action programmée élargie aux rapports avec les autres religions et avec toute la société civile. Par là se manifeste, me semble-t-il, l'idée proposée au concile et reprise par Paul VI dans « Ecclesiam suam » de l'« Ecclesia ad extra » qui reçoit une certaine traduction au niveau de l'organisation. La « nouvelle curie »

_____

25. Le « dialogue » et la rencontre avec les non catholiques sont insérés dans les finalités institutionnelles des Conseils par les canons 93, 99, 102 de « _Regimini Ecclesiae universae_ ».

représente donc une nouveauté significative par rapport aux finalités traditionnelles des offices de la curie, mais elle est seulement jointe à « l'ancienne curie » sans un principe organique de rattachement, qui ne soit pas la suprématie de la Secrétairerie d'État, laquelle ne peut constituer un principe qui ramène à l'unité idéale l'ensemble des organismes curiaux différents par leur nature, leur histoire, leur but [26]. La raison en pourrait être le fait que la réforme n'a pas voulu être une refonte de la curie ni une remise en discussion de ces buts. Dans cette hypothèse, la finalité « pastorale » et « de dialogue » de la « nouvelle curie » n'aurait pas pu ne pas réagir sur la façon de se situer des autres organismes. Avoir évité le contact entre le vieux et le neuf a permis de maintenir les interventions de réforme dans les limites plutôt étroites où les avait placées Paul VI.

Mais plus que ce facteur qui donne une impression d'inachèvement, il me semble que le manque de connexion idéale et organique entre « l'ancienne » et la « nouvelle » curie est le reflet d'une option encore plus manifeste quand on considère les relations entre la curie, le synode et le pape. Celui-ci ne faisant partie ni du synode, ni de la curie, est dans une situation « d'extériorité » par rapport à l'un et à l'autre qui, par ailleurs, sont sur un pied d'égalité et juxtaposés, mais non coordonnés. Cela, le pape l'a reconnu en parlant du rapport entre le synode et le collège cardinalice [27]. L'unique principe de coordination et de jonction entre ces deux branches indépendantes de l'administra-

---

26. Les rencontres pour concertation entre les chefs des dicastères, prévues par la réforme, sont occasionnelles, et, de toute façon, ne constituent pas un principe structurel qui ramène à l'unité l'ensemble des organismes de la curie.

27. Dans le discours aux cardinaux, en date du 30-4-1969, le pape s'exprime ainsi : « votre fonction (d'assistance au pape) ne constitue pas le *« Synodus episcoporum »* ; de même que celui-ci, de son côté, ne remplace pas le Collège cardinalice. Ce sont deux organismes complémentaires... Les fonctions, tant du Synode que du Sacré Collège, sont, en soi, consultatives, les unes et les autres unies et subordonnées à l'office suprême du Vicaire du Christ. Mais le Synode manifeste plus directement la collégialité épiscopale autour du successeur de Pierre... Par contre, la fonction consultative du Sacré Collège en tant que tel, souligne surtout la prérogative mentionnée du Vicaire du Christ au service de laquelle il se met d'une façon plus directe... Mais cela ne s'oppose pas à ce que, sans préjudice pour la fonction plus particulière du Synode des évêques, le collège cardinalice soit utilisé par le pape dans des fonctions qui présentent des

tion centrale est leur subordination au pape. Ainsi est renforcé le rôle de gouvernement du pape qui a de la sorte plus d'instruments à sa disposition et est donc plus libre dans son action personnelle. Le pape est maintenant au centre d'un système binaire non coordonné (synode d'un côté, curie de l'autre) dont il est lui seul le pivot unifiant et le principe moteur. Ainsi est rabaissé le contrepoids traditionnel à l'action discrétionnaire du pape, contrepoids représenté par la curie, mais celui, potentiel, du synode est exclu soit par la juxtaposition de la nouvelle curie, soit par sa fonction étroitement auxiliaire de l'action personnelle du pape. L'actuelle organisation, où l'action discrétionnaire du pape semble être l'unique principe structurel, porte à ses ultimes conséquences un processus séculaire d'affirmation de la « liberté » du pape.

Cette conclusion, qui se place strictement sur un plan institutionnellement statique, ne signifie pas que les innovations post-conciliaires concentrent exclusivement sur la « liberté » du pape leurs virtualités. Sur le plan des dynamismes vitaux, le synode des évêques représente un instrument efficace pour faire arriver jusqu'au pape la voix des églises, et donc permettre une diversification du point de vue de l'Église sur les différents problèmes ; ce qui, autrement, serait impossible. A son tour, le collège cardinalice, en vertu de la Constitution apostolique « *Romano Pontifici eligendo* », a expérimenté par deux fois, au cours de la même année 1978, une nouvelle forme de direction collégiale de l'Église, évidemment de type extraordinaire, durant les deux vacances du Siège apostolique[28]. On peut penser qu'en

---

coïncidences « *ratione materiae* » et des analogies avec celle du Synode, étant donné la diversité de fondement des deux organismes » (Cf. Enseignements de Paul VI, VII (1969), pp. 267-268.).

Le dualisme ainsi dessiné se reflète exactement dans le projet du Code de droit canonique, au Can. 56 : « 1. *in eius munere supremi Ecclesiae pastoris exercendo Romano Pontifici auxilio sunt Episcopi omnes, in specie quidem Synodus episcoporum cuius est aptiores quibus universae Ecclesiae necessitatibus prospiciatur rationes inquirere atque de iisdem optata exprimere. 2. Supremo Pastori peculiari modo adsunt Patres cardinales, quorum est operam studiumque conferre ut quae secundum temporis adiuncta ad commune Ecclesiae bonum magis congruae et opportunae appareant rationes revera ad rem deduci possint* ».

28. La constitution apostolique « *Romano Pontifice eligendo* » confirme soit le principe que, « *sede vacante* », le gouvernement de l'Église revient, dans certaines

de telles occasions le collège a repris conscience de sa dimension
d'organe de gouvernement collégial de l'Église, et ce n'est pas
par hasard que le Pape Jean-Paul II a convoqué dans les premiers
jours de novembre 1979 le consistoire pour discuter l'ensemble
des problèmes du gouvernement de l'Église. Se dessine-t-il ainsi
une praxis de direction collégiale au moyen du Consistoire?
Certains pensent que oui. Le collège cardinalice serait, entre
autres, avantagé par la stabilité de sa composition par rapport au
synode épiscopal qui renouvelle ses membres à chaque session et
peut difficilement exprimer une ligne de gouvernement, de telle
sorte qu'il pourrait finir par se réduire à un groupe d'étude ayant
compétence propre mais précaire. Quel que soit l'avenir de ces
deux institutions, il me semble que la valeur, même jusqu'à
présent seulement occasionnelle, accordée par Jean-Paul II au
consistoire confirme la conclusion que, dans la phase actuelle,
synode et collège cardinalice se font face et se plaçent dans la
perspective de deux possibles instruments qui alterneraient ; ce
qui serait tout à l'avantage de la « liberté » du pape.

Au terme de ce rapide regard d'ensemble qui a révélé, comme
il était facile de le prévoir, une situation complexe et mouvante,
que peut-on dire au sujet du rapport entre les institutions
canoniques examinées et l'ecclésiologie ? La complexité de la
situation théologique, le caractère nettement provisoire de
l'organisation canonique actuelle doivent inspirer la prudence
quand il s'agit de tirer des conclusions sur les implications
ecclésiologiques des nouvelles institutions. A mon avis, ce qu'on

---

limites (affaires ordinaires et impossibles à différer, questions relatives à
l'élection du pape), au collège des cardinaux, soit le principe « *sede vacante nihil
innovetur* » (can. 1-4, dans AAS LXVII (1975), pp. 612-613. Mais elle introduit
la nouveauté des congrégations préparatoires qui, avant le conclave, doivent
réunir chaque jour tous les cardinaux pour qu'ils soient informés des affaires de
l'Église et puissent soit exprimer leur avis, soit prendre les décisions qui sont de la
compétence du collège (can. 7-13, *ibid.*, pp. 613-616). Bien que cet exercice
collégial du gouvernement soit extraordinaire et limité, son importance
n'échappe à personne dans un moment aussi décisif que celui de la succession au
siège de Pierre et en vue de décider réellement de cette succession. Significatif
d'une prise de conscience de leur rôle est le fait que les cardinaux, en instaurant
une praxis non prévue explicitement dans la constitution apostolique, ont voulu
être informés par les responsables du Vatican sur l'état des affaires ecclésiastiques
générales, au moyen de relations obligatoires durant les congrégations préparatoires.

peut dire, c'est qu'un certain équilibre s'est établi entre la coopération des évêques et la liberté du pape. La première sert surtout de point d'appui à l'«affectus collegialis» et se fie aux dynamismes vitaux ; la seconde est garantie par les mécanismes institutionnels. On peut se demander si le point d'équilibre peut être déplacé, au bénéfice d'une plus grande intégration institutionnelle des évêques dans le gouvernement de l'Église universelle (jusqu'à l'hypothèse d'une direction collégiale permanente). A dessein, je n'entre pas dans le problème théorique, même si je crois qu'il existe un écart entre la richesse du donné du magistère, soit du Concile, soit de Paul VI, et la traduction canonique. Je me limite à rappeler une exigence. Pour donner une réponse à la question théorique, il faut résoudre la difficulté théologique de la nature du ministère de primauté, liée, finalement, à l'idée du «papa solus» qui, par fidélité à la nature spécifique du charisme papal, soustrait ce ministère à tout contrepoids institutionnel. Le ministère du pape doit être «libre», mais il est inséré dans un cadre constitutionnel dans lequel se situe aussi le droit divin de l'épiscopat à gouverner l'Église. Cadre qui impose des normes objectives de comportement et à l'intérieur duquel est comprise la «plénitude» du pouvoir papal. Le point en discussion est de savoir si le rapport entre le pape et les autres facteurs de l'ordre constitutionnel doit n'être confié qu'à la discrétion du pape, et, en dernière analyse, à la conscience du pape, ou s'il doit prendre aussi une forme institutionnelle dans une synergie qui à la fois respecte la liberté du pape et ne rend pas vain le droit du corps épiscopal. Il va de soi, me semble-t-il, que, même admise la légitimité théorique, la traduction pratique ne suit pas immédiatement, et d'autant moins que les formes de la direction collégiales sont déjà fixées. Les temps et les modes dépendent aussi d'un jugement prudentiel et pastoral, en vue de l'utilité concrète dans les circonstances actuelles de la vie de l'Église. Et je crois que la réflexion des spécialistes devrait aussi se concentrer aujourd'hui sur cet aspect pratique et pastoral.

IV. Synodes et conseils pour le gouvernement des églises
    locales

L'autre nouveauté considérable de l'après-concile a été
l'impulsion donnée aux structures de participation dans le
gouvernement des églises locales. Une idée théologique — bien
que ce ne soit pas l'unique facteur — a appuyé la reprise, sous des
formes différentes, de la pratique synodale, et en a reçu, à son
tour, une nouvelle vigueur et un nouvel approfondissement.
Cette idée, c'est celle de la conciliarité essentielle de l'Église.
Avoir retrouvé la dimension synodale de l'Église est déjà
quelque chose de très important en soi, mais il est possible de
pousser plus à fond la réflexion sur les finalités spécifiques du
renouveau synodal[29].

Mais je crois opportun de porter l'attention sur la nouveauté
structurelle la plus importante qui fait fonction de papier de
tournesol à l'égard des questions théologiques : les statuts
synodaux de l'après-concile qui ont voulu intégrer les fidèles dans
le processus synodal à un degré et d'une façon plus large que ce
que prévoyait le Code de 1917. Même si l'exhortation du Concile
à la reprise de la vie synodale ne le prévoyait pas (cf. *Christus
Dominus,* nᵒ 36), il ne s'agit pas d'autre chose que d'une tentative
de traduire dans la pratique une conception bien dans l'esprit du
Concile, c'est-à-dire qu'existe entre tous les fidèles une véritable
égalité en dignité et pour mener une action commune en vue de
l'édification du Corps du Christ, même si certains, de par la
volonté du Seigneur, sont constitués docteurs, dispensateurs des
mystères et pasteurs pour le bien des autres (cf. *Lumen gentium,,*
nᵒ 32). La responsabilité commune revêt la forme juridique d'un
débat commun et d'une commune consultation, et même d'une

---

29. Legrand, par exemple, l'a indiqué comme une grande possibilité pour les
églises de s'incarner dans leur contexte socio-culturel et de se constituer comme
sujets effectifs dans la vie de la catholicité, ainsi que pour traduire dans la
pratique l'idée de la commune responsabilité de tous les fidèles et pour
redécouvrir la spécificité du ministère ordonné, en particulier de celui de
l'épiscopat. (Cf. H.-M. Legrand, Synodes et conseils de l'après-concile. Quelques enjeux ecclésiologiques, dans la Nouvelle revue théologique, 1976,
pp. 193-216.)

délibération commune, où la fonction et la responsabilité personnelle de l'évêque ne sont pas annulées, mais se combinent avec celles des autres membres de la communauté [30].

Toutefois, les documents présentent quelques différences non négligeables quand il s'agit d'établir soit les modalités d'accès au synode — d'une façon ou d'une autre, tous les règlements synodaux prévoient l'élection et la prépondérance des délégués élus par rapport à ceux qui sont nommés — soit surtout, les modalités de participation au processus de décision. Ce sont ces dernières qui servent de ligne de partage entre les deux tendances : pour l'une, seul l'évêque a le pouvoir de décision et les autres membres n'ont que voix consultative ; pour l'autre, le processus de décision se déroule suivant un mécanisme qui équilibre le droit spécifique de l'évêque et celui des autres membres du synode.

Le problème prend toute son importance quand il s'agit d'un synode qui a un pouvoir législatif réel, et n'est pas seulement un « forum » ecclésial de dialogue et de confrontation, comme cela a été le cas du synode de l'Allemagne fédérale et des synodes diocésains suisses [31].

Le statut de base de ces derniers a établi que les décisions synodales acquièrent une valeur légale moyennant l'approbation de l'assemblée plénière (à la majorité des deux tiers) et le consentement de l'évêque. Si celui-ci n'a pas l'intention de donner son consentement, il doit motiver son refus, et, à partir de là, une commission, nommée par l'assemblée, prépare un autre texte auquel puisse adhérer soit l'assemblée synodale soit l'évêque, et elle le présente à l'assemblée. Mais celle-ci peut adresser ses recommandations aux instances supra-diocésaines, même si l'évêque ne les accepte pas ou n'approuve pas la façon de procéder de l'assemblée.

---

30. Un panorama des Synodes de l'Europe centrale est présenté par W. AYAMAN : *Las corrientes sinodales en Centro Europa despuès del Concilio Vaticano II* dans : AA.VV., *Il concilio di Braga y la función de la legislación particular en la Iglesia*, Salamanque 1975, pp. 425-447.

31. La structure et le fonctionnement du Synode allemand sont mis en lumière par A. NEES, *Die erste gemeinsame Synode der Bistümer in der Bundesrepublik Deutschland* (1971-1975), Paderborn, 1978. Un intéressant regard rétrospectif est présenté par le secrétaire du Synode, K. FORESTER, « Synodale mit Verrantxortung in der Bewährung », dans : *Stimmen der Zeit*, 1976, 2, pp. 75-93.

A l'inverse, le règlement du synode allemand prévoyait que la conférence épiscopale pouvait empêcher par un « veto » motivé, pour des raisons touchant la foi ou la morale, le vote en assemblée d'une proposition synodale. Ce qui n'empêche pas que la proposition soit reprise par une commission spéciale pour une nouvelle formulation du texte. Si les évêques font opposition pour divers motifs — par exemple, si la proposition en question est contraire à la législation épiscopale en vigueur — l'assemblée peut approuver quand même le projet, mais celui-ci aura seulement valeur de « vœu » et non efficacité de loi.

Le principe de la pure « consultativité » des membres non épiscopaux du synode — qui a été adopté aussi par quelques synodes — est surtout prévu comme règle générale pour les synodes futurs dont traitera le nouveau Code de droit canonique [32]. Qu'il s'agisse là, non d'un choix particulier de ceux qui sont préposés à la révision du Code, mais d'un critère adopté par les responsables romains pour la régulation des matières touchant les rapports entre l'évêque et ses fidèles, cela est confirmé par le canon 77,1 du projet de la *Lex fundamentalis* de juin 1976. Celui-ci exclut les laïcs de la participation au pouvoir législatif, et son but déclaré, comme il résulte de la discussion survenue au sein de la commission (cf. *Communicationes IX*, 1977, pp. 285-287), est celui de stopper la mise en place de « synodes mixtes » du type de celui expérimenté en Allemagne fédérale. D'ailleurs, même les conseils diocésains n'ont qu'une fonction consultative (et seulement dans certains cas, pour le conseil presbytéral, délibérative) [33]. Il semble donc aussi que le principe établi par le Can. 362 du Code de droit canonique conservera pour l'avenir le rôle de principe suprême régulateur en la matière.

---

32. Le projet de la réforme du Code prévoit, au can. 193,4, la *possibilité* que des laïcs soient appelés au Concile provincial et au Concile régional, mais seulement avec vote consultatif. Le can. 273, 1 et 2 prévoit, au contraire, qu'au synode diocésain *doivent* participer les représentants élus du Conseil pastoral et que *peuvent* être appelés par l'évêque d'autres laïcs, mais tous avec vote consultatif seulement ; ce qui est répété dans le can. 277 qui réserve à l'évêque la signature des déclarations et des décrets Synodaux.

33. Le projet du Code introduit la séparation entre les conseils (même si les canons 309 et 326 ne parviennent pas à distinguer, si ce n'est verbalement, les finalités des deux) et à réserver au conseil presbytéral la possibilité d'un pouvoir de décision (Cf. can. 314 et 329).

Si telle est la situation canonique — seulement esquissée —, quels sont les principes théologiques impliqués et les problèmes soulevés ?

A mon avis, on ne doit pas, en tout cas, sous-estimer l'importance du principe de la participation des laïcs aux synodes et aux conseils électifs même si l'on pense que l'actuelle floraison synodale aura de la peine à durer au-delà de certaines limites. Nous sommes en face de l'inversion d'un mouvement d'exclusion systématique des laïcs de la responsabilité ecclésiale. Les laïcs ne participent pas au synode par concession épiscopale, car le synode de même que l'église locale, n'est pas une affaire purement épiscopale ou épiscopo-presbytérale à laquelle celui qui n'est pas ministre ordonné n'accèderait donc que par concession et ne jouirait que d'un droit participé, comme s'il n'appartenait pas à l'église locale.

Le synode, comme expression de l'unité du peuple de Dieu, dépasse la dichotomie entre communion dans l'Esprit et structure sociale que H. Dombois a dénoncée. La communion, en laquelle existent égalité et fraternité, n'est plus confinée dans l'intériorité personnelle ou dans la sphère pré-juridique de la vie ecclésiale, et la structure sociale n'est plus dominée par la simple affirmation de pouvoirs, selon un schéma de *« societas perfecta »* où les rapports entre l'autorité et les sujets sont uniquement réglés par le principe de supériorité/subordination.

Mais une autre raison, non moins significative, de portée théologique consiste, à mon avis, dans l'importance qu'a la présence des laïcs dans les instances de décision de l'Église pour les rapports que celle-ci doit entretenir avec le monde. Cette affirmation ne sous-entend pas que le laïc est défini par sa relation au monde ; elle se fonde plutôt sur un donné historique et sur une constatation empirique. Le donné est la coïncidence, pas seulement chronologique, entre la rupture de l'Église avec la société libérale et le rejet de la participation des laïcs aux institutions qui gouvernent l'Église. A cet égard, 1848 est une date décisive : sympathie critique envers l'esprit de son temps et demande de participation des laïcs étaient les deux aspects inséparables de cette tendance qui prit, en Allemagne, le visage du « mouvement synodal » et fut patronnée par un grand esprit comme J.-B. Hirscher, mais qui a circulé largement dans tous les milieux ecclésiastiques européens. Mais, justement, cette année-là et dans les divers épiscopats nationaux qui se succédèrent et à Rome furent prises certaines décisions qui conduiraient en même temps à séparer l'Église et la société civile et à exclure les laïcs de la responsabilité de la conduite de l'Église. Au fait de réserver les fonctions de gouvernement à une classe de fonctionnaires ecclésiastiques — et c'est là le résultat final canonisé dans le Code de 1917 — fait pendant l'organisation du laïcat en structures séparées, de type apostolique et social, tournées vers la christianisation de la société et reliées au corps dirigeant seulement par le devoir d'obéissance.

Il est indéniable que l'actuelle coexistence de trois types de conseils diocésains (le presbytéral, le pastoral et celui pour l'apostolat des laïcs) et leur discipline, selon laquelle la prééminence ne revient pas au conseil pastoral mais au conseil presbytéral qui, lui, est obligatoire et peut, quand cela est nécessaire, recevoir un pouvoir de décision, tout cela manifeste encore l'influence de cette systématisation qui faisait de la séparation entre clergé et laïc le principe fondamental de la structure ecclésiale. Et l'ambiguïté du statut du « Concilium de laicis » romain, qui fait du laïcat un secteur apostolique spécial et non une composante normale des structures de direction de l'église, confirme l'ambiguïté la situation actuelle. Au fond, se révèle aussi l'insuffisance de la distinction entre l'« Ecclesia ad intra » et l'« Ecclesia ad extra », distinction qui se ressent encore de la dichotomie établie au XIXe siècle entre le gouvernement de l'Église (réservé au clergé) et le mouvement social (lieu d'engagement pour les laïcs sous la direction du clergé).

Mais, une fois que se sera consolidée et approfondie la participation des laïcs à la responsabilité de la direction de l'Église, cela entraînera d'un seul coup la modification des rapports internes et des rapports externes de l'Église, comme étant deux réalités qu'on ne peut séparer ni rendre indépendantes l'une de l'autre. L'observation empirique, dont j'ai fait mention au début, est ici une aide. L'expérience de collaboration entre clercs et laïcs confirme que l'engagement dans le monde, s'il ne peut définir théologiquement les seconds, les caractérise toutefois phénoménologiquement — et c'est là, me semble-t-il, le sens du n° 43,2 de Gaudium et spes — ce qui donne un cachet spécifique à leur contribution pour la croissance de la communauté chrétienne.

Si ce sont là quelques-unes des implications historico-pratiques, toutefois le point théologique critique est celui du rapport entre le ministère épiscopal et la participation synodale des laïcs. C'est un problème à ne pas exagérer : les relations entre l'évêque et ses fidèles actifs apostoliquement ne se réduisent certainement pas au binôme « consultation-décision ». Mais on ne peut ignorer l'importance théorique et pratique de la question.

Les réflexions d'un canoniste nous aident à cerner le problème. En affirmant justement que la confession de foi, sur laquelle se fonde l'Église, ne peut être réglée par le principe de la majorité, mais peut l'être par celui du témoignage — et, j'ajouterai, celui de la réception, — E. Corecco soutient que « seul le témoignage de qui est investi d'un ministère lie juridiquement »[34]. Ce qui l'amène à conclure que seul le jugement de l'évêque peut lier, tandis que le rôle des prêtres et des laïcs est seulement celui de s'intégrer dans le processus d'où émergera le jugement de celui qui seul a, en soi et en propre, le ministère dans l'Église locale ; de telle sorte que l'instrument juridique le moins inadéquat pour traduire dans la pratique ce rôle d'intégration des prêtres et des laïcs ne peut être que le vote consultatif.

Le problème ainsi posé, surgit inévitablement la question : l'épiscopat est-il « le » ministère de l'église locale, de telle sorte que la communauté doive être définie à partir de l'évêque et de son autorité ? Ou est-ce un ministère parmi les ministères, le premier des ministères, de telle sorte qu'il y ait une réciprocité dans la définition de l'évêque et de la communauté ? Il n'est pas difficile de deviner que les deux perspectives trouvent des défenseurs, la première surtout, mais pas seulement, parmi les canonistes.[35]

---

34. E. CORECCO, « Sinodalità », dans : «*Nuovo dizionario di teologia*, p. 1493. Du même auteur, « Parlamento ecclesiale o diaconia sinodale dans : *Communio*, 1972, 1, pp. 32-44.
35. Significatif sur ce point est, par exemple, l'article de K. MÖRSDORF, « Das eine Volk Gottes und die Teilhabe der Laien an der Sendung der Kirche dans : *Ecclesia et ius* (Festgabe F.-A. Scheuermann), Munich, 1968, pp. 99-119. La même idée est au fond des interventions de W. Aymans dans la polémique avec K. Forster au sujet du statut du synode allemand.

Les textes de Vatican II offrent de nombreux éléments de jugement, mais pas toujours absolument univoques. *Lumen gentium* situe le ministère épiscopal à l'intérieur de la structure ministérielle de la communauté (cf. 7, 3 et 6 ; 12, 2 ; 18 ; 1, 30) mais les nᵒˢ 25-27 bâtissent l'image du service épiscopal dans l'Église locale en ignorant les relations et la réciprocité entre l'évêque et la communauté. Au contraire, celles-ci — soit dit en passant — sont heureusement mises en relief dans un document conjoint des congrégations pour les évêques et pour les religieux [36].

Le décret «*Apostolicam actuositatem*», en se situant du côté des laïcs, affirme à son tour qu'il «y a dans l'église diversité de ministères mais unité de mission» (n. 2), si bien que «les laïcs tiennent de leur union même avec le Christ Chef le devoir et le droit d'être apôtres (3). Les laïcs ont donc le «jus» et l'«officium» d'exercer les charismes reçus pour l'édification de l'Église, aussi bien dans l'Église que dans le monde, avec la liberté de l'Esprit, et, en même temps, dans la communion avec les frères, spécialement avec les évêques [37]. Ce ne peut donc pas être un exercice «sauvage» des charismes, mais pas non plus une simple fonction auxiliaire par rapport à l'épiscopat. Il y a, à la

---

36. Pour la non-congruence entre les affirmations de *Lumen Gentium*, cf. ACERBI «Due ecclesiologie…, pp. 516-522. (*La Chiesa comunità carismatica e ministeriale*), et pp. 524-526 (examen séparé des «*munera*» épiscopaux). Le document conjoint des congrégations romaines consiste dans les «*Notae directivae pro mutuis relationibus inter episcopos et religiosos in Ecclesia*», du 4 mai 1978 (AAS LXX, 1978, pp. 473-506. Ces notes sont significatives sous divers aspects ; non pas finalement, parce qu'elles unissent intentionnellement les considérations théologiques et les dispositions canonico-pastorales. Et, pour le point qui nous intéresse de près, elles exhortent les évêques à être «*recte conscii de primatu vitae in Spiritu, quae postulat, ut simul sint rectores et membra, patres quidem sed et fratres, fidei magistri at praecipue condiscipuli coram Christo perfectores utique fidelium, sed et veri testes suae ipsorum sanctificationis*» (p. 479).

37. «De la réception des charismes, même les plus simples, résulte pour chacun des croyants le droit et le devoir d'exercer ces dons dans l'Église et dans le monde, pour le bien des hommes et l'édification de l'Église, dans la liberté du Saint-Esprit qui souffle où il veut, de même qu'en communion avec ses frères dans le Christ et très particulièrement avec ses pasteurs. C'est à eux qu'il appartient de porter un jugement sur l'authenticité et le bon usage de ces dons, non pas pour éteindre l'Esprit, mais pour éprouver tout et retenir ce qui est bon» (Apostolicam actuositatem, nᵒ 3).

base de la situation des laïcs, un principe autonome (l'Esprit-Saint), traduit en une forme sociale et juridique (un « ius et officium ») et combiné avec le droit de la communauté et de l'évêque. Ce n'est pas seulement l'évêque qui a un ministère dans l'Église — qui puisse et doive être traduit en terme juridique —; au droit de l'évêque doit correspondre le droit du fidèle, étant sauf en tout le premier, mais sans annuler le second. Au fond, il ne s'agit pas d'un problème de démocratie dans l'Église (même si ce n'est pas une nouveauté et si on peut accepter sans scandale l'échange de modèles juridiques et de techniques d'organisation entre la société ecclésiastique et la société civile) ; mais c'est un problème de reconnaissance des charismes. Il faut donner à chaque charisme la place qui lui revient dans une communauté qui est toute animée par l'Esprit, mais qui a aussi une expression juridique. Les charismes des fidèles ne sont pas seulement des charismes auxiliaires du ministère épiscopal, et l'intervention des laïcs ne peut se réduire à donner une aide à l'évêque pour qu'il remplisse mieux son ministère. Cette idée ne serait acceptable que si on reconnaissait le ministère épiscopal comme le principe unique et seul capable de construire la communauté locale et non comme un ministère spécifique, encore que principal et fondamental. On en conclut que, dans la ligne des principes, on ne peut présenter le vote délibératif comme théologiquement impossible et le vote consultatif comme la traduction adéquate du « status » théologique des laïcs et de leur rapport au ministère épiscopal. L'attribution d'un rôle délibératif aux laïcs est, à mon avis, une réalisation canonique possible et légitime du « ius » des laïcs. C'est un « ius » qui a de bien plus vastes espaces vitaux d'application, et d'autres modes et occasions d'être reconnu dans l'Église. On peut donc comprendre que la reconnaissance d'un rôle délibératif n'est pas une réalisation nécessaire toujours et partout, mais dépend d'un jugement prudentiel qui considère l'utilité pastorale d'un tel instrument canonique dans la situation concrète de l'Église. Le point d'équilibre est à rechercher dans des formes institutionnelles qui ne sont pas encore bien définies et qui ne se bornent pas à l'alternative « délibération » ou « consultation ». Pour cela, il serait utile d'avoir, en plus d'un éclaircissement dans la ligne théorique des rapports entre le ministère épiscopal et les autres ministères de la communauté, une raisonnable liberté d'expérimentation qu'on puisse mener sur une longue période de temps.

V. Les données ecclésiologiques qui ressortent des communautés de base latino-américaines

J'ai laissé pour la fin les communautés de base non parce que je les tiendrais pour les dernières. Je les aurais mises même, en premier, si la complexité du thème ne m'avait retenu.

Les communautés de base ne sont pas un donné homogène, comme le montre la diversité de la terminologie par laquelle ont été désignées ces formations ecclésiastiques qui sont nées, non à partir d'un projet pastoral global proposé par l'autorité et à l'initiative des responsables ecclésiastiques, mais par une initiative spontanée des fidèles. Déjà, employer le terme «communauté de base» comporte un choix, qui n'est pas seulement de terminologie. Évidemment, ne manquent pas les traits communs à toutes les formes de groupes ecclésiaux spontanés qui sont nés en Europe et dans les deux Amériques après le Concile, mais les différences sont si significatives qu'on est contraint de se demander si c'est la même vision ecclésiologique qui est à leur base, surtout en ce qui touche les rapports entre communauté et autorité et entre Église et monde.

Ce qui ne facilite pas ma tâche, qui n'est pas de présenter les spéculations théologiques formulées à partir des communautés de base, ou d'ajouter les miennes, mais de repérer les valeurs ecclésiologiques présentes dans le *donné* des communautés de base. A ce propos, il sera utile de se souvenir de la distinction entre le contexte idéal et pratique, d'où les communautés de base sont sorties, et le contexte dans lequel s'est cherchée leur fondation théorique. La possibilité que soient différents le contexte dans lequel une vérité est découverte ou un fait affirmé et le contexte où ceux-ci sont justifiés et fondés théoriquement, cette possibilité vaut pour toute découverte ou réalisation historique, et il faut faire attention, quand elle se vérifie, que les problèmes propres de l'un et de l'autre ne soient superposés.

Ces prémisses posées, on comprend facilement pourquoi j'envisage de limiter mes considérations aux «communautés ecclésiales de base » (CEB) de l'Amérique Latine. Mais il ne s'agit pas seulement d'une délimitation de l'objet. L'histoire de ces dernières années et la confrontation avec les résultats des expériences parallèles faites en Europe et en Amérique du Nord indiquent ces communautés comme un lieu privilégié de réalisation de certaines exigences de la conscience ecclésiale engendrée ou réengendrée par le Concile.

Au risque de généraliser, il me semble pouvoir dire que les communautés spontanées européennes et nord-américaines ont été marquées, en sens divergent, par deux tendances. D'un côté, l'anti-institutionalisme ; d'où certaines qui ont vécu leur expérience comme une contestation à la fois évangélique et politique du fonctionnement de l'Église et de la société en général et ont cherché une nouvelle praxis, valable à la fois pour l'Église et pour la société, de libération de l'homme. D'un autre côté, le « communitarisme » où a prévalu la recherche d'une expression religieuse libre et personnelle, indépendante de la règlementation officielle mais aussi indifférente à un engagement politique militant ; si bien que tout le poids de l'expérience a reposé à l'intérieur des rapports interpersonnels et des activités intra-ecclésiales. Les résultats ont été, d'un côté, la perte de la dimension communautaire au bénéfice d'un engagement politique totalisant ; de l'autre, le repliement sur soi des communautés et leur indifférence par rapport à l'Église locale, non pas en étant contre, mais en dehors.

Les CEB de l'Amérique latine ont, à mon avis, évité ces écueils. Elles ont pris à la fois les deux engagements : réaliser une vie de « communauté » et réaliser une vie avec les pauvres. Je n'entends pas présenter une image idyllique. Il s'agit d'une harmonisation sujette à tensions, dans un équilibre à reconstruire sans cesse. Mais compte tenu de cela, il me semble que les CEB ont su maintenir en une unité dialectique la vie communautaire, le partage de vie avec les pauvres, le service de la libération en ce qui touche le monde. Cela vient, à mon avis, des origines des CEB. Elles sont nées de la préoccupation d'évangéliser des baptisés privés de la Parole de Dieu, de la vie sacramentelle et des rapports communautaires entre eux, sans possibilité d'annoncer au monde l'Évangile et d'exercer la mission chrétienne. Mais le fait que les CEB aient apparu dans un milieu de déshérités sociaux, où la marginalisation était aussi bien religieuse qu'humaine, cela a eu pour conséquence que l'engagement d'évangélisation est né dans une union indissoluble avec la conscience de devoir s'intéresser à la réalité globale de l'homme, en conduisant les chrétiens à un engagement de solidarité avec les plus pauvres et de libération.

D'où les ccaractéristiques des CEB. Elles ne sont pas des réalités anti-institutionnelles, mais elles ne se trouvent pas non plus aux avant-postes des structures traditionnelles ; elles valorisent les rapports interpersonnels et la responsabilité des individus, mais sans narcissime communautaire. Elles placent au premier plan l'engagement d'évangéliser, sans que ce soit aux dépens de l'engagement dans la promotion humaine.

Et quelles sont alors les implications théologiques des CEB ? Il me semble utile de se reporter à la description présentée par la conférence de Medellin : « la possibilité de vivre la communion à laquelle il est appelé, le chrétien doit la trouver dans sa « communauté de base », c'est-à-dire dans une communauté locale, ou de son milieu, qui corresponde à la réalité d'un groupe homogène et qui ait une dimension permettant à chacun de ses membres de traiter avec les autres d'une façon personnelle et fraternelle. Donc, l'effort pastoral de l'Église doit viser à la transformation de ces communautés en « famille de Dieu », en commençant par se rendre présente en elle comme ferment grâce à un noyau, même petit, qui constitue une communauté de foi, d'espérance et de charité. La communauté ecclésiale de base est donc le noyau ecclésial premier et fondamental qui, à son niveau, doit se rendre responsable de la richesse et de la diffusion de la foi, ainsi que du culte qui en est l'expression. Elle est donc la cellule initiale de la structure ecclésiale et le point focal de l'évangélisation, ainsi que, actuellement, facteur essentiel de promotion humaine et de développement. L'élément capital pour l'existence des communautés chrétiennes de bases, c'est d'avoir des *leaders* et dirigeants. Ceux-ci peuvent être des prêtres, des diacres, des religieux, des religieuses ou des laïcs. Il est souhaitable qu'ils appartiennent à la communauté qu'ils animent (Past. d'ins. nn. 10-11).

Ce qui ressort, en premier, c'est un *nouvel équilibre institutionnel*. L'idée que les CEB sont la cellule initiale de la structure ecclésiale renverse la vision ecclésiologique pyramidale. A l'idée d'une Église construite d'en haut se substitut l'idée d'une église qui naît de la base, grâce à l'insertion du dynamisme de la foi dans les dynamismes sociaux opérant dans un lieu ou un milieu. Lui est étroitement jointe une *nouvelle idée de la communauté ecclésiale* : l'église dans son noyau fondamental apparaît faite d'hommes et par les hommes ; formée à partir de groupes humains naturels et avec des « leaders » qui sortent de son sein, la CEB compte plus sur la vitalité de ses membres que sur la solidité des structures ; ce qu'on affirme alors, c'est le rôle créatif des personnes dans les rapports avec les autres membres et avec l'extérieur, et la commune prise en main des responsabilités. Concevoir une réalité de ce genre comme le centre focal de l'évangélisation et confier à sa responsabilité l'action missionnaire et le culte, cela signifie accepter une décentralisation pastorale, où le rôle de l'autorité épiscopale n'est pas celle de concentrer en soi la responsabilité et de projeter sur l'église locale son impulsion pastorale personnelle, mais est celle de dicerner avec autorité et d'intégrer ce qu'elle trouve constitué à la base. En troisième lieu, ressort le *primat de la mission évangélisatrice.* Ce qui signifie une identité ecclésiale déclarée et non pas ambiguë, mais également mettre l'Évangile comme instance critique dans l'Église, ce qui justifie le refus d'une présence de l'Église comme corps constitué et socialement dominant, d'une praxis sacramentelle et pastorale bureaucratisée, d'une adhésion non critique à la religiosité populaire. De plus, les CEB rendent explicite la *relativité des ministères* (même ceux ordonnés) par rapport à la communauté. Le centre de gravité est placé dans la communauté, laquelle doit, comme telle, rendre, dans la commune prise en main des responsabilités, un témoignage évangélique par la proclamation de la Bonne Nouvelle et le service. Les ministères non ordonnés correspondent à un ascendant et à un rôle reconnus par la communauté, et, de son côté, le ministère ordonné est appelé à coordonner sa fonction avec les fonctions des « leaders » naturels et avec la prise de responsabilité de la part de tous les membres. Ce qui n'aboutit pas à nier la nécessité du ministère ordonné, mais seulement son caractère absolu et sa tendance à tout embrasser. Plus largement encore, c'est tout ce qui regarde la structure ecclésiastique qui est relativisé. L'institution est nécessaire, mais elle ne peut répondre à toutes les nécessités de l'Église. A leur tour, les CEB sont aussi une réalité relative, parce que, à elles seules, elle ne peuvent réaliser toutes les tâches de l'Église, qui doit aussi conserver son unité et son identité fondamentale dans la foi et dans la constitution.

La réciprocité entre les CEB et l'institution ecclésiastique trouve son lieu d'expression dans le *caractère essentiellement local* des CEB. Dire « local » signifie souligner la valeur théologique des CEB comme « église dans un lieu ». Elles ne sont pas des réalités supra ou extra locales, comme les mouvements. Même si elles ne s'intègrent pas dans les structures pastorales territoriales (les paroisses), les CEB se mettent, cependant, explicitement en relation avec la structure épiscopale présente dans le territoire où elles existent. Mais le caractère de « local » exige aussi que les CEB ne soient pas une réalité indifférenciée ; de par leur milieu, elles assument une spécificité qui, d'un côté, les rend non exportables sous tous les cieux, comme une panacée universelle, mais, de l'autre, fait que le pluralisme des réalisations ecclésiales n'est plus seulement un principe théologique, mais est étayé par une réalisation concrète.

Le caractère de « local » nous conduit à la dernière (mais pas la moindre) des connotations ecclésiologiques des CEB : leur *incarnation dans le monde*. La déclaration de Medellin part du rapport nécessaire entre la « communion », à laquelle est appelé le chrétien, et les formations sociales naturelles dans lesquelles il est inséré. L'Église apparaît alors non comme autre que le monde, mais comme le « mundus reconciliatus ». Au travers du rapport essentiel entre les « communautés de base » et les « communautés ecclésiales de base » passent, comme un fleuve impétueux, toutes les tensions idéologiques et pratiques provoquées par l'impact de l'Église sur l'histoire et qui ont trouvé une expression dans la « théologie de la libération ».

Toutefois, je n'ai pas l'intention de m'engager dans des questions sur le rôle des CEB selon cette théologie, et, pas davantage de m'arrêter sur les problèmes, d'ailleurs soulevés ces dernières années, à savoir : si les CEB sont « église » ou seulement « moments d'église », et si l'idée d'une réinvention de l'église est légitime. Ce sont là des problèmes qui sont loin d'être dépourvus d'intérêt, mais qui, à mon avis, entraînent le déplacement des CEB dans un contexte qui n'est pas le leur - constitué par des affirmations relatives à la nature de l'Église, à sa fondation par le Christ, à ses rapports avec le monde. Mais le déplacement serait justifié par l'intention de fonder théoriquement les CEB à l'intérieur d'une théorie générale sur l'Église. Toutefois, là, sans nier la légitimité d'une telle entreprise, nous sommes en dehors de la mission de cet exposé, et nous entrons dans un domaine où le lien entre les CEB et les affirmations théologiques est établi surtout à partir d'une intention d'ecclésiologie générale [38].

IV. CONCLUSION

Je ne crois pas qu'il y ait lieu d'harmoniser les donnés ecclésiologiques résultant des analyses pour construire une (ou plusieurs) images d'église servant de base aux institutions conciliaires. Qu'il suffise de se rappeler les deux pôles autour desquels se sont regroupées les expériences et les tensions de ces dernières années : les rapports entre l'église universelle et les églises locales, et, plus spécifiquement, entre la papauté et l'épiscopat ; et les rapports entre laïcs et clercs dans le ministère ecclésial et dans le service du monde.

Pour aucun, il n'a été trouvé de solution institutionnelle qui paraisse définitive, et qu'on veuille bien me permettre de conclure par une opinion personnelle : je ne pense pas qu'on puisse en trouver, si l'on vise à du définitif. En effet, les tensions qui se répercutent dans le droit sont le reflet du caractère sacramentel de l'église. En elle, différemment que dans le Christ, la tension entre les éléments constitutifs est un état qui fait partie de sa constitution. Dans le droit se révèle, peut-être mieux que partout ailleurs, l'historicité du sacrement ecclésial, où le divin n'est jamais exprimé d'une manière adéquate, mais appelle à une plus parfaite manifestation, dans un processus qui ne connaît ni sommet dont on ne puisse descendre ni synthèse définitive, mais

---

38. C'est le cas du livre de L. BOFF, *Ecclesiogenesi,* Rome, 1978.

seulement une tension vers la plénitude du Royaume. « L'Église pérégrinante, dans ses sacrements et ses institutions qui appartiennent à ce monde, porte la figure de ce siècle qui passe » (*Lumen gentium,* nº 48). Seule cette prise de conscience peut nous faire affronter, avec le réalisme de la foi, les problèmes que mettent en lumière l'histoire et la progressive conscience que l'Église acquiert du « mystère ».

Giuseppe ALBERIGO

INSTITUTIONS EXPRIMANT LA COMMUNION ENTRE L'ÉPISCOPAT UNIVERSEL ET L'ÉVÊQUE DE ROME

Dans l'économie du Concile du Vatican II est-il possible de proposer, hypothétiquement, la création de lieux institutionnels où se réalise la communion entre l'évêque de Rome et l'épiscopat universel ? L'itinéraire qui conduit à une réponse comporte nécessairement trois étapes : il s'agit d'abord (I.) de délimiter rigoureusement l'argument ; il faut ensuite affronter (II.) quelques-uns des nœuds doctrinaux ; ce qui permettra enfin de formuler (III.) quelques hypothèses institutionnelles correspondant à l'actuelle conscience doctrinale et à la conjoncture historique où se trouve l'Église en cette fin du deuxième millénaire chrétien.

I. DÉLIMITATION DU SUJET

Ce qui caractérise cette problématique et en constitue le centre, c'est la communion ecclésiale et la nature conciliaire de l'unité de l'Église. On a heureusement souvent insisté sur l'importance cruciale de l'indication de Vatican II selon laquelle l'ecclésiologie chrétienne, dans son essence, est une communion. Pour dépasser d'une manière authentique, et non point seulement dialectique ou volontariste, l'ecclésiologie verticale (ou « hiérarchologique »), il faut commencer par rendre toute sa valeur au terme néostestamentaire et traditionnel de « koinonia » dans toutes ses acceptions : de celle relative au rapport de l'homme avec Dieu jusqu'à celle qui concerne les relations de fraternité existant entre les chrétiens et entre les communautés ecclésiales.

1. *Communion entre les églises et collégialité*

Vatican II a été inspiré et a témoigné de cette perspective théologique, même si celle-ci n'a pas toujours pu inspirer complètement les formulations conciliaires. Mais une lecture théologique de l'ecclésiologie de Vatican II ne saurait négliger cette option fondamentale qui a d'ailleurs trouvé des expressions suggestives dans tous les principaux documents conciliaires [1],

---

1. Il manque un inventaire complet des endroits où Vatican II a manifesté la conscience de l'église comme symphonie d'églises. Aussi, quelque observateur pressé a cru devoir indiquer le côté arbitraire des thèses collégiales du chapitre III de LG, justement à cause de l'absence d'une acceptation de la communion entre les églises. En réalité, depuis la constitution liturgique, trouve place dans les décisions conciliaires une image de l'église comme communauté locale culminant dans l'eucharistie qui se réunit et coexiste avec celle, plus habituelle dans l'ecclésiologie catholique, universaliste. Ce qui se produit quand la liturgie est montrée comme le sommet et la source de l'action de l'église (10 a), quand on souligne la spéciale dignité des actes liturgiques des églises particulières (13 b), quand on qualifie l'église comme le peuple saint guidé par les évêques (26 a). Ces propositions atteignent leur point culminant dans celle du n. 41 selon laquelle la manifestation principale de l'église se réalise dans la participation du peuple saint de Dieu aux célébrations liturgiques elles-mêmes. Donc, la constitution liturgique, même en dépassant le monolytisme de l'ecclésiologie universaliste, ne parvenait pas à considérer explicitement l'église universelle comme communion entre les églises. Toutefois, la constitution sur l'église a, à un moment, repris plus fréquemment mais aussi avec incertitude, cette orientation. Mettant en lumière l'œuvre de l'Esprit, la constitution affirme en effet qu'Il unifie l'Église au moyen de la communion et du service ministériel (4), une communion qui a comme sujets les églises particulières (13 c), afin que l'unité de l'église puisse être présentée aussi comme « unité de la communion » (15), dont le principe et le fondement ont été donnés en Pierre (18, qui reprend l'unique passage de Vatican I où était employé le mot « communio »). Dans le chapitre III de LG, on affirme que le corps mystique « est etiam corpus ecclesiarum » (23 b), que l'unique église catholique existe dans les églises locales et en est formée, selon un rapport iconique (« ad imaginem ») dynamique qui renvoie nécessairement à la communion entre les églises (23 a et d). Enfin (26 a), il est répété que dans toutes les communautés locales légitimes se réalise authentiquement l'église du Christ. Mais il est surprenant que le long et tourmenté N. 22, consacré expressément à la doctrine sur le collège des évêques et son chef, ne contienne aucune allusion à la communion entre les églises ni au rapport entre cette communion et le collège épiscopal. En vérité, la commission doctrinale du concile affirmait, à titre d'examen des amendements, que dans le texte avaient été exprimées « indoles et ratio collegialis totius episcopatus duplici ex capite, ex communione interecclesiali iam intiquitus vigente et ex conciliis » (SH XI/3 274-276). Toutefois, le texte définitif a laissé dans l'ombre cette communion qui, au contraire, avait eu dans, une rédaction interlocutoire une formulation intéressante : ... « communionem inter ecclesias ope episcoporum enixe commendat » (SH 22, 61-63).

La référence à la communion entre les églises a été reprise tant dans le décret culminant dans la formule — servant à indiquer l'Église universelle — de «*corpus ecclesiarum*» (LG 23), églises parmi lesquelles s'établit un rapport de sœurs (UR 14)[2].

Par conséquent, si la communauté chrétienne locale est authentiquement église — *pars pro toto* et non pas *pars in toto* — la «grande» Église, la *catholica*, est nécessairement une symphonie fraternelle alimentée et conduite par l'Esprit. Sur cet horizon se situe, en tant qu'expression importante, mais non exhaustive ni première, la fraternité de ceux qui personnifient les communautés parce qu'ils les représentent. C'est ainsi qu'est née, historiquement, l'exigence de participation à la création des nouveaux chefs de communautés (consécration collégiale) ; c'est également de cette manière que sont nées des occasions synodales capables d'assumer des décisions valables pour plusieurs églises, voire même pour toutes les Églises de l'oikouméné.

Cet état de choses constitutif et originel de l'Église est la cause, et par conséquent le critère (*ratio*), de la nature organique de l'épiscopat qui s'est exprimée historiquement d'abord dans le Collège apostolique puis dans le collège épiscopal qui le continue.

L'itinéraire par lequel l'Église est parvenue, à Vatican II, à la revalorisation de la communion collégiale entre les évêques a

---

sur les églises orientales (2) que dans celui sur l'œcuménisme où même le rapport entre les églises locales est qualifié de communion entre sœurs (14 A et 15 a). Par la suite, le décret sur la charge pastorale des évêques reprend la valorisation des églises locales (11 a). Ces thèmes ont été de nouveau affrontés dans le décret sur l'activité missionnaire, tant en ce qui regarde le rapport iconique entre les églises locales et l'église universelle (20 a) que pour la relation de communion qui constitue l'église elle-même (20 h, 22 b et 38 a).

Il est superflu de rappeler que coexiste avec ces traits ecclésiologiques une robuste présence de l'ecclésiologie universaliste qui représente tendancieusement l'église comme une « multitudo fidelium » (LG 23 c), ou, à tout le moins, comme une union de chaque église locale avec le centre.

2. Cf. E. Lanne, « Églises unies ou Églises sœurs : un choix inéluctable », dans *Irenikon* 48 (1975) 322-342 et « Églises sœurs. Implications ecclésiologiques du Tomos Agapis », dans *Istina* 29 (1975) 47-74 ; J. Meyendorff, « Églises sœurs. Implications ecclésiologiques du Tomos Agapis », ivi 35-46. Ce thème peut avoir aussi une dimension intra-catholique, en plus de celle, œcuménique, bien que quelques faits semblent guidés par une perspective différente. Qu'on pense à la demande de la Curie romaine de centraliser les rapports entre les églises européennes et celles d'Amérique latine ou d'Afrique.

passé par l'emphase avec laquelle Vatican I s'est arrêté sur les prérogatives de l'évêque de l'Église de Rome et par le besoin — dérivant de ces définitions — d'un plus ample développement de la doctrine de l'office épiscopal[3]. A cause de cela, Vatican II s'est attaché surtout à équilibrer l'office épiscopal du collège des évêques par rapport à celui du pape ; il se serait probablement épargné nombre de difficultés dans ses travaux s'il avait su situer toute cette problématique plus directement dans le contexte de la communion. Mais il faut aussi reconnaître qu'une partie non négligeable de la théologie catholique a redécouvert, justement à cause de la valorisation de la responsabilité directe de chaque évêque par rapport à l'Église universelle, combien fondamentale est la communion pour l'ecclésiologie. L'engagement solennel par lequel le concile a défini la nature authentiquement sacramentelle de la consécration épiscopale constitue le témoignage le plus évident du passage d'une ecclésiologie essentiellement juridique à une ecclésiologie surtout mystérique, passage qui se joint à cet autre qui, d'une ecclésiologie universaliste, parvient à une conception de l'Église comme communion de communautés sœurs[4].

La doctrine théologique plus attentive avait déjà signalé le lien essentiel qui unit la collégialité épiscopale à l'ecclésiologie de communion et la valeur première de celle-ci sur celle-là[5]. A plus

---

3. Tant dans la documentation de la phase anté-préparatoire de Vatican II qu'au cours des débats conciliaires, quelques membres de l'épiscopat suggérèrent explicitement la création d'organes collégiaux de co-responsabilité entre le pape et le corps épiscopal. On en voit quelque rappel dans V. FAGIOLO, *Il Synodus episcoporum*. Origine, nature, structure, tâches, dans La collegialità episcopale per il futuro della chiesa, Florence, 1969, 13 et 19.

4. La meilleure illustration de cette option est toujours le livre de A. ACERBI, *Due ecclesiologie*. Ecclesiologia giuridica ed ecclesiologia di comunione nella «Lumen gentium», Bologne, 1975. Ratzinger («La collegialità episcopale dal punto di vista teologico», dans *La chiesa del Vaticano II*, Florence, 1975, 745, 747) avait parlé de deux types de théologie de la collégialité en en soulignant la profonde opposition. La déclaration conciliaire sur la sacramentalité de la consécration épiscopale n'a pas encore suscité de recherches capables d'en indiquer les multiples conséquences.

5. Je rappelle, pour tous, l'article de K. RAHNER, «Le rapport entre primauté et épiscopat comme cas particulier du rapport entre église totale et église locale», contenu dans le volume sur *Episcopato e Primato*, publié à Fribourg en 1961 (ed. it. Brescia 1966). Ont eu aussi un poids important J. HAMER, *L'Église est une communion*, Paris, 1962 (ed. it. Brescia 1964) de même que la réédition de l'essai de L. HERTLING, *Communio und Primat*. Kirche und Papsttum in der kirchlichen

forte raison on s'est arrêté sur ce point dans les commentaires et analyses des décisions conciliaires[6]. Il suffira de rappeler, parmi tous, l'essai lucide de J. Ratzinger, écrit en 1965, où est affirmé que le concile a caractérisé l'unité de l'Église au travers du concept de *communio* comme « pluralité des communions locales excluant donc que l'on puisse établir l'unité sur la base de la seule relation avec la 'tête'. Celle-ci exige plutôt la structure ordonnée du Collège comme représentation des églises et de leur communion interne ». Dans la même perspective était affirmée la conciliarité essentielle de l'Église.

Le théologien allemand poursuivait en soulignant la profonde opposition existant entre deux types de théologie de la collégialité : l'une située dans la perspective de l'Église universelle et l'autre dans la perspective de l'église locale, comprise comme église véritable et non point réduite à n'être qu'une « partie » de la première[7].

Quinze ans après, il faut reconnaître qu'il n'y a guère eu de contributions réellement nouvelles qui permettent de progresser théologiquement sur ce nœud ecclésiologique crucial[8]. La

Antike, dans Una Sancta 7 (1962, 91-125) (ed. it. Rome, 1961) et l'essai de T.I. JIMENEZ URRESTI, *El binomio Primado-Episcopado*, Bilbao, 1962.

6. RATZINGER, « La Collégialité... », 733-760, et, du même : « Les implications pastorales de la doctrine de la collégialité des évêques », dans *Concilium 1* (1965) fasc. 1, 33-55. Et aussi T.I. JIMENEZ URRESTI, « Ontologie de la communion et structures collégiales dans l'Église, dans *Concilium 8* (1965), 13-22 ; H.M. LEGRAND, « Nature de l'église particulière et rôle de l'évêque dans l'Église », dans *La charge pastorale des évêques*, Paris, 1969, 103-176, surtout 115-118 ; K. MÖRSDORF, « Die Rolle des Ortsbischofs in dem Zuordnungsverhältnis von Gesamtkirche und Teilkirche », dans *Ortskirche-Weltkirche*. Festgabe für J. Döpfner, Würzburg, 1973, 439-458. Au contraire, W. BERTRAMS laisse de côté quelques connexions entre communion et collégialité, « Die Einheit von Papst und Bischofskollegium in der Ausübung der Hirtengewalt durch den Träger des Petrusamtes », dans *Acta Congressus internationalis de theologia concilii Vaticani II*, Rome, 1968, 60-79. Le commentateur le plus autorisé de *Lumen gentium*, G. PHILIPS (*L'Église et son mystère au II Concile du Vatican*, Paris, 1968, surtout 332-337) met en lumière l'aspect communautaire comme étant une des lignes de force de la Constitution *Lumen gentium*.

7. *La collégialité...* 740-741, où on soutient que Vatican II par le concept de communion caractérise l'unité de l'église comme « pluralité des communions locales » et exclut déjà qu'on puisse établir l'unité sur la base de la seule relation avec la « tête ». Celle-ci exige plutôt la structure ordonnée du collège comme représentation des églises et de leur communion interne.

8. A partir de l'essai de W. AYMANS, « Die Communio ecclesiarum als Gestaltgesetz der einen Kirche, dans *Archiv für katholisches Kirchenrecht 139* (170) 69-90, aux deux volumes de *Comunione interecclesiale-Collegialità-Primato-*

mention suggestive des « églises sœurs » a été reprise plusieurs fois par Paul VI et savamment illustrée par E. Lanne. Des théologiens orthodoxes et protestants ont valorisé la conciliarité comme mode d'être de l'Église, affirmation qui a trouvé son point culminant lors de l'Assemblée du Conseil Œcuménique des Églises à Nairobi[9]. On peut noter également un intérêt renouvelé

Ecumenismo, chez I. D'Ercole et A.M. Stickler, Rome, 1972 jusqu'aux plus récentes contributions de I. BRIA, « La Koinonia comme communauté canonique. Perpectives actuelles », dans *Istina* 20 (1975) 116-126 ; de M.A. FAHEY, « Ecclesial Community as Communion », dans *The Jurist* 31 (1976) 4-23 et de R. KRESS, « The Church as communio : Trinity and incarnation as the Foundation of Ecclesiology », ivi 127-258 et encore à celles de W. AYMANS, « Konzil, Bleibendes und Veränderliches im kirchlichen Synodalwesen », in *Synodale Strukturen der Kirche*. Entwicklung und Probleme, hrsg. W. Brandmüller, Donauwörth, 1977, 187-207 et de J. KRUCINA, « Die Kirche als Gemeinschaft der Gemeinschaften », dans *Collectanea Theologica* 49 (1979, fascicule spécial) 13-30, il s'agit plutôt de soigneuses paraphrases de Vatican II que d'essais d'approfondissement doctrinal. Il semble presque que la théologie catholique éprouve de la réticence et une gêne à prendre le chemin d'une conception différente de celle qui a prévalu dans les derniers siècles et riche de possibilités inexplorées. Ce n'est pas par hasard si le sujet a surtout été traité par des canonistes ou des théologiens intéressés au colloque œcuménique surtout avec les orthodoxes. T.I. JIMENEZ URRESTI, « La doctrina sobre el Colegio episcopal, hoy » (a los diez años del Concilio), dans *Pluralisme et œcuménisme en recherches théologiques*, Paris, 1976, 171-192, partage la substance de ce jugement.

9. L'assemblée mondiale d'Uppsala (1968) a formulé la perspective conciliaire du WCC en lançant l'idée de la « conciliarité ». Par la suite, le thème a été approfondi dans l'assemblée de Louvain (1971) de Faith and Order dans une résolution du 4e Comité : Conciliarité et avenir du mouvement œcuménique (Unité de l'église et unité du genre humain, Bologne, 1972. Qu'on consulte aussi le commentaire de cette résolution par K. RAISER, « Konziliarität, Die Disziplin der Gemeinschaft », in *Zeitschrift für evangelische Ethik* 16 (1972) 371-376, de même que les essais de L. VISCHER, « Die Kirche als konziliare Bewegung », in *Um Einheit und Heil der Menschheit*, ed. R. Nelson-Pannenberg, Francfort, 1973, 235-248 et « Drawn and held together by reconciling power of Christ », dans *Ecumenical Review* 26 (1974), pp. 166-199. Le thème a été repris au colloque de Salamanque (1973) : What Kind of Unity?, Genève, 1974, et, enfin, à l'Assemblée de Nairobi (1975) a été présenté un important rapport de J. DESCHNER sur « L'unità visibile, comunità conciliare » *Il Regno-documenti* 21 (1976), 76-79, dont la substance est reprise dans les conclusions de la 2e Section : Le esigenze dell'unità (ivi. 152-156). Qu'on voie aussi G. LARENTZAKIS, « Die dogmatische Begründung der Synodalität », in *Konziliarität und Kollegialität*, Innsbruck, 1975, 64-69 ; *Ecumenismo in Italia. Conciliarità*, Camandoli, 1978, et G. CONTE-P. RICCA, *Il futuro dell'ecumenismo : un concilio di tutte le chiese?* Turin, 1978 ; *Die konziliare Gemeinschaft*, hrsg. G. Nagy, Francfort, 1978 ; R. MEHL, « L'unité conciliaire de l'Église », dans *Die Einheit der Kirche*. Dimensionen ihrer Heiligkeit, Katholizität und Apostolizität. Festgabe P. Meinhold, hrs. L. Hein, Wiesbaden, 1977, 69-79 ; H.M. BIEDERMANN, « Die Synodalität. Prinzip der Verfassung und Leitung der Orthodoxen Kirchen und

pour la question de la *receptio* et les problèmes connexes [10], mais on n'a pas jusqu'à présent d'étude sur les relations existant entre ces différents éléments et la doctrine relative à la représentation des églises [11].

Ces dernières années, au contraire, se sont vérifiés malheureusement plutôt des signes alarmants de reprises nostalgiques de l'ecclésiologie universaliste, signes dictés plus par des précautions ecclésiastiques que par un renouveau créatif de cette même ecclésiologie universaliste. Je crois même devoir ajouter, à ce propos, que l'ecclésiologie post-conciliaire court le risque de prêter attention presque exclusivement aux aspects « opératifs », c'est-à-dire de politique ecclésiastique, en renonçant à l'effort d'éclaircissement et d'approfondissement conceptuels, comme s'il s'agissait d'un luxe superflu. Pour comprendre l'urgence d'un effort théorique, il suffit de penser à ce qui est arrivé après le concile de Trente dont les indications ecclésiologiques restèrent inapprofondies : ceci permit à R. Bellarmin de construire alors, *ex novo*, une ecclésiologie profondément étrangère à ces indications.

Un fait demeure toutefois certain, c'est que l'élément

Kirche », ivi. 296-314 et W. BEINERT, « Konziliarität der Kirche. Ein Beitrag zur ökumenischen Epistemologie », dans *Catholica* 33 (1979), 81-108.

10. Cf. A. GRILLMEIER, « Konzil und Rezeption », dans *Theologie und Philosophie* 45 (1970) 321-352 ; Y. CONGAR, « La "réception" comme réalité ecclésiologique », dans *Revue des sciences philosophiques et théologiques* 56 (1972) 369-403 ; *Concilium* 7 (1972), W. HRYNIEWICZ, « Die ecclesiale Rezeption in der Sicht der orthodoxen Theologie », dans *Theologie und Glaube* 65 (1975) 242-266 et « The process of reception of truth in the Church : hermeneutic and ecumenical significance », dans *Collectanea theologica* 45/2 (1975) 19-34 ; H. MÜLLER, « Rezeption und Konsens in der Kirche : eine Anfrage an die Kanonistik », dans *Œsterreichisches Archiv für Kirchenrecht* 27 (1976) 3-21 : G. KING, « The acceptance of law by the community : a study in the writings of canonist and theologians 1500-1750 », dans *The jurist* 37 (1977) 233-265 ; F. WOLFINGER, « Die Rezeption theologischer Einsichten und ihre theologische und ökumenische Bedeutung : von der Einsicht zur Verwirklichung », in *Catholica* 31 (1977) 202-233.

11. L'essai de P.C. BORI, *L'idea della comunione nell'ecclesiologia recente e nel Nuovo Testamento*, Brescia, 1972, comme aussi le récent volume de F. HAHN-K. KERTELGE-R. SCHNACKENBURG, *Einheit der Kirche*. Grundlegung im neuen Testament, Fribourg i.B., 1979, portent essentiellement leur attention sur la problématique néo-testamentaire. La monographie de O. SAIER, « Communio », dans *Der Lehre des Zweiten Vatikanischen Konzils,* Munich, 1973, est très insuffisante même par rapport au thème énoncé dans le titre, cf. H.M. LEGRAND, dans *Revue des sciences philosophiques et théologiques* 59 (1975) 708-710.

constitutif de ce rapport est justement la communion dynamique qui unit les églises. C'est presque un pléonasme que de rappeler que le caractère fraternel de cette communion implique une parité qualitative des églises, parité qui ne contredit pourtant pas le rôle *sui generis* qu'en elle joue l'église de Rome, comme d'ailleurs d'autres églises.

2. *Collège épiscopal*

Un second élément est constitué par le collège ou corps épiscopal. Cent ans après Vatican I et après le dépassement définitif du gallicanisme, aucun doute ne subsiste sur le fait (théologique) que de ce collège est membre qualifié l'évêque qui représente l'église de Dieu pérégrinant à Rome. Ainsi ce corps est une personnification (morale) des églises et de leur communion. Le service que ce collège a le mandat d'exercer à l'égard des églises se fonde sur la force sacramentelle de la consécration épiscopale ; son cadre est la communion ecclésiale avec toutes ses caractéristiques et ses exigences propres.

Au cours de l'histoire, cette réalité complexe a trouvé des réalisations spécifiques et diverses selon les régions et les périodes. On assiste en effet à une alternance de formes tendant au plénum et de formes de concentration, voire même de personnalisation ; dans les diverses régions des facteurs surtout non théologiques (culturels, politiques, etc.) ont conduit à préférer telle ou telle forme ou même à en élaborer de nouvelles. La succession des diverses formes a fait courir le risque de retenir, de fois en fois, *l'une* des formes déterminées comme la meilleure et la définitive ; mais cela a aussi permis de mettre en lumière les divers éléments théologiques constitutifs de cette dimension de l'Église.

Quand on discute aujourd'hui, en particulier, de la communion entre l'épiscopat universel et l'évêque de Rome, on se situe précisément en l'un de ces moments déterminés de l'évolution doctrinale et historique de l'Église.

Et cela se ressent jusque dans la formulation de la question puisqu'on utilise une expression dichotomique qui pourrait évoquer un temps désormais dépassé où l'on vivait cette question en termes d'opposition ou de subordination, alors qu'elle est dictée précisément par la volonté d'aller au-delà de tout cela et qu'elle est alimentée par une compréhension plus profonde du mystère de l'Église [12].

3. *Projections institutionnelles*

Un troisième élément est constitué par la recherche de projections institutionnelles dans lesquelles pourrait s'exprimer aujourd'hui la communion entre les églises, communion qui implique un rapport entre le pape et le collège épiscopal. Pour cela il faut se situer sur le terrain particulièrement difficile de la relation entre la substance de la dynamique ecclésiale et ses revêtements institutionnels et, par conséquent, juridiques. C'est non seulement conscient de cette difficulté que je m'aventure dans ce terrain, mais aussi avec la conviction que toute formulation d'hypothèse — comme d'ailleurs les réalisations institutionnelles en cours elles-mêmes — est profondément sujette aux changements historiques d'une part et souffre, d'autre part, d'une insuffisance constitutionnelle à exprimer, d'une manière adéquate, la réalité qu'elle doit servir.

On peut se demander alors s'il existe réellement une place où l'on puisse faire le projet de nouvelles institutions qui expriment la communion entre l'épiscopat universel et l'évêque de Rome. Il est inutile de rappeler que cette communion s'exerce déjà actuellement, tout au moins à l'intérieur de l'aire catholique

---

12. Rarement, au moins dans l'histoire moderne de l'Eglise, la papauté a trouvé, comme ces dernières années, une attention disponible. Beaucoup de facteurs y ont contribué, parmi lesquels émergent l'initiative pour la célébration de Vatican II et le dépassement de la querelle ecclésiologique ouverte par Vatican I au sujet de l'épiscopat. On est donc fondé à estimer que s'est ouverte une conjoncture particulièrement favorable pour une réorganisation du centre de la communion ecclésiale en dehors des modifications polémiques inévitablement déformantes. Il semble donc que l'évêque de Rome soit en mesure de laisser dans l'ombre les garanties juridiques, dont il s'est longtemps couvert et par lesquelles parfois il a été déformé, pour laisser émerger d'une façon directe les valeurs évangéliques connexes au service pétrinien. Dans cette perspective, une sereine reconnaissance que l'office papal connaît des limites supra-juridiques (ou juridiquement imparfaites) de sa propre plénitude venant de la nature communionnelle de l'Église, rappelées aussi récemment par la Commission doctrinale du Conseil Vatican II (cf. *infra*, note 32), prendrait une grande signification.

romaine. Mais si l'on en examine de près les formes, cette conclusion révèle aussi certaines limites. D'un point de vue doctrinal, Vatican II s'est limité à l'affirmation que l'autorité du collège épiscopal dans l'Église universelle « *solemni modo in concilio œcumenico exercetur* » et encore que cette même autorité « *una cum papa exerceri potest ab episcopis in orbe terrarum degentibus, dummodo caput collegii eos ad actionem collegialem vocet, vel saltem episcoporum dispersorum unitam actionem approbet vel libere recipiat, ita ut verus actus collegialis efficiatur* » (LG 22 ; cf. CD 4). De cette manière, on entendait affirmer, comme le précisait la commission conciliaire doctrinale, « un certain parallélisme entre l'acte collégial tel qu'il s'exerce en concile ou en dehors de lui » et rien de plus (SH 456, 388-389). A l'occasion des votes indicatifs du 30 Octobre 1963, les modérateurs du concile avaient déjà rappelé que « les indications pratiques et concrètes pour l'exercice de l'autorité sous sa forme collégiale étaient renvoyées à des précisions théologiques et juridiques ultérieures » (SH 430, 28-29). La *nota explicativa praevia* elle-même, qui s'attache pourtant longuement à cette question, ne s'est préoccupée que des conditions de l'acte collégial de manière à garantir la participation libre et certaine du pape. On peut en conclure qu'à la différence de la collégialité exercée dans les conciles œcuméniques ou généraux, la collégialité du collège dispersé n'a été affirmée qu'en termes généraux, laissant ainsi place à des formes collégiales nouvelles ou renouvelées [13].

Du point de vue concret, il est facile de faire la liste des institutions collégiales qui fonctionnent à l'intérieur de la communion catholique romaine. Il suffit de rappeler le Synode

---

13. Sur ce point, le débat a été particulièrement timide. Déjà, avant Vatican II, on n'allait pas beaucoup de l'avant (F. HOUTART, « Les formes modernes de la collégialité épiscopale », dans *l'Episcopat et l'Église universelle*, Paris, 1962, 497-535, ne formulait aucune hypothèse d'organes collégiaux universels), mais, même après, on est resté habituellement dans des limites bien précises. Voir, par exemple, ONCLIN, « Les évêques et l'Église universelle », dans *La charge pastorale des évêques*, Paris, 1969, 87-101 ; E.L. DORIGA, *Ierarquia, infallibilidad y comunion intereclesial,* Barcelone, 1973 ; E. SZTAFROWSKI, *Kolegialne Dzialanie Biskupow na tle Vaticanum II*, Varsovie, 1975, et, enfin, J.H. PROVOST, « Structuring the Church as a Communio », dans *The Jurist* 36 (1976) 191-245.

des évêques, l'Assemblée cardinalice de novembre 1979, la participation d'évêques résidents aux séances plénières des diverses Congrégations romaines. Mais peut-on classifier ces importants lieux institutionnels parmi les formes d'exercice de l'autorité du collège épiscopal dans l'Église ? Après quelques incertitudes de départ, la doctrine — appuyée par Paul VI lui-même — est maintenant pratiquement unanime pour retenir que le *Synodus episcoporum* est essentiellement une instance de conseil en vue de l'exercice, de la part du pape, de la forme personnelle de l'autorité [14]. A la lumière de cette conclusion, il est aisé de voir comment l'assemblée des membres du collège cardinalice a assumé une physionomie semblable, même si particulièrement apte à assister le souverain Pontife dans sa proposition de réforme d'un organisme qui est « sien » par définition : la curie romaine. Il est enfin presque inutile de rappeler que la participation d'un certain nombre d'évêques aux Congrégations est prévue par le décret *Christus Dominus* dans la section relative aux « évêques et le Saint-Siège » et non dans celle qui concerne la « position des évêques par rapport à l'Église universelle ».

D'autres occasions institutionnelles expriment la collégialité épiscopale dans des régions déterminées (synodes régionaux, conférences épiscopales) ; elles sont, pour cela même, étrangères au thème de ce rapport [15].

Une occasion atypique est constituée par le conclave dans lequel se manifeste, au plus haut degré, la « *sollicitudo Romanae ecclesiae* » des églises, puisqu'elles participent au choix du nouvel évêque de Rome. Il est difficile de classer selon des critères institutionnels rigides cette assemblée, mais il est difficile aussi de nier qu'elle s'exerce — surtout depuis que tous ses membres sont

14. Ce point de vue a été partagé, par exemple, par A. ANTON, « Sinodo e collegialità extra conciliare dei vescovi », dans *La collegialità episcopale per il futuro della chiesa*, Florence, 1969, 62-78, par V. FAGIOLO, *Il Synodus episcoporum...* déjà cité à la note 3 et P. HAUBTMANN, Le Concile et les conséquences pratiques de l'esprit collégial, dans *L'Année canonique* 11 (1967) 57-72.
15. On ne peut ignorer les problèmes délicats soulevés par la décision de Jean-Paul II de faire entrer dans le Synode spécial pour la Hollande, célébré à Rome au début de 1980, divers Préfets des Congrégations romaines comme membres à plein titre. Quel était le fondement de cette décision, sinon, encore une fois, la volonté souveraine du pape par rapport à un organe collégial ?

des évêques et, plus encore, des représentants des grandes régions ecclésiales — prérogative qui touche au rapport de communion entre les églises [16].

Touchant la communion entre l'évêque de Rome et le collège épiscopal, il faut encore ajouter certainement la consécration de chaque nouvel évêque où le pape intervient — même si de manière imparfaite ou, de toute façon, perfectible — tant dans le choix que dans la confirmation du candidat et où quelques membres du collège réalisent l'intégration dans le corps épiscopal au travers de la consécration [17]. On signalera enfin, attenante à cette communion, la réception que le collège épiscopal peut faire (ou refuser) d'un acte de l'un de ses membres et, particulièrement, de l'évêque de Rome, à qui appartient, dans l'Église romaine occidentale, de donner des indications destinées à toutes les églises qui sont en communion avec lui.

---

16. Dans les années 70, il a été plusieurs fois débattu de la possibilité d'une substantielle réforme de l'élection de l'évêque de Rome. De divers côtés, on souhaitait qu'elle soit confiée à un collège de représentants de l'épiscopat catholique ; à cela, on a objecté le risque d'une accentuation ultérieure du caractère supra-ecclésial de la papauté. Paul VI, en ajournant les normes sur l'élection, s'est limité à une unique nouveauté, d'ailleurs doctrinalement très prégnante. En effet, la Constitution « Romano pontifici eligendo », du 1-10-1975, établit clairement que dans le cas de l'élection d'un non-évêque, c'est seulement par la consécration épiscopale que l'élu obtient la plénitude de la condition d'évêque de Rome et de chef du collège épiscopal. Ce qui sert aussi à récupérer, dans le cas du pape, la distinction entre l'élection, comme choix de la personne, et l'acte sacramentel comme source des pouvoirs. A l'occasion des deux conclaves de 1978, on a pu constater que la composition du collège cardinalice n'était pas — sociologiquement — très différente de celle d'une hypothétique représentation de l'épiscopat. Reste le cas où le conclave trouve ses origines historico-ecclésiologiques dans le collège des suffragants du Siège romain, selon le canon IV du premier concile de Nicée, repris d'abord par Léon le Grand, et, ensuite, par le décret *In nomine Domini* ; cf. mon *Cardinalato e collegialità*. Studi sull'ecclesiologia tra le 11e et le 14e siècle, Florence, 1969, 29 et 34-35.

17. Sur ce sujet, l'étude de L. Mortari, *Consacrazione episcopale e Collegialità. La testimonianza della chiesa antica*, Florence, 1969, reste fondamentale. Actuellement, la centralisation presque complète du choix des évêques a la double conséquence d'une nette bureaucratisation du choix lui-même, soustrait à toute instance de communion (excepté, paradoxalement, pour l'évêque de Rome !) et d'une quasi complète minimisation du sens de l'acte de la consécration sacramentelle. Je ne vois pas comment la détermination conciliaire de la sacramentalité de l'épiscopat peut recevoir une réalisation effective dans l'église sans que le choix des évêques retrouve des moments forts de communion, de sorte que la consécration collégiale acquière le sens d'un accomplissement cohérent d'un itinéraire sacramentel.

Ce rapide tour d'horizon montre combien, à part le concile œucuménique ou général, l'exercice de la responsabilité collégiale globale au service de la communion universelle des églises, est pauvre d'occasions institutionnelles, au point de paraître visiblement atrophié. Cette atrophie explique d'un côté la formulation vague ou très générique de Vatican II, mais, d'un autre côté, elle met à nu l'une des principales causes de la difficulté et de la lenteur avec lesquelles l'Église cherche à répondre aux exigences de partage de la responsabilité, exigences qui croissent à mesure que s'intensifie l'interdépendance entre la vie des églises et les événements où elles sont impliquées. Plus encore que les autres grandes sociétés, à cause de son extension multi-culturelle et multi-nationale, l'Église traverse une phase d'intense concentration. Il est indispensable de répondre à ce mouvement par une attentive recherche permettant de sauvegarder l'identité propre de chaque église, en ayant conscience que si la diversité venait à disparaître, la communion n'aurait plus de sens. Mais il est tout aussi important de chercher à formuler des hypothèses de lieux institutionnels qui suscitent et règlent la co-responsabilité d'une manière adaptée au besoin croissant de communion. Renvoyer à plus tard une telle recherche pourrait, d'un côté, décevoir les attentes de communion, comme aussi, de l'autre, accélérer des mécanismes centrifuges qui n'éviteraient que difficilement un appauvrissement général.

Mais il faut aussi se rendre compte que, dans l'actuelle conjoncture, l'atrophie doctrinale et l'inertie institutionnelle vont de pair et se soutiennent réciproquement. C'est aussi la raison pour laquelle une tentative de proposition institutionnelle doit se confronter avec quelques nœuds théologiques, et cela même si l'on croit avec conviction que l'Église catholique peut, grâce surtout à l'action souveraine de l'Esprit, sortir de la longue saison « monarchique » de son expérience en Occident.

II. Quelques nœuds doctrinaux

Vatican II et Paul VI se sont attachés, parfois de manière méticuleuse, à déterminer les clauses permettant la sauvegarde du libre exercice, de la part du pape, de la forme personnelle de l'autorité dans l'Église universelle. Ceci a provoqué, peut-être de manière imprévisible, non seulement une salutaire réappropriation de responsabilité de la part des églises et de leurs évêques, mais aussi une tendance à fuir ou à se méfier des indications et des décisions papales destinées, certes, à toutes les églises, mais présentées dans des actes personnels. On peut se demander si la crise progressive de la leadership qui s'est manifestée dans l'Église catholique à partir des années 1970 ne remonte pas, dans une forte mesure, au nouvel isolement dans lequel se trouvait placé le ministère pontifical par les préoccupations qui trouvent leur plus claire expression dans la *Nota explicativa praevia* au chapitre III de la *Lumen Gentium* [18].

1. *De la communion entre les églises au collège épiscopal*

Après quinze ans, il est plus facile aujourd'hui de se rendre compte que l'hiatus entre les deux premiers chapitres de la constitution sur l'Église et le troisième est vraiment profond et chargé de conséquences. Pour l'argument qui nous occupe, il est très important de se demander comment s'articule le rapport entre théologie de la communion entre les églises et théologie du collège épiscopal. Du moment qu'il s'agit de niveaux différents, quand bien même étroitement unis, de la même communion, il est facile de se rendre compte que, si cette connexion n'est pas correctement respectée, on risque de parvenir à une discontinuité inacceptable entre collégialité et communion, ce qui aurait des effets désastreux.

La condition de parité caractérise l'unité dans la communion (LG 15) entre les églises sœurs. Elles sont toutes « engagées à

---

18. La ligne choisie par Paul VI s'est peu à peu révélée toujours plus caractérisée par l'isolement de la personne et du ministère du pape. Par la désaffection de la majorité conciliaire, suscitée justement par la décision de donner une interprétation anesthésiante à *Lumen gentium*, au malaise causé par *Humanae vitae*, par une série d'interventions humiliantes sur le corps ecclésial (depuis la mise à l'écart du Cardinal Lercaro jusqu'aux nominations « normalisatrices » en Hollande) à la promotion du projet de *Lex ecclesiae fundamentalis*, la papauté montinienne a parcouru un itinéraire d'amenuisement progressif du très vaste consensus connu en 1963. Loin d'en tirer des indications pour une redimension « notariale » de la papauté, il est difficile de ne pas saisir l'indication sous-jacente à cet itinéraire pour un habituel partage des responsabilités relatives à la communion des églises.

être image parfaite de l'Église universelle » (AG 20), elles sont toutes « constituées à image de l'Église universelle » et c'est « en elles et par elles qu'existe la seule et unique Église catholique » (LG 23) ; en chacune d'elles « l'Église du Christ, l'une, sainte, catholique et apostolique, est authentiquement présente et à l'œuvre » (CD 11) ; c'est pourquoi elles méritent toutes d'être appelées églises selon le Nouveau Testament (LG 26). En même temps, chacune d'elles a une vocation propre à laquelle elle doit correspondre, chacune vit dans une histoire déterminée, est impliquée dans un contexte humain spécifique et aspire à participer à la symphonie variée (LG 13, 22, 23, 32) de la *Catholica* [19]. En outre, les unes se réclament d'une fondation apostolique, d'autres ont joué un rôle important dans l'extension de l'Église (LG 13) en sorte que le statut fraternel essentiel se trouve articulé, jamais lésé mais au contraire renforcé. La plus significative de ces articulations, riche de conséquences canoniques précises, concerne les églises « apostoliques » et, parmi elles, celle de Rome fondée sur Pierre et Paul. En Pierre, cette église est « principe et fondement perpétuel et visible de l'unité de foi et de communion » (LG 18) [20]. L'égalité constitutive des églises se compose ainsi d'une inégalité de responsabilités et de

19. La réflexion théologique et pas seulement sociologique sur l'église locale après les premiers enthousiasmes postconciliaires n'a pas eu beaucoup de chance. Qu'on se rappelle les études de K. Mörsdorf, *L'autonomia della chiesa locale,* dans *La chiesa dopo il Concilio*, Milan, 1972, 165-185 ; de H. de Lubac, *Les églises particulières dans l'église universelle*, Paris, 1971 (expression des craintes qu'un engagement pour les églises locales puisse appauvrir ou menacer l'église universelle), de E. Lanne-J.J. von Allmen, *La chiesa locale*, Rome, 1972 ; M. Dortel-Claudot, *Églises locales, Église universelle. Comment se gouverne le peuple de Dieu*, Paris, 1973, est un inventaire minutieux, mais non problématique, des institutions ecclésiales, comme aussi J. Neumann, *Synodales Prinzip. Der grössere Spielraum im Kirchenrecht*, Fribourg-en-B., 1973. Une riche bibliographie, mise à jour jusqu'en 1970, est présentée par M. Mariotti dans *Presenza pastorale* 41 (1971) 213-242 et dans *Vita e Pensiero* 54 (1971) 347-375.

20. La progressive redécouverte de la dimension « romaine » n'est pas seulement importante pour en mettre en évidence la condition d'évêque parmi les évêques, mais aussi, et non moins, pour retrouver la prégnance du rapport effectif entre le pape comme évêque de Rome et l'église de Dieu en marche dans cette ville. Si, pour le pape, être évêque de Rome n'est pas un titre honorifique, mais un statut constitutif, alors il est important d'aller vers une valorisation effective de son service dans l'église romaine. Il en résultera aussi une importance de l'église romaine dans la symphonie des églises, non plus seulement comme « titre » du pape, mais comme son réel contexte de foi, de fraternité, de participation eucharistique.

fonctions qui prend nécessairement, au cours du temps, des accents et des formes qui changent malgré la fidélité au projet originaire.

Cette « égalité inégale » dans la communion fraternelle, comment s'exprime-t-elle dans la communion interne du corps des évêques ? La formule de la « *communio hierarchica* » permet-elle de respecter et de mettre en valeur la richesse dynamique de la communion entre les églises ? Une telle formule peut-elle avoir une signification univoque dans les diverses traditions chrétiennes ou n'est-elle pas destinée à recevoir des significations analogiques ? Il me semble qu'on se trouve ici en présence d'un nœud doctrinal important et délicat [21].

2. *Collégialités affective et effective*

Un autre nœud doctrinal important est à relever — toujours à propos de la relation entre communion ecclésiale et collégialité épiscopale — dans la tentative qui a été faite de distinguer entre une collégialité affective (LG 23) et une collégialité au sens propre et strict du terme pour ne reconnaître de relevance canonique qu'à cette dernière [22]. Il est utile de se demander s'il

---

21. Sur ce sujet, la doctrine a manifesté des orientations opposées : W. AYMANS, *Kollegium und Kollegialer Akt im kanonischen Recht*, Munich, 1969, a développé une réflexion strictement juridique, tandis que, par exemple, G. HASENHÜTTL, « Das kirchliche Vorsteheramt. Seine Funktion und seine Entwicklung », dans *Konziliarität und Kollegialität,* Innsbruck, 1975, 53-63 a mis l'accent sur les raisons théologiques de l'égalité. Y. CONGAR, « Le problème ecclésiologique de la papauté après Vatican II », dans *Ministères et communion ecclésiale*, Paris, 1971, 180-181, signale le manque de développement d'une théologie du Collège et du chef du Collège, ce qui a pour effet l'application mécanique, mais non convaincante, des prérogatives de la primauté formulées dans la perspective de l'exercice personnel de l'autorité à la fonction de chef du collège.

22. Sont allés dans cette direction, K. MÖRSDORF, « Quomodo in hierarchica structura constitutionis ecclesiae se habeat principium collegialitatis ad principium unitatis caput inter et corpus ? », dans *Acta congressus internationalis de theologia concilii Vaticani II*, Rome, 1968, 163-172 ; A. ANTON, « Sinodo e collegialità extraconciliare dei vescovi », dans *La collegialità per il futuro della chiesa*, Florence, 1969, 69-72, précédemment A.G. SUAREZ, « Los obispos y la iglesia universal », dans *El colegio episcopal*, ed. J. Lopez-Ortiz-J. Blasques, Madrid, 523-566 et, dernièrement, J. HAMER, « Chiesa locale e comunione ecclesiale », dans *La chiesa locale*. Prospettive teologiche e pastorali, Rome, 1976, 29-45. Comme on le remarque, la distinction se fonde sur deux passages de la Note explicative préalable, respectivement au § 2 où on affirme que par la

s'agit là d'une distinction qui exprime des réalités diverses ou s'il ne s'agit pas plutôt d'un artifice dicté par la préoccupation d'une prolifération d'actes collégiaux qui pourraient sembler réducteurs de l'espace réservé à la forme personnelle de l'exercice dans l'autorité dans l'Église universelle. On n'entend pas par là enlever toute plausibilité à la préoccupation de formuler des critères clairs qui permettent de s'assurer de la nature formellement autorisée d'actes du collège épiscopal. Il semble toutefois opportun de souhaiter une vérification de cette distinction à la lumière de la communion entre les églises. Le manque de précision dans les conditions qui font qu'un acte soit authentiquement collégial et, par conséquent, ait une valeur juridictionnelle, ne crée-t-il pas un « suspense » artificiel et malsain autour d'un tel acte ? ne risque-t-on pas d'introduire un renversement de la hiérarchie d'importance, de telle sorte qu'un acte collégial, comme la concélébration de l'eucharistie — où se fait l'Église — ou comme un témoignage collégial de la foi, serait un acte doué d'une intensité collégiale (et donc « communionnelle ») atténuée par rapport à d'autres actes collégiaux relatifs, par exemple, à la modification de l'âge canonique pour recevoir le sacrement de l'ordre ? Une distinction ne devrait-elle pas concerner plutôt les matières et les problèmes qui font l'objet de telles décisions ainsi que leur portée pour la communion de toutes les églises ?[23].

---

communion « non intelligitur de vago quodam affectu, sed de realitate organica, quae iuridicam formam exxigit », et au § 4 selon lequel le collège épiscopal, bien qu'il existe toujours « non propterea permanenter actione stricte collegiali agit... Aliis verbis non semper est "in actu pleno"... » Même ces propositions étaient tirées des réponses de la Commission doctrinale aux amendements de la minorité conciliaire (depuis De Proença Sigaud jusqu'à De Castro Mayer, depuis Prou jusqu'à Carli), amendements qui, repoussés en tant que tels, trouvèrent ensuite une récupération inattendue dans les amendements de Paul VI et dans la Nota. L'examen de ces amendements et de leurs motivations ne laisse pas de doute sur l'intention d'obtenir une substantielle évacuation de la collégialité épiscopale, excluant qu'elle puisse trouver une expression en dehors du Concile. Du reste, affirmer que le collège n'est pas toujours en action n'implique-t-il pas une contradiction avec les expressions non équivoques de *Lumen gentium* pour qui les évêques « tenentur » (SH 23, 85 et 164) à s'engager pour l'église universelle, et, surtout, avec la mission conférée à chacun par la consécration épiscopale qui implique une participation à l'exousia du Christ pour son église ?

23. J'ai donné un aperçu dans cette direction dans le numéro 147 de *Concilium* (1979) : « Servir la communion des églises ». A ce sujet, il est évident qu'une ecclésiologie de communion implique une révision des concepts élaborés par l'ecclésiologie « sociétaire », parmi lesquels la distinction entre les actes juridictionnels et les actes non-juridictionnels, par laquelle on ne reconnaît

3. *Consécration épiscopal et service de la communion des églises*

Un autre nœud doctrinal est constitué par la nécessité d'approfondir les relations entre communion des églises, collégialité des évêques et consécration épiscopale. En affirmant l'origine sacramentelle de tous les *munera* épiscopaux, Vatican II a obligé la réflexion théologique à repenser quelques-uns des aspects de la théologie de l'épiscopat, qui pouvaient sembler acquis au cours de ces derniers siècles. Pour ce qui concerne notre sujet, particulièrement important apparaît l'approfondissement du dépassement de la distinction schématique — qui a régné souverainement durant des siècles — entre *ordo* et *iurisdictio*. Ce dépassement a eu lieu tant au travers de l'indication d'une unique origine sacramentelle de ces deux aspects, qu'au travers de la référence soit à un *munus* épiscopal global, soit à trois *munera* distincts : de sanctification, d'enseignement et de gouvernement (LG 20 et 21)[24]. La question a été débattue de savoir si la consécration épiscopale fait d'abord de l'évêque un chef d'église local ou un membre du collège épiscopal qui continue le collège apostolique. De manière convaincante, Congar a rejeté l'alternative en proposant de retenir que la consécration provoque en même temps l'un et l'autre effet que l'on ne peut distinguer qu'en abstraction[25]. Il est hors de doute que l'ancienne interdiction d'ordinations « absolues » conserve encore aujourd'hui sa pleine vigueur, même si la pratique occidentale des évêques « titulaires » lui a fait un tort qu'il est difficile de nier. Mais par ailleurs, c'est justement l'existence de

---

d'importance canonique qu'aux premiers, tandis que les autres sont relégués dans un milieu « affectif ». Ce ne sera ni rapide, ni facile de couper ces restes de positivisme, et, cependant, il s'agit d'une condition sine qua non pour un renouveau ecclésial pas seulement de nom.

24. Cela permet aussi de dépasser définitivement le débat sur l'origine de l'autorité des évêques, tant comme chefs des églises que comme membres du concile que certains voulaient — encore jusqu'à l'encyclique *Mystici corporis* — dérivée de celle « de source » du pape. Toutefois, il y a toujours le risque que la situation préconciliaire retrouve une place moyennant une valorisation indue de la distinction entre la charge et son exercice.

25. Y. CONGAR, « La consécration épiscopale et la succession apostolique constituent-elles chef d'une église locale ou membre du collège ? dans *Ministères et Communion ecclésiale*, Paris, 1971, 123-140 ; H.M. LEGRAND, « Nature de l'église particulière et rôle de l'évêque dans l'église », dans *La charge pastorale des évêques*, Paris, 1969, 114, partage cette orientation.

tels évêques qui a aidé la théologie latine à reconnaître l'existence d'une dimension du *munus* épiscopal en référence directe avec la communion entre les églises et avec les services qui en dérivent. Dans cette direction, il me semblerait important de mettre en valeur un fait, qui dérive de la relation entre communion ecclésiale et collégialité, selon lequel la consécration confère à chaque évêque une responsabilité aussi sur le plan du service de la communion des églises. Il est probablement plus adéquat de saisir ce tissu de fonctions dans son dynamisme plutôt qu'au travers d'un schéma fixe. Par conséquent, c'est le collège qui incorpore de nouveaux membres au travers de la consécration (LG 21), c'est la consécration qui confère les *tria munera*, c'est l'exercice du ministère épiscopal qui se réalise dans la conduite d'une église locale et/ou dans le service de la communion entre les églises. Ces actes ne peuvent être lus comme les segments d'un acte bureaucratique en voie de perfectionnement mais ils sont des moments générateurs d'un mouvement de vie[26].

4. *Représentation collégiale*

D'un point de vue doctrinal, un autre point crucial est constitué par la possibilité ou non d'admettre des représentations

---

26. On sait que LG, après avoir décrété la sacramentalité de l'épiscopat, a introduit dans le paragraphe suivant — après le vote d'orientation du 30 octobre 1963 — l'affirmation qu'on est constitué membre du corps épiscopal en vertu de la consécration épiscopale et moyennant la communion hiérarchique avec le chef du collège et avec ses membres (SH 22, 64-69). Les deux affirmations étaient déjà substantiellement comprises au § 21. Mais, ensuite, on a tenté d'affirmer que consécration et communion hiérarchique seraient sur le même plan et non la première « cause » et la seconde « condition ». Il faut approfondir ce point, non seulement pour rétablir une lecture exacte de ce qui est imposé par le concile, mais surtout pour affirmer que la valeur sacramentelle de la consécration ne peut être annulée par une interprétation extensive de la condition, étant donné que l'on finirait ainsi par subordonner l'acte sacramentel à la condition disciplinaire, en ruinant l'économie affirmée par le concile, comme le fait H. SCHAUF, De episcopatu quaestiones, dans *Acta congressus internationalis de theologia concilii Vaticani II,* Roma, 1968, 182-188. A ce propos aussi, l'ecclésiologie de communion, fondée sur l'authenticité eucharistique de toute église locale, manifeste l'exigence d'une progression interne qui respecte à tout moment la priorité de l'ontologie sacramentelle par rapport à la systématique institution-nelle. Il s'agit d'une exigence beaucoup plus large que celle que juge U. BETTI, *La dottrina sull'episcopato nel capitolo III della costituzione dogmatica Lumen gentium,* Rome, 1968, 354-355.

ou concentrations du collège épiscopal global. La question est de savoir si un nombre restreint d'évêques peut agir en lieu et place du collège considéré dans son ensemble. Une réponse affirmative soulève, comme on le verra, d'autres problèmes ultérieurs.

Il faut d'abord se rappeler que la doctrine s'est montrée particulièrement prudente, puisqu'elle se limite à prendre en considération le concile œcuménique ou des actes de l'épiscopat dispersé. Quelqu'un a fait l'hypothèse d'un concile par correspondance, hypothèse qui suscite pourtant de nombreux problèmes surtout parce qu'un tel concile se présenterait plutôt comme la somme d'actes individuels que comme l'élaboration commune d'une conviction collégiale : manquerait en effet un moment commun de formation de la volonté. On peut donc conclure sur ce point que le fait qui permettrait à tous les évêques de parvenir à la même conclusion serait un acte collectif plutôt que collégial [27].

Mais la participation possible — même si non-effective — de tous les évêques est-elle condition *sine qua non* d'un acte collégial ?

Dans les conciles œcuméniques ou généraux on a toujours retenu que la libre possibilité de participation de chaque membre de l'épiscopat était une condition à laquelle on ne pouvait renoncer. Ceci a conduit à considérer avec méfiance même l'envoi de procurateurs. On sait que lors de certains conciles médiévaux le pape exonéra d'autorité une grande partie des évêques de l'obligation d'intervenir, mais il est vrai aussi que cela jette une ombre sur la nature authentiquement conciliaire de telles assemblées. On peut donc considérer que la forme solennelle de l'exercice de la collégialité implique la participation

---

27. K. MÖRSDORF, «Das synodale Element der Kirchenverfassung im Lichte des zweiten Vatikanischen Konzil», dans *Volk Gottes*. Festgabe für H. Höfer, Fribourg-i-B, 1967, 573, exprime l'opinion qu'un acte collégial en dehors du concile exigerait une consultation écrite. Un disciple du canoniste allemand, W. AYMANS, *Das synodale Element in der Kirchenfassung*, Munich, 1970, a repris la suggestion, en formulant l'hypothèse d'un «Brief-Konzil». Une consultation de ce type a été réalisée en 1971, sur l'initiative de la Commission pour la réforme du droit canonique, en demandant aux évêques une sorte de vote par lettre sur le projet de la *Lex ecclesiae fundamentalis*. Il est quasi superflu de remarquer qu'il s'agit de consultations dans lesquelles la dimension conciliaire, mais aussi la dimension collégiale, apparaissent trompeuses, étant donné l'impossibilité d'une confrontation et d'une consultation effectives à l'intérieur du corps épiscopal.

(au moins comme possibilité) de tous les membres du corps épiscopal. Ceci est fondé sur la tradition des conciles, laquelle estime que les problèmes qui font l'objet des décisions conciliaires sont d'une importance telle et revêtent une valeur si générale qu'ils imposent la participation (morale) dans le débat et dans les décisions de l'épiscopat tout entier.

Il est pourtant évident que la communion des églises exige une grande quantité de services, de décisions et d'indications d'importance mineure, due tant à leur objet qu'au fait qu'ils peuvent se situer à un niveau normatif ordinaire ou purement exécutif. Il s'agit de cet ensemble d'actes qui, à l'intérieur de l'Église catholique, appartenaient, au bas Moyen Age, au Consistoire et qui, au cours des siècles, ont fini par dilater énormément la forme personnelle de l'exercice de l'autorité de la part du pape, s'aidant pour cela de la curie. Il semble maintenant légitime de se demander si de tels actes ne pourraient être exécutés par le collège épiscopal. Il est superflu de dire que la réponse ne peut qu'être affirmative, mais il est tout aussi évident qu'un recours si fréquent à tout le collège épiscopal est absolument impensable. C'est ici que se pose la question de savoir si ce collège peut être représenté.

Historiquement les synodes romains puis le consistoire constituent des expériences, certes très suggestives et intéressantes, mais qui ne peuvent que très improprement être appelées organes de représentation du collège épiscopal. L'Église constantinopolitaine, pour sa part, a dans le synode « *endemousa* » une réalisation *sui generis* qui permet au patriarche de réunir autour de soi une représentation « ouverte » des évêques du patriarcat. Il serait excessif de prétendre faire de chacune de ces expériences un modèle dont on pourrait tirer des caractéristiques institutionnelles normatives. Autre chose est de se laisser encourager par de telles expériences et chercher — tout en tenant compte de l'actuel contexte culturel — des formes où puisse se réaliser une concentration du collège épiscopal, concentration qui doit respecter la grande complexité du collège dans son ensemble et qui doit permettre, en même temps, un exercice quotidien du service de la communion ecclésiale.

Dans ce but, il peut aussi être utile de se référer aux diverses formes qu'a revêtues, au cours des siècles, la communion entre les églises et qui prévoyait chaque fois, qu'une église particulière (apostolique, primatiale, métropolitaine, etc.) se charge, pour les autres, de certains services relatifs à cette communion.

Dans la théologie chrétienne la recherche sur la signification de la «repraesentatio» dure depuis des siècles[28]; elle fut tantôt stimulée tantôt viciée par l'importance croissante qu'a revêtu, en science politique et dans le droit public, le terme de «représentation». Un fait est certain : dans le domaine sacramentel comme dans le langage ecclésiologique le terme de représentation a toujours été utilisé et retenu dans le sens de «expression», de «rendre présent» ou de «concentration» plutôt que dans le sens, typique du constitutionnalisme moderne, de «se trouver à la place de». Y a-t-il alors des obstacles insurmontables qui empêcheraient que le collège épiscopal se donne des organes de représentation concentrée? Je ne le crois pas, mais à trois conditions :

1. Il faut que de tels organes respectent leur propre subordination par rapport au collège total, et évitent d'en usurper les prérogatives ;

2. Il faut qu'ils réalisent le même rapport qui existe entre le collège total et l'évêque de Rome ;

3. Il faut enfin qu'il soit possible à une église, qui se sentirait fondamentalement lésée par une ou plusieurs décisions des organes collégiaux représentatifs, de s'adresser au collège dans son ensemble.

L'autorité d'une représentation du collège ne saurait avoir d'autre source que la consécration épiscopale de ses membres, renforcées par l'accord et par l'acceptation de la part de l'épiscopat et des églises. Quand on en sera aux hypothèses

---

28. Sur la «repraesentatio», on doit renvoyer à l'étude sérieuse, mais désormais un peu vieillie, de P.E. PERSSON, Repraesentatio Christi. Die Amtsbegriff in der neueren römisch-katholischen Theologie, Göttingen, 1966 (mais ce travail date des années 60) et à celle de H. HOFMANN, Repräsentation. Studien zur Wort-und Begriffsgeschichte von der Antike bis 19. Jahrhundert, Berlin, 1974. De celle-ci, et d'autres mineures, j'ai discuté dans «Le movimento conciliare (XIV-XV sec.) nella ricerca storica recente», dans Studi Medievali s. 3, 19 (1978) 913-950. D'un point de vue dogmatique, voir J. RATZINGER, «Rappresentanza — Sostituzione», dans Dizionario teologico, III Brescia, 1968, 42-53 et enfin E. CORECCO, Parlamento ecclesiale o diaconia sinodale», dans Communio I (1972) 32-44.

institutionnelles, il faudra examiner encore d'autres problèmes relevant de la formation et du fonctionnement d'une représentation de ce type.

5. *Forme personnelle et forme collégiale de l'exercice du pouvoir*

Il peut être opportun enfin de signaler encore, très rapidement, deux autres problèmes. Le premier concerne la distinction entre forme personnelle et forme collégiale de l'exercice de l'autorité [29]. Il me semble utile de rappeler explicitement l'équivalence théologique de ces deux formes. Mais ceci dit, on ne peut pas ne pas reconnaître qu'entre ces deux formes il y a une différence historique qui, en certaines périodes, s'est même exprimée dans l'hégémonie ou dans le monopole d'une des formes au détriment de l'autre. Il se peut qu'un équilibre contextuel dans l'usage de ces deux formes soit désirable et même fonctionnel pour ce qui concerne le processus d'unité entre les églises chrétiennes. Dans cette perspective, ne serait-il pas possible et opportun d'opérer une différenciation fonctionnelle entre ces deux formes ? C'est-à-dire : ne pourrait-on pas, sans tomber dans des schématismes et avec beaucoup de souplesse, reconnaître que telle ou telle forme de l'exercice de l'autorité est plus adéquate à tel ou tel aspect de la communion entre les églises ou à certains niveaux déterminés de cette communion elle-même ? Il ne s'agit certes pas de fixer des compétences rigides ou définitives, mais d'établir plutôt des critères d'opportunité dictés par l'actuelle conscience ecclésiale et par les perspectives de communion qui s'ouvrent au seuil de ce troisième millénaire chrétien.

---

29. La distinction entre les deux formes (collégiale ou personnelle) d'exercice du pouvoir collégial suprême dans l'église était proposé dans NB c) des 3e et 4e votes du 30 octobre 1963 (SH IX, 28-30). Elle a été reprise par divers théologiens parmi lesquels on peut rappeler Y. CONGAR, « Synode épiscopal, primauté et collégialité épiscopale », dans *Ministères et communion ecclésiale*, Paris, 1971, 210-213 et W. ONCLIN, Le pouvoir de l'évêque et le principe de la collégialité, dans *La chiesa dopo il concilio*, Milan, 1972, 135-161 ; d'une opinion différente, U. BETTI, *La dottrina sull'episcopato...*, 372-373.

6. *Forme collégiale et service de la communion*

Le second de ces problèmes « mineurs » concerne la cohérence théologique et institutionnelle, et plus encore ecclésiale, de toute hypothèse d'organisation et d'exercice de la forme collégiale dans le service rendu à la communion des églises. Je veux dire qu'il serait contraire à l'esprit de Vatican II et, d'une manière non moindre, à la logique interne de la collégialité, d'assigner à la forme collégiale des fonctions et des buts qui ne relèvent pas, directement et de manière non équivoque, du développement de la communion, tant à l'intérieur du catholicisme romain que dans ses rapports avec les autres églises chrétiennes. Durant de longues et glorieuses périodes de son histoire, le christianisme occidental, surtout dans l'ère moderne, a vécu sa propre unité — souvent menacée par des divisions internes ou par des fractionnements nationalistes — sous l'inspiration de modèles centripètes dans lesquels la dimension hiérarchique du rapport entre les églises et entre leurs pasteurs a connu de singulières hypertrophies. Malgré cela, la grande force de la tradition a permis au *sensus fidelium* de ne pas perdre la conscience profonde de la « koinonia » ecclésiale. Si, dans les années qui viennent, la forme collégiale de l'exercice de l'autorité pouvait se retrouver un terrain d'action, elle devrait se situer dans une perspective telle qu'elle serve à alimenter et à promouvoir la communion, et cela en évitant d'être réabsorbée — sous prétexte d'un esprit d'émulation mal compris — dans une logique visant à renforcer la tendance centralisatrice. Susciter des occasions pour un exercice de la forme collégiale de l'autorité ne peut servir à des reflux autoritaires, à moins d'une mystification non seulement institutionnelle, mais surtout théologique.

Il est nécessaire de rejeter fermement toute mystification qui voudrait faire des formes collégiales une simple variante de la conception qui, durant ces derniers siècles, a dominé dans l'Église catholique romaine. Vivre et concevoir l'Église comme une communion implique d'importantes conséquences doctrinales, institutionnelles et pratiques. A cet égard deux exemples sont particulièrement appropriés.

La forme collégiale du service de la communion entre les églises trouve sa raison d'être, dans l'Église de la fin du xxᵉ siècle, non dans des élucubrations abstraites et géométriques de quelque ingéniosité institutionnelle, mais dans la conviction que c'est elle qui permet de mieux servir le témoignage évangélique de l'Église et son effort de proclamation dans un monde dominé par des exigences égalitaires. On ne pourra jamais renoncer à mesurer et à vérifier toute forme de responsabilité collégiale à partir de ce but-là. Il serait absurde que la communion ecclésiale emprisonne le dynamisme, suscité par l'esprit, dans des structures rigides et automatiques, justifiées une fois pour toutes.

L'autre exemple concerne la fragilité et l'imperfection de toute institution inventée pour servir la communion. Il ne s'agit pas seulement d'évoquer l'inévitable succession d'institutions diverses à des époques différentes, mais bien d'accepter — non sans souffrances, tout au moins pour les mentalités germanico-romaines — que la richesse, le pluralisme et la multiplicité des formes de la communion chrétienne ne peut trouver une « réalisation » en aucune institution, quelque satisfaisante qu'elle puisse être. Du point de vue de la communion, événement et institution ne peuvent jamais coïncider dans leur extension[30].

III. Hypothèses institutionnelles

Après ce qui a été dit, il apparaît évident qu'on peut imaginer essentiellement deux types d'institutions capables d'intensifier et d'exprimer, de manière satisfaisante, la communion entre les églises dans la communion entre l'épiscopat universel et l'évêque de Rome : le concile œcuménique d'une part, et, d'autre part, des organismes, à forme collégiale, chargés de l'activité normative ordinaire et de la responsabilité exécutive.

J'ai déjà affronté ailleurs et récemment la question du concile œcuménique et de sa problématique théologico-institutionnelle

---

30. De récentes tentatives pour indiquer une possible reformulation du modèle institutionnel pris comme référence par l'église paraissent absolument insatisfaisantes ; P. GRANFIELD, « The Church as institution : a reformulated model », dans *Journal of ecumenical studies* 16 (1979) 425-447 et E.W. GRITSCH, « The Church as institution : from doctrinal pluriformity to magisterial mutuality », ivi 16 (1979) 448-456.

actuelle[31] ; en outre, je ne crois pas qu'on puisse envisager une initiative dans ce sens à brève échéance. De plus encore, si une telle initiative devait provenir de l'Église catholique, elle réclamerait — pour être crédible — une démonstration, justement de la part de cette Église-là, d'un sérieux engagement dans les initiatives institutionnelles collégiales.

Jean-Paul II lui-même, d'ailleurs, dans le discours qui constitue le programme de son pontificat, a mentionné des formes collégiales de l'exercice de l'autorité. C'est également un fait acquis que le synode des évêques, même s'il joue un rôle non négligeable dans l'intensification de la sensibilité collégiale de l'épiscopat, se situe dans l'économie de l'exercice personnel du pouvoir dans l'Église.

1. *Organe collégial normatif*

On peut donc s'interroger sur la possibilité de donner naissance à un organe collégial destiné à exercer — naturellement sous la direction de l'évêque de Rome — une fonction de nature normative, dans la mesure où la communion entre les églises nécessite l'adoption de normes-cadres ou de véritables normes communes, à part celles, de caractère fondamental, réservées au concile. D'une manière analogue, il est intéressant de faire l'hypothèse d'un organe collégial préposé au déroulement ordinaire et quotidien de la communion ecclésiale, c'est-à-dire capable de formuler les décisions opératives et d'affronter les problèmes contingents que la communion entre les églises subit ou suscite.

Est-il ecclésiologiquement possible de proposer des organes de ce genre ? Ce qui précède repose en grande partie sur une réponse affirmative. Il est ici nécessaire d'ajouter une précision sur le rapport de tels organismes avec le libre exercice, de la part du pape, de la forme personnelle[32]. Il doit être clair qu'il ne s'agit

---

31. *Verso la chiesa del terzo millennio*, G. ALBERIGO, Brescia, 1979, surtout pp. 62-74. Voir en outre E. SZTAFROWSKI, «La théorie du Concile œcuménique à la lumière de Vatican II», dans *Collectanea Theologica* 33 (1977, fasc. spec.) 92-112 et le volume *Ökumene*, Konzil, Unfehlbarkeit, Innsbruck, 1979, de la Fondazione Pro Oriente.

32. La Note explicative préalable affirme (fin du § 3) que : «Ad iudicium summi Pontificis, cui cura totius gregis Christi commissa est, spectat, secundum necessitates ecclesiae decursu temporum variante, determinare modum quo haec

théologiquement ni d'organes substitutifs ni d'organes supérieurs, mais seulement de diverses modalités de la forme
collégiale où le pape est toujours impliqué. Il ne peut s'agir que
d'un enrichissement et d'une articulation des services disponibles

---

cura actuari conveniat, sive modo personali, sive modo collegiali. Romanus
Pontifex ad collegiale exercitium ordinandum, promovendum, approbandum,
intuitu boni ecclesiae, secundum propria discretionem procedit». Quelles sont les
sources et les significations de ces propositions ? Le schéma préparatoire estimait
que le pouvoir collégial ne devait être exercé qu'exceptionnellement (c'est-à-dire
au concile œcuménique) et quand, comme et jusqu'à quand il semblerait «in
Domino» au pape (SH 22, 161-173). Dans le schéma Philips suivant, il y avait une
simple proposition qui reconnaissait au pape la compétence de régler l'exercice de
la juridiction du corps épiscopal (SH 22, 142-145). Le schéma de travail de février
1963 ne mentionnait plus aucune clause relative à l'intervention du pape dans les
actes collégiaux du corps épiscopal dispersé. Au contraire, l'argument reparais-
sait dans le schéma approuvé par la Commission de coordination, au début de
juillet, dans une formulation élastique selon laquelle le concours du pape à un
acte collégial pouvait consister dans l'initiative, l'approbation ou la réception (SH
22, 189-200). A l'occasion des votes d'orientations du 30 octobre 1963, les
formulations préliminaires reprenaient cette orientation, mais l'une ajoutait aussi
«ipsius romani pontificis est ultimum iudicium de opportunitate actionis
collegialis corporis episcoporum» (HS IX 35*-43*). Dans la rédaction définitive
approuvée par le Concile, l'argument entra dans le NB aux questions 3 et 4 où
sous a) on disait que l'exercice actuel de la collégialité devait être ordonné selon
des règles approuvées par le pape, et, sous c) que le mode pratique et concret des
deux formes du pouvoir suprême dans l'église revient à des décisions théologiques
et juridiques ultérieures ; l'Esprit-Saint garantira indéfectiblement l'harmonie
entre les deux formes (SH IX, 25-30). Par là, le rapport entre forme personnelle
et forme collégiale était renvoyé et, d'une façon ou d'une autre, placé dans la
perspective de l'action du Saint Esprit plutôt que d'une garantie institutionnelle.
En conséquence, le texte du schéma conciliaire ne subit aucun changement, pas
même ensuite à la demande d'amendement de Paul VI, selon laquelle on aurait
dû dire que le pape en promouvant l'action collégiale est «uni Domino devictus»
(SH X, 29). La Commission doctrinale jugea ne pas devoir accéder à cette
requête et motiva son refus d'une façon très intéressante, c'est-à-dire en estimant
que le pape «est tenu à observer la révélation, la structure fondamentale de
l'église, les sacrements, les définitions des premiers conciles, etc.» (SH XI/3,
394-408.) La question semblait résolue, si bien que, dans la rédaction initiale des
Addenda de la Commission elle-même au chap. III, l'argument ne figurait pas
(SH XII/3, 23*-29*/). Mais la demande fut de nouveau présentée par Paul VI en
novembre 1964 au sujet de la rédaction définitive de la Nota praevia. En effet, le
pape demandait — en reprenant une intervention du Cardinal Browne au Concile
— qu'on dise que «l'exercice collégial peut varier dans le temps selon les besoins
de l'église ; le jugement au sujet de l'opportunité de cet exercice collégial revient
au Pontife romain à qui le Saint Esprit, en confiant le soin de tout le troupeau de
l'église, lui a, par cela même, confié aussi l'autorité de choisir la façon de
s'acquitter de ce soin, soit selon le mode personnel ou collégial» (HS XII/3,
71*-73*). A son tour, W. Bertrams, dans un avis cautionné par le pape, proposait
qu'on insère au § 22 de la constitution conciliaire que l'autorité collégiale
«nonnisi consentiente Romano Pontifice exerceri potest, qui quoad tale

pour la communion entre les églises et jamais d'organismes destinés à piéger ou à réduire le charisme pétrinien. Une lecture intelligente des expériences historiques d'organismes collégiaux suggère de faire davantage confiance au respect réciproque, alimenté par l'engagement à servir et conduit par l'Esprit, qu'à des garanties formelles, minutieusement élaborées, destinées à mortifier plus qu'à réaliser la dynamique de la vie ecclésiale.

2. Organes exclusivement épiscopaux ?

J'ai également déjà parlé de la légitimité d'organismes qui concentreraient la représentation des églises, pleinement constituée par le corps des évêques dans sa totalité. A ce propos toutefois un autre problème délicat se pose ultérieurement : dans la mesure où le collège épiscopal exprime la communion des églises et à la lumière des expériences chrétiennes différentes de l'expérience catholique, est-il admissible d'exclure, de manière absolue, d'autres charismes présents dans les églises et capables, au moins dans certains cas, justement d'enrichir la communion inter-ecclésiale ? Historiquement, les réunions plénières ou restreintes du corps épiscopal ont presque toujours admis la participation de chrétiens qui n'étaient pas évêques mais qui étaient doués, d'une manière éminente, d'autres charismes. Une telle participation n'était pas régie par des normes strictes, mais commandée par un empirisme assez souple ; si parfois les modalités ont pu apparaître arbitraires, il n'en reste pas moins qu'un tel fait démontre une capacité d'adaptation aux circonstances ecclésiales qu'il s'agit de ne pas perdre.

Il en résulte qu'on pourrait imaginer que la composition de tels organes soit essentiellement épiscopale, avec toutefois une certaine marge où puisse s'expliciter l'apport de dimensions

---

exercitium promovendum, dirigendum, approbandum bonum ecclesiae respiciens secundum propriam discretionem procedit » (SH XII/3, 139*-140*). La demande réapparaissait ainsi, alors que le concile et la commission doctrinale l'avaient déjà repoussé. Quoi qu'il en soit, la première partie de la formulation Bertrams fut insérée au § 22 (SH 22, 116-118), tandis que la seconde alla constituer, avec la proposition de Paul VI, la dernière partie du § 3 de la Nota praevia. Il ne faut pas un engagement herméneutique spécial pour conclure que sur ce point la Nota va plus loin que la LG dans un sens consciemment exclu par le concile, et, de plus, étranger à la tradition comme le signalait J. RATZINGER, La Collégialité…, 755-756.

« fortes » de la vie des églises. Ceci pourrait concerner surtout l'organisme chargé des fonctions normatives, puisque c'est lui qui serait appelé à formuler des critères importants pour la vie de toutes les églises [33].

3. Articulations géo-ecclésiales des formes de l'autorité

Un aspect important pour un projet réaliste de ces lieux d'exercice de la forme collégiale de l'autorité est constitué par la claire distinction des milieux ecclésiaux avec lesquels ils auront à faire. On peut reprendre à ce propos la fructueuse articulation, rendue célèbre par Batiffol [34], en l'adaptant au présent et au futur immédiat des églises.

Une aire bien délimitée est constituée par les églises latines d'ancienne chrétienté, situées dans l'occident atlantique, qui ont accepté le concile de Trente. La communion de ces églises a été régie, au cours des derniers siècles, selon la forme personnelle à laquelle a été associé, ces dernières années, le synode des évêques. Il s'agit d'une communion ecclésiale dans laquelle ont tendance à prévaloir des éléments d'uniformité, mêlés toutefois à de vifs ferments de différenciation.

Une seconde aire est constituée par les églises occidentales nées après le concile de Trente surtout au travers de l'implantation missionnaire. Ici aussi la communion de ces églises a été régie par Rome selon la forme personnelle, mais ceci est advenu dans un contexte historiquement et socialement fort différent de celui des églises « atlantiques ». Il en résulte des régions ecclésiales (latino-américaine, africaine, indienne, extrême-orientale) insérées dans des situations toujours plus différenciées et articulées, qui exigent des solutions qu'un office central comme *Proganda fide*, tout glorieux qu'il fut, est aujourd'hui complètement incapable de donner.

Une autre aire est constituée par les églises catholiques orientales qui conservent des témoignages d'une forte pratique

---

33. Un auteur aussi équilibré que l'est E. Corecco admet aussi cette orientation. Cf. « Sinodalità », dans *Nuovo Dizionario di teologia*, Roma, 1977, 1489-1493.

34. P. BATIFFOL, *Cathedra Petri*. Études d'histoire ancienne de l'Église, Paris, 1938, chap. II : « Les trois zones de la puissance papale ».

synodale à différents niveaux et qui, bien qu'elles soient en pleine communion avec l'Église de Rome et avec son évêque, ont toujours éprouvé de sérieuses difficultés à approuver la préférence donnée à la forme personnelle de l'exercice du gouvernement qu'il n'est guère facile d'harmoniser avec leur profonde conscience synodale.

Au-delà de l'aire catholique, trois autres milieux chrétiens au moins présentent une physionomie bien déterminée. La communion des églises des sept conciles œcuméniques qui revendiquent la «synodalité» comme une de leurs caractéristiques constitutives ; c'est elle, en effet, qui a permis à ces églises, de surmonter de très graves épreuves historiques et de vivre dans des contextes sociaux même très hostiles. Aux yeux de ces églises, la reprise d'une pleine communion avec le catholicisme ne peut pas ne pas avoir une explicite dimension conciliaire, synthétisée dans des organes collégiaux où s'exprime le corps épiscopal.

Une aire géographiquement et culturellement différente, mais présentant toutefois de nombreux points de contact avec celle de l'Orthodoxie, est constituée par la communion anglicane, habituée aux formes collégiales de l'autorité et traditionnellement étrangère à l'idée de reconnaître des prérogatives personnelles particulières dans le service de la communion des églises.

Il reste enfin l'aire variée et composite des églises issues de la Réforme, situées dans les contextes culturels les plus divers et ordonnées selon des critères d'autonomie accentuée. Dans cette aire circulent de fortes défiances à l'égard d'un épiscopat de type «catholique», mais on peut en même temps relever de croissantes réactions à la fragmentation congrégationaliste. Des formes collégiales de responsabilité pourraient peut-être soulever une attention dépourvue de préjugés [35].

Cette distinction des différentes aires veut amener à une question précise : n'est-il pas possible de penser que ces aires, que leurs caractéristiques rendent complémentaires, puissent

---

35. Ces dernières années, on a eu divers documents interconfessionnels qui ont témoigné d'une attitude nouvelle de la part des chrétiens non romains au sujet de la papauté. En même temps, ces «consensus» ont aussi montré des limites très précises. Cf. l'analyse minutieuse, jusqu'en 1977, menée par H. KÜNG, *Vaticano III : problemi e prospettive per il futuro*, in *Verso la chiesa del terzo millennio*. (Éd. it. Brescia, 75-107).

voir un exercice différencié de la forme collégiale ou de la forme personnelle ? La communion entre les églises n'est pas un stéréotype identique pour toute la planète : c'est au contraire une relation qui tend à assumer des physionomies, des contenus et des rythmes non seulement variables, mais différents selon les grands milieux culturels, historiques et confessionnels. Le recours à des formes collégiales de service devrait permettre de respecter et de valoriser cette variété dans un contexte unitaire de communion universelle dans laquelle l'apport de chaque église puisse trouver sa place.

Pour cela, il est fondamental de ne pas bureaucratiser ces organismes, et ceci en deux sens : il s'agit de veiller à ce qu'ils soient composés de représentants effectifs des églises, d'une part ; il s'agit, d'autre part, de donner la préférence à un rapport non médiatisé de ces organismes avec les églises et leurs regroupements (patriarcats, conférences), plutôt qu'à un rapport médiatisé par des structures centrales [36].

Le défi implicite à l'hypothèse d'organes collégiaux pour la communion ecclésiale consiste dans la conviction que la force du rapport fraternel entre les églises pour l'annonce de l'Évangile et pour le témoignage de l'amour saura vaincre la lenteur bureaucratique qui menace toute réalisation institutionnelle. A l'écoute de l'Évangile, l'Église sait qu'elle se trouve à un carrefour inexorable : il s'agit pour elle ou de se faire « l'épouse belle » et, par conséquent, pauvre, humble, sans pouvoir ni dignité sociale, ou de devenir celle qui a autorité, puissance et efficacité.

---

36. Je veux soulever le problème de l'étrangeté de l'ensemble des services de la curie nés en fonction de la forme personnelle de l'exercice de l'autorité, par rapport aux organes authentiquement collégiaux. Cela non seulement parce que, historiquement, la curie est née des cendres des réalités collégiales : d'abord les synodes romains et ensuite le consistoire, mais surtout parce que le rythme descendant d'un ordre pyramidal est qualitativement différent de la dynamique circulaire d'un ordre de communion. La première forme requiert un appareil bureaucratique et peut en profiter, la seconde doit se créer des véhicules de communication cohérents avec son ordre horizontal où est surtout souligné le premier terme « d'égalité inégale ». Il me semble que même des tentatives engagées comme celles de J.H. PROVOST, « Structuring the Church as a communio », dans The Jurist 36 (1976) 191-245, et de J. SANCHEZ Y SANCHEZ, « Conférences épiscopales et Curie romaine » dans Concilium 147 (1979), n'ont pas triomphé de cette contradiction.

P.S. Joint à ce rapport, on trouvera un projet schématique d'organes au travers desquels pourrait s'exercer le service de la communion entre les églises.

NOTES EN VUE D'ORGANISMES COLLÉGIAUX DANS L'ÉGLISE CATHOLIQUE

I. Il serait possible et désirable que le Pape prenne une initiative qui permette de faire une expérience dont on jugera au moment de sa réalisation la valeur : celle de convoquer, sans s'engager encore à renouveler une telle initiative, une assemblée représentative de l'Église catholique distincte du synode des évêques. Son rôle : examiner avec le Pape et sous sa direction quelques-uns des problèmes de l'Église actuelle et prendre les décisions nécessaires. On obtiendrait ainsi la réalisation d'une forme authentiquement collégiale à un niveau synodal dont on n'a pas encore fait récemment l'expérience (mais qui est attestée par la grande tradition des anciens Synodes et, en Occident, par les Synodes du Latran).

Un acte de ce genre signifierait sans équivoque la volonté de Jean-Paul II de faire honneur à la forme collégiale du gouvernement de l'Église et constituerait, par là-même, un événement d'une portée exceptionnelle : il aurait créé l'occasion d'une expérience synodale précieuse à la lumière de laquelle il serait possible de procéder à une mise en forme sucessives.

II. La convocation d'un synode délibératif — uni au Pape et présidé par lui — devrait être accompagnée d'indications par lesquelles on fournisse des précisions sur deux points ecclésiologiques fondamentaux :

1. La réaffirmation de l'authenticité évangélique de chaque église locale non séparée de la communion. De cela dérive l'engagement à respecter le principe de suppléance : il s'agit d'éviter que ce qui peut être décidé et réalisé par les églises particulières ou par leur communion dans une région déterminée soit renvoyé à des instances supérieures, même si elles sont représentatives et synodales. Rien ne justifierait une nouvelle centralisation ;

2. La réaffirmation que le concile général ou œcuménique est l'unique organisme pleinement collégial qui exprime d'une manière adéquate la communion ecclésiale. Il s'ensuit que certains arguments ne peuvent être décidés qu'à ce niveau-là : professions de foi, définitions ou réaffirmations doctrinales, formulations synthétiques des orientations pastorales valables pour l'Église universelle, institution définitive d'un Synode épiscopal ayant voix délibérative, approbation globale du droit canon, etc.

III. Pour réaliser la perspective proposée ci-dessus, certains actes seraient nécessaires qui, en l'occurence, appartiennent à la compétence du Pape :

1. La détermination exacte et définitive des questions posées à l'*ordre du jour* du synode (par exemple : pastorale du sacrement de la pénitence ; conditions pour l'administration du sacrement du baptême ; lieux et critères de la formation sacerdotale ; options de pauvreté et de justice dans l'Église ; décentralisations des compétences et allègement des structures de la Curie romaine). Il serait bon de reconnaître au Synode, au travers de normes *ad hoc* précises, la faculté d'insérer des arguments à son propre ordre du jour quand il y a une majorité qualifiée et quand il y a, naturellement, l'accord du Pape ;

2. La détermination des *critères et des modalités d'élection* des Pères synodaux, en réalisant, même si seulement de manière embryonnaire, en plus de la représentation du corps épiscopal, une expression de la communion des églises, de la « koinonia » dans l'acception riche de sens qui a été indiquée par Vatican II. On peut penser par exemple à la participation, avec voix délibérative, de fidèles (religieux, prêtres et même laïcs) qui, au sein de l'Église, ont reçu le témoignage d'une autorité spirituelle particulière liée à leur expérience chrétienne significative. A côté des évêques, dont l'autorité est constituée sacramentellement et juridiquement, et des supérieurs généraux des familles religieuses qui, par analogie aux évêques, participeraient à ce synode, la présence de telles personnalités manifesteraient tant la reconnaissance de la complexité et de la richesse de cette « communion dans l'Esprit » qu'est l'Église (Jean à côté de Pierre) que la particularité de l'autorité chrétienne qui, en dernière analyse, trouve son fondement dans l'Évangile et dans l'expérience de l'esprit. On pourrait alors imaginer que le Synode soit composé de la manière suivante :

a) L'Évêque de Rome :

b) 120 évêques engagés dans le service pastoral, élus en partie par les différentes Conférences épiscopales et en partie par l'épiscopat des divers continents (Excursus A)

c) 10 supérieurs religieux élus en tenant compte des diverses vocations (monastique, « mendiants », d'assistance, de témoignage, etc.)

d) 10 « spirituels » désignés par le Pape (Excursus B)

e) Les responsables des différents secteurs de la Curie romaine (Excursus C).

3. La détermination des normes essentielles pour le *fonctionnement de l'assemblée* synodale, normes qui peuvent se limiter aux quelques points suivants :

a) présidence, présence personnelle et participation active du Pape en dialogue direct et continu avec les évêques et autres membres du synode ;

b) trois membres élus en qualité de modérateurs du débat ;

c) formation par élection, des commissions synodales qui devraient, durant la célébration du Synode, lui préparer le travail et exercer la fonction de personnes compétentes sur certains arguments déterminés, et cela indépendamment de l'articulation des compétences en vigueur dans l'organisation de la Curie (Excursus D) ;

d) modalités des votations (quorum nécessaire pour les différents actes) ;

e) participation au Synode de délégués des autres Églises chrétiennes en qualités de témoins de la foi et du mystère de l'unité — non encore visible — de l'Eglise (Excursus E) ;

f) ouverture habituelle au public des travaux du Synode et déroulement de ces travaux dans les langues maternelles ;

g) possibilités que parviennent au Synode des requêtes provenant d'églises particulières.

IV. Avant la conclusion de la session inaugurale, le Synode pourrait élire un organe collégial exécutif. Cet organisme serait responsable, avec le Pape et sous sa direction, de la mise en actes des délibérations synodales ; le Pape pourrait en outre recourir (de 3 à 6 fois par année) à cet organe pour partager des décisions relatives à d'autres arguments (mise en actes de Vatican II, nomination des évêques, indications doctrinales, rapports avec les autorités civiles, relations œcuméniques). A côté de 7-8 évêques résidentiels élus par le synode, 3-4 membres désignés par le Pape et 3 préfets des congrégations plus importantes de la Curie pourraient en faire partie.

Les membres de cet organisme pourraient être renouvelés partiellement tous les deux ans (3 chaque fois). Cet organisme pourrait être réglé par les normes qui régissaient ie Consistoire, quand elles sont applicables. Il devrait se soucier particulièrement de la manière avec laquelle sont accueillies les décisions communes à l'intérieur de la communion des églises.

Excursus A : le choix des évêques

Il est opportun que le *plenum* de l'assemblée synodale ne dépasse pas 150 personnes, de manière à garantir un fonctionnement rapide et pas trop coûteux ; ainsi une bonne partie du travail effectif pourra être fait par le synode dans son ensemble. Ceci fait surgir nécessairement certains problèmes difficiles quant au choix équilibré des délégués au Synode.

Dans l'hypothèse ci-dessus, les 120 évêques engagés dans le service pastoral devraient être élus de la manière suivante :

— une moitié devrait être élue par chaque Conférence épiscopale ou par regroupement de Conférences voisines et homogènes, indépendamment du nombre des membres de chaque Conférence ou regroupement de Conférences ; on réalise de cette manière une représentation locale uniforme de toutes les terres où l'Église vit ;

— l'autre moitié devrait être élue sur base beaucoup plus vaste : continentale (Europe, Asie, Océanie) ou sub-continentale (Amérique du Nord, Amérique latine, Afrique anglophone, Afrique francophone) proportionnellement au nombre de diocèses (ou circonscriptions équivalentes) existants ; de cette manière on compense le critère précédent par un renforcement de la représentation des régions à plus forte présence chrétienne et par la possibilité de tenir compte d'orientations pastorales, théologiques et culturelles existant dans des régions plus vastes. L'élection de ces 60 représentants pourrait être réglée de manière à garantir l'expression d'éventuelles minorités, et ceci en prévoyant que chaque électeur ne puisse donner des voix qu'à deux tiers des représentants à élire.

Excursus B : la désignation de quelques simples chrétiens

En tant qu'il est celui qui préside dans l'amour à la communion entre les églises, le Pape choisit quelques chrétiens (prêtres, religieux et laïcs) qui, par leur obéissance à l'Esprit, leur fidélité à l'Evangile et leur service auprès des hommes, sont reconnus comme témoins de Dieu non seulement à l'intérieur des églises, mais aussi par la conscience des hommes de bonne volonté.

La connaissance de ces chrétiens de la part du Pape pourrait être facilitée si les Synodes nationaux — là où ils existent — ou — en leur absence — les Conférences épiscopales étaient invités à présenter quelques personnes qui apparaissent significatives.

De toute manière, on ne devrait pas exclure de ce choix certains chrétiens « marginaux », à condition qu'ils soient en pleine communion avec l'Église, afin que ne soit pas absent du synode le charisme de la prophétie. Des chrétiens tels qu'un François d'Assise, Philippe Néri, le curé d'Ars, Charles de Foucauld, Etienne Gilson devraient pouvoir trouver place au synode.

Ces chrétiens seraient membres à part entière du Synode.

Excursus C : place des préfets des congrégations dans le Synode.

Dans la pratique constitutionnelle moderne, les chefs des organismes exécutifs de gouvernement ne font pas partie, en tant que tels, des assemblées législatives ; ils y interviennent seulement à titre *consultatif*. Ceci est moins ressenti en Europe où les ministres sont également très souvent parlementaires, mais est habituel dans les Etats-Unis.

Sur la base de ce critère, les responsables des différents secteurs de la Curie romaine devraient intervenir au Synode à partir d'une position d'externes, car ils ne sont pas l'expression d'une réalité ecclésiale primaire, mais d'un service, à l'intérieur duquel ils exercent d'ailleurs une responsabilité très élevée.

De toute manière, les responsables des offices centraux ne devraient intervenir au Synode que de fois en fois et seulement lorsque l'argument dont il est question les concerne.

Excursus D : commissions synodales.

Deux critères convergents semblent devoir présider à l'articulation du synode en Commissions : celui de la représentativité des diverses positions de l'Assemblée et celui de la compétence. La composition des Commissions sur une base linguistique et territoriale n'apparaît adéquate que lorsqu'il s'agit de traiter des arguments pour lesquels le milieu ambiant joue un rôle prépondérant. Mais normalement le Synode devra affronter les questions au niveau de la communion universelle, de sorte que la représentation géographique ne pourra servir que de critère complémentaire.

Il serait souhaitable que l'articulation des Commissions respecte la thématique de l'argument ou des arguments à l'ordre du jour de la session synodale.

La préparation et la célébration du concile du Vatican II ont montré que l'articulation des Commissions fondée sur le schéma des compétences des congrégations romaines se révèle inadéquate pour la plupart des questions, ce qui fit qu'on dût recourir souvent à des Commissions mixtes *ad hoc*.

Au cours de l'élection des Commissions, il faudra veiller à ce qu'une éventuelle minorité de l'assemblée puisse trouver une représentation.

Le travail de chaque Commission pourra être communiqué à l'Assemblée sous forme de rapport unitaire, ou sous forme de rapports de majorité et de minorité.

Excursus E: observateurs non-catholiques.

Après le «précédent» constitué par Vatican II, l'absence d'Observateurs œcuméniques signifierait un pas en arrière dans le difficile chemin vers l'unité.

Tant que la pleine communion n'aura pas été rétablie, il est opportun que la participation des délégués des autres églises chrétiennes ne s'exprime pas sous la forme du vote. Il semble plus approprié que le règlement du Synode prévoie la possibilité pour ces délégués de prendre la parole sur les différentes questions en débat — soit dans les assemblées plénières, soit dans les différentes commissions — de manière à ce que les pères synodaux, dans un climat d'écoute véritable et dans le service commun de l'Évangile, puissent se laisser interroger par les exigences qui proviennent des autres traditions ecclésiales.

Joseph LÉCUYER

INSTITUTIONS EN VUE DE LA COMMUNION ENTRE L'ÉPISCOPAT UNIVERSEL ET L'ÉVÊQUE DE ROME

La lecture du rapport préparé par le Professeur Alberigo a suscité en moi deux réactions de type opposé, que j'essaierai de formuler aussi brièvement que possible. Je dirai donc d'abord en quelques mots mon accord de principe sur la possibilité de la solution proposée ; puis, dans une deuxième partie, je ferai cependant quelques réserves sur l'opportunité et la nécessité de cette solution.

I. ACCORD DE PRINCIPE

L'hypothèse d'une institution nouvelle proposée par le Professeur Alberigo, ce qu'il appelle un « synode délibérant », avec, comme complément possible, un « organe collégial exécutif », paraît acceptable en théorie.

Il ne semble pas, en effet, qu'on puisse exclure la possibilité d'une assemblée de ce genre comme représentant le collège entier des évêques. Il semble inutile de reprendre ici les arguments de l'auteur. Sur des détails secondaires, on pourrait faire cependant quelques difficultés : je pense, par exemple, à la possibilité qui est prévue pour une église donnée de recourir au collège plénier (c'est-à-dire au concile œcuménique) dans le cas où elle s'estimerait lésée (p. 17) ; je pense aussi à la participation de non-évêques aux décisions de ce synode (p. 21-22)... Ces questions, et d'autres, devraient être examinées avec beaucoup d'attention. Mais la véritable difficulté semble venir d'ailleurs, et il sera nécessaire de l'exposer un peu plus longuement.

II. Opportunité et nécessité

Le titre proposé pour ce rapport peut, dès l'abord, causer une certaine gêne.

Le mot lui-même d'« institutions » a une mauvaise presse de nos jours, et la défiance qu'il suscite s'explique par la multiplication croissante des organisations, structures, commissions, administrations de toutes sortes, qui requièrent une considérable dépense d'hommes, de temps, d'énergie et d'argent. Pour nous limiter au domaine de l'épiscopat, n'est-il pas bien connu que, de plus en plus, l'activité de nos évêques est occupée par les multiples rencontres, soit au niveau des conférences épiscopales avec leurs différentes commissions, soit au niveau des rapports avec la curie romaine et ses secrétariats ? Les évêques, entendons-nous souvent, sont de moins en moins dans leurs diocèses, de moins en moins accessibles au contact personnel et pastoral avec leurs prêtres et leurs fidèles. Envisager de nouvelles institutions ne peut se faire qu'avec beaucoup de prudence et en tenant compte du caractère éminemment pastoral de la tâche épiscopale.

De plus, une certaine difficulté apparaît dans l'expression « communion entre l'épiscopat universel et l'évêque de Rome ». Il est évident d'abord que le terme « épiscopat universel », de soi, inclut aussi l'évêque de Rome ; ne serait-il donc pas préférable de parler de « communion entre l'évêque de Rome et les autres évêques au sein de l'épiscopat universel ». Ceci peut paraître une argutie, mais n'est pas sans importance. La difficulté paraît encore plus grande si l'on rapproche le mot « institutions » du mot « communion ». En effet, la communion est une réalité qui n'est pas à créer, mais qui existe : elle est participation effective de toutes les églises « dans la confession d'une même foi, dans la célébration commune du culte divin, dans la concorde fraternelle de la famille de Dieu » (Unit. Redint. 2). Si l'on parle d'institutions *pour* ou *en vue de* la communion, il ne peut donc pas s'agir d'institutions pour produire cette communion, mais tout au plus pour manifester, et aussi pour la renforcer, pour fortifier les liens de l'unité.

Ici se posent plusieurs questions inévitables.

S'il s'agit de manifester ou de renforcer la communion qui existe entre les églises, et donc aussi entre les pasteurs, plutôt que de créer des institutions nouvelles, ne serait-il pas préférable de valoriser au maximum les moyens qui existent déjà et qui relèvent de la constitution même de l'Église ?

Ainsi, pour la communion dans la foi, n'est-il pas beaucoup plus important que les évêques proclament spontanément leur foi et celle de leurs églises chaque fois que l'occasion s'en présente, plutôt que de dire seulement leur accord avec une proclamation de l'évêque de Rome ou même d'un Synode ? Ce n'est pas tant la communion qu'il faut proclamer que la foi dans laquelle on communie. Est-il exagéré de dire que, souvent, on a l'impression que les évêques attendent les documents provenant de Rome pour prendre eux-mêmes position ? Chacun d'eux ne participe-il pas au « charisme de vérité » dont parlait Irénée. On aimerait aussi que les évêques se fassent volontiers l'écho des déclarations de leurs confrères dans l'épiscopat ; en particulier, l'évêque de Rome, qui cite si souvent les documents de ses prédécesseurs « de vénérée mémoire », ne perdrait sans doute rien de son autorité s'il se référait habituellement aux déclarations des autres évêques. Un autre domaine où l'on souhaiterait un jeu plus habituel de la communion est celui de la mise en garde contre les erreurs dans le domaine de la doctrine. Pourquoi faut-il que, la plupart du temps, on attende une décision romaine, alors que tous les évêques sont gardiens de la foi ? Si un évêque isolé peut parfois se sentir peu compétent devant une question difficile, n'a-t-il pas la possibilité de s'unir à ses voisins pour examiner et juger, au lieu de recourir habituellement à Rome et de favoriser ainsi une centralisation excessive dont tout le monde voit les inconvénients ? Et s'il s'agit d'une condamnation éventuelle, ne serait-il pas plus humain et plus courageux d'en assumer la responsabilité, au lieu de renvoyer la responsabilité et l'odieux au S. Office et donc à l'évêque de Rome ?

La communion entre les églises est aussi une communion dans le culte, la prière liturgique. Cet aspect est très lié au précédent dans la mesure même où la foi de l'Église s'exprime dans les rites. Mais s'il est important que les rites manifestent l'unité de la foi, il est non moins important que cette unité n'empêche pas la diversité des signes selon les différentes traditions culturelles et les sensibilités diverses ; la communion n'est pas l'uniformité ni l'identité. Toute centralisation excessive fait tort à la communion, parce qu'elle tend à diminuer la part de responsabilité, d'invention, d'adaptation créatrice de chaque église et de chaque évêque ; plus on devient un exécutant, moins on est perçu comme co-responsable. La création d'un organisme collégial délibératif serait-il, dans ce domaine, un progrès ? On peut en douter, dans la mesure même où un tel organisme ne peut être que central, et que le poids de ses décisions s'ajouterait à celui des organismes déjà existants dans la curie romaine.

On peut faire les mêmes observations pour les décisions d'ordre disciplinaire ou juridique. Si un « synode délibérant » voit le jour, il devra légitimer son existence en prenant des décisions qui, étant donnée sa nature d'organisme représentant tout le collège des évêques, seront obligatoires pour l'Église entière. Est-il souhaitable de réduire encore l'espace laissé à la décision de chaque évêque ? Si paradoxal que cela puisse paraître, la communion et la collégialité apparaissent d'autant moins que les lois et décisions centrales sont plus nombreuses. En d'autres termes, la communion (et donc aussi la collégialité) se manifeste d'autant mieux que les évêques du monde entier cherchent *spontanément* à procurer le bien de leurs églises respectives, dans le respect de leurs traditions propres, dans l'attention à leurs besoins actuels, et aussi dans le souci d'harmonieuse *collaboration avec tous les autres évêques* pour le bien *commun* de toutes les églises. Ne serait-il pas mieux que l'autorité centrale — qu'il s'agisse de celle de l'évêque de Rome, d'un Concile, ou d'un « synode délibérant » — n'intervienne que lorsque le dernier point souligné n'est pas observé : par exemple, lorsqu'un évêque (ou un groupe d'évêques) établit des lois ou approuve des coutumes qui sont en manifeste opposition avec celles des églises voisines et de l'ensemble des églises, avec un danger de scandale grave ou de déviation dans la foi. Telle a été pendant de longs siècles, au dire du Concile lui-même, la pratique de Rome envers les églises d'Orient : elle « intervenait, selon un accord commun, lorsque surgissaient entre elles des différents en matière de foi ou de discipline » (Unit. Redint. 14.).

Je reste donc hésitant. Pour tout dire en deux mots, ne vaudrait-il pas mieux *supprimer* des institutions que d'en créer de nouvelles ? Ne vaudrait-il pas mieux supprimer un grand nombre des cas où l'accord préalable d'une instance supérieure est requis ? Une solution de ce genre, en donnant à chaque évêque ou groupe d'évêques un sens plus immédiat de sa responsabilité, rendrait plus évidente la communion entre des *églises sœurs* (Unit. Red. 14). Celle-ci devient plus difficile à percevoir quand les églises sont habituellement dans un rapport de soumission à des ordres reçus d'une autre ; un « synode délibérant » ne supprimerait pas la difficulté, car il ne pourrait être valable sans l'intervention décisive de l'évêque de Rome.

Jan GROOTAERS

LES SYNODES DES ÉVÊQUES
DE 1969 ET DE 1974

Fonctionnement défectueux et résultats significatifs

PRÉAMBULE

Les aspirations ecclésiologiques à l'origine de l'institution du synode des évêques.

Au seuil de cet exposé, il ne sera pas nécessaire de s'étendre longuement sur la signification doctrinale du synode des Evêques à Rome lors de son institution par le *Motu Proprio* du 15 septembre 1965. En un mot, nous pouvons dire qu'aujourd'hui nous voyons assez clairement que l'institution du synode a participé à l'ambiguïté fondamentale de l'ecclésiologie post-conciliaire dont il a été question à plusieurs reprises au cours du présent colloque.

Cependant il est nécessaire de se rappeler les aspirations ecclésiologiques profondes qui furent à l'origine de l'institution du synode et qui, aujourd'hui, se sont souvent estompées dans les mémoires. A cet égard quelques points de repère rapides peuvent avoir leur utilité :

1. Dès décembre 1959 le cardinal Alfrink prône l'institution d'un conseil d'évêques élus avec compétence législative : il est le précurseur de l'idée ; plus tard, à la veille de l'ouverture du concile, jetant un regard rétrospectif sur l'expérience faite au sein de la Commission centrale préparatoire, le même cardinal

Alfrink défend le projet d'un conseil de la couronne : « concilium in forma contracta » [1]

2. Une contribution essentielle à l'idée d'un synode épiscopal se trouve durant le Vatican II dans les discours importants que prononcent le Patriarche Maximos IV (6-11-1963) et le cardinal Lercaro (8-11-1963) suggérant un conseil de délégués de tous les évêques, destiné à être « le vrai sacré collège ». Le débat conciliaire de novembre 1963 sur ce point, n'apporta pas d'ailleurs la clarification espérée [2].

3. Le *Motu Proprio* du 15 septembre 1965, instaurant le synode des évêques, ne parla pas explicitement de « collégialité » ; le texte insista sur la primauté à l'heure où les évêques accèdent à de nouvelles responsabilités qui concernent l'Eglise universelle mais il parla d'« union » entre évêques et pape ;

4. Lors de la présentation de ce *Motu Proprio* au concile (et ensuite à la presse) le cardinal Marella a employé formellement le terme de *collège* (15-9-1965 et 26-9-1965).

Marella déclara : « le Synode peut être défini comme un symbole, un signe de la collégialité mais il n'est point l'explication de la collégialité en acte ou dans le sens doctrinal comme c'est le cas, par exemple, pour un concile œcuménique. »

5. L'instauration du Synode, ayant été promulguée avant l'ouverture de la dernière session du concile, celui-ci a encore la possibilité d'insérer la nouvelle institution dans le texte du décret « de pastorali episcoporum munere in ecclesia » ; ce texte de Vatican II promulgué le 28-10-1965 stipule en son paragraphe 5 : « Le Synode qui représente tout l'épiscopat catholique signifie que tous les évêques ont part au souci de l'Eglise universelle dans la communion hiérarchique. » ; [3]

---

1. Pour le votum du C. Alfrink du 22-12-1959 cf *Acta et Documenta concilio œcumenico Vaticano II apparando* SI Vol. II Paris II (1960), p. 511 ; pour les déclarations reproduites voir *De Tijd* du 17-07-1962.

2. *Doc. Cath.* du 15-12-1963, pp. 1723-1726.

3. Dans le commentaire qu'il fit de ce passage au lendemain du Concile, Mgr Onclin, secrétaire de la commission conciliaire compétente, écrit : « Destiné à apporter une aide efficace du Pasteur suprême dans le gouvernement de l'Église, ce synode n'est pas à strictement parler un organe du collège des

6. Parmi les nombreuses vues ouvertes sur l'avenir du Synode des évêques citons au moins la conférence du P. Schillebeeckx, faite à la veille du premier synode de 1967 : l'auteur considéra le synode des évêques comme un « acte éventuel de collégialité stricte » quoique « non-conciliaire ». Car « la collégialité est une réalité vivante qui permet toutes sortes de gradations ». Le concile œcuménique en est le sommet, immédiatement suivi par le Synode des évêques qui correspond le mieux à ce qu'on appelle dans L.G. « l'acte non-conciliaire mais néammoins strictement collégial » [4]

7. Lors de l'ouverture de l'assemblée extraordinaire du synode en 1969 le pape Paul VI fit une déclaration qui ranima les espoirs de ceux qui prônaient une collégialité mieux traduite dans les institutions.

   « En se souvenant que l'épiscopat succède légitimement aux apôtres et que ceux-ci constituaient un groupe particulier, choisi et voulu par le Christ, il a paru heureux de reprendre le concept et le terme de collégialité en l'appliquant à l'ordre épiscopal.

Quoiqu'il en soit des hauts et des bas que subirent les aspirations profondes à un renouveau ecclésiologique pendant et après Vatican II, à la veille du Synode des Evêques de 1969, dont le thème annoncé était précisément la collégialité vécue, il y eut un regain général d'intêret pour la signification réelle du synode. Il y eut là-dessus un débat public parfois assez vif qui témoigna de l'intérêt général des ecclésiologues.

En tout cas, il y eut une incertitude persistante sur le fonctionnement, la procédure et le but réel du Synode des

---

évêques, apte à poser au nom du collège des actes de nature collégiale. Il est plutôt un organe de pouvoir qu'exerce le Souverain Pontife, qu'il est appelé à assister dans l'accomplissement de sa tâche propre de chef du collège. Néanmoins ce synode, composé d'évêques choisis dans l'épiscopat universel, est le signe manifeste de la sollicitude de tous les évêques vis-à-vis de l'Église tout entière et de leur responsabilité à l'égard de l'Église universelle », in : *La charge pastorale des évêques*, Unam Sanctam 74 Vatican II, Paris, 1969, p. 94.

4. E. SCHILLEBEECKX, *Le synode des évêques, acte éventuel de collégialité stricte mais non-conciliaire*, publié comme document, dans I-DOC Dossiers 67-9 (dd. 12-3-1967), 6 pages

évêques. Il fallait bien prendre en considération le *problème
ecclésiologique non-résolu de Vatican II,* selon le titre d'un article
que le Père Congar publia à l'époque[5].

Finalement c'est bien cette incertitude qui a plus ou moins
hypothéqué chacune des assemblées synodales de 1969 à 1977.

***

Nous voudrions maintenant examiner rapidement *l'évolution
de deux assemblées de ce Synode :*
— l'assemblée extraordinaire de 1969 et
— l'assemblée générale de 1974.

Dans chacun de ces cas types, il nous a semblé que les *défauts
graves* qui entachent le déroulement formel du synode n'ont pas
empêché d'atteindre chaque fois certains résultats significatifs.
Malgré donc une hypothèque réelle qui pesait sur l'institution
synodale, l'intuition du P. Schillebeeckx s'est en quelque sorte
réalisée lorsqu'il disait en mars 1967 « que la collégialité est
(aussi) un statut dynamique constant, toujours à l'œuvre, tant de
l'Eglise universelle que des Églises particulières dans lesquelles
l'Église universelle se réalise ».

I. L'ASSEMBLÉE EXTRAORDINAIRE DE 1969

L'assemblée générale du Synode des Évêques avait connu un
premier « rôdage » en octobre 1969 qui traita de cinq thèmes :
— réforme du droit canon ;
— questions de foi ;
— séminaires ;
— mariages mixtes ;
— réforme liturgique.

---

5. En juin 1969 le Père Y. Congar fit un exposé à la « Rencontre Internationale
d'Informateurs Religieux » se tenant à Fribourg en préparation du synode de
1969 : un extrait essentiel de ce texte paru comme article dans *La Croix* du
19-9-1969 : voir aussi l'article très important paru au lendemain du synode, de
D.O. ROUSSEAU, « Collégialité et Communion », in : *Irenikon,* 4ᵉ trim. 1969,
pp. 457-474.

Mais ce n'est qu'à *l'automne 1969* — dans le temps record de deux semaines — que l'assemblée extraordinaire du synode put déployer une activité significative.

Lorsque la première convocation de ce synode fut expédiée en décembre 1968, on se préoccupait beaucoup à Rome de reprendre en mains les conférences épiscopales dont certaines semblaient échapper au contrôle de l'autorité centrale, principalement après la crise de *Humanae Vitae*. On désirait rétablir un front uni. Les traces de cette préoccupation peuvent être décelées dans le premier schéma préparatoire. La perspective vue à partir des épiscopats était totalement différente : la convocation éveillait de toutes autres aspirations. Après l'accueil souvent peu favorable de textes pontificaux récents :

— encyclique sur le *célibat* (1967)
— encyclique sur la *morale conjugale* (1968)
— Motu Proprio sur *la fonction des nonces*(1969) ;

certains membres de l'épiscopat mondial espéraient que le Synode allait fournir l'occasion d'un meilleur contact avec les instances romaines et allait peut-être garantir *une certaine participation à la prise de décisions.*

Les encycliques de 1967 et de 1968 avaient touché des questions vitales qui préoccupaient les évêques et au sujet desquelles leur avis n'avait pas été demandé. Le M. P. concernant les nonces avait même paru constituer une atteinte à la collégialité.

Les points à l'ordre du jour du synode concernaient des aspects importants de l'ecclésiologie post-conciliaire :

— la doctrine de l'*unité* collégiale de la hiérarchie ecclésiastique ;
— le resserrement des *liens entre* les conférences épiscopales et le siège apostolique ;
— l'amélioration des relations *mutuelles* entre conférences épiscopales.

Au cours des délibérations synodales de 1969, il devint rapidement évident qu'une majorité écrasante d'évêques était disposée à passer outre aux *oppositions doctrinales* (qui persisteraient depuis la promulgation de *Lumen Gentium*) afin de ne pas retarder la prise en considération de *conséquences pratiques* de la collégialité :

— plus grande liberté de mouvement pour les épiscopats ;

— meilleure participation de ceux-ci aux décisions romaines ;
— organisation plus collégiale du synode lui-même ;
— relations plus directes avec le pape sans passer par l'intermédiaire d'insistances curiales.

Nous avons, à ce moment-là, compris qu'une politique générale de décentralisation collégiale n'offrait qu'une signification purement *instrumentale* ; en d'autres termes, les « moyens » proposés pouvaient aussi bien être mis au service d'une tendance novatrice qu'à celui d'une tendance conservatrice.

L'espèce d'unanimité, qui est apparue en faveur des mêmes réformes ne nous révélait encore rien de la direction que prendrait une plus grande liberté de mouvement octroyée éventuellement aux épiscopats.

Quoi qu'il en soit, le rapport sur le second aspect suscita dans les neuf *circuli minores* du Synode de 1969 des échanges de vues extrêmement vivants. Le débat concernait principalement les moyens à mettre en œuvre pour réaliser une coopération réelle entre Rome et les conférences épiscopales et pour garantir une meilleure autonomie à ces conférences sans entraver la liberté du pape. A la suite de ce débat, on assista à une sorte de retournement de la situation : au lieu d'instaurer un meilleur contrôle de Rome à l'égard des épiscopats (insuffisamment soumis) la pointe des « vota » prônés par la majorité allait dans le sens d'une meilleure participation des épiscopats à la prise des décisions des instances romaines. A cet égard, la majorité demandait e.a. que des représentants des évêques aient leur mot à dire lors de l'établissement de l'ordre du jour des futurs synodes et que le synode soit convoqué à des intervalles réguliers.

En ce qui concerne le problème de la compétence du synode, cette question ne fut pas tranchée à la réunion de 1969 du fait que l'on évita soigneusement de discuter de la signification du synode lui-même, en tant qu'expression d'une véritable collégialité.

Seul un traitement superficiel des aspects doctrinaux permettait d'atteindre cette sorte d'unanimité inattendue.

1. *Défauts graves*

Les défauts les plus flagrants, qui caractérisèrent le déroulement du synode de 1969, provenaient bien entendu d'une

*procédure boiteuse, empêchant les grands courants d'opinion qui
s'étaient cristallisés de circuler librement et d'aboutir réellement
aux textes de conclusion.*

Nous en donnerons trois exemples :
— la censure des « vota » comme document final concernant le
deuxième thème ;
— l'érosion du plan Poma ;
— l'étranglement du troisième thème de l'ordre du jour.

a) *Les « vota » censurés*

Sans entrer dans les détails du long cheminement de chacun
des grands thèmes du Synode (rapport introductif, discussion
dans 9 « circuli minores », synthèse de ces « circuli », discussion de
la synthèse, justification du rapporteur, préparation des « vota »,
vote et amendements) remarquons simplement que la synthèse
des « circuli » et que la préparation des « vota » furent soumises à
un contrôle incessant, exercé par des instances supérieures à
l'insu des pères synodaux. Quand il fallut procéder à une
synthèse des 9 rapports des carrefours ayant discuté du « resserrement » des liens entre épiscopats et Saint-Siège, ce fut là la
tâche du secrétaire spécial de ce second thème, qui prit soin de
rassembler tous les points importants sous trois rubriques :
— subsidiarité,
— collaboration entre évêques, conférences et Saint-Siège (par
un organe central de liaison),
— vœux concernant le synode lui-même.

Cette analyse du secrétaire était parvenue à mettre un peu
d'ordre dans des échanges parfois confus. Les vœux de la
majorité des Pères invitaient à développer les relations collégiales dans le cadre du Synode comme centre. Huit cercles sur les
neuf parlaient de coopération et non d'alignement en ce qui
concerne les rapports avec le Saint-Siège. [6]

Cependant les « vota » rédigés sur cette base par le secrétaire
spécial allaient subir des modifications significat de coopératio-

---

6. R. LAURENTIN, *Le synode permanent : naissance et avenir,* Paris, 1970,
pp. 130-131. Pour plus de détails sur ce point et notamment pour les *vœux non
retenus* par le secrétaire, voir P. HAUBTMANN, « le point sur le synode » (*Présence
et dialogue,* 28-11-1969, pp. 25-32).

nives : entre la version originale (du 23 X) et la version définitive du (25 X), le texte fut l'objet d'une négociation longue et secrète. Le secrétaire et les trois présidents durent subir différentes pressions (le 24 X) qui finalement furent arbitrées au cours d'une audience pontificale (le 24 X à 18h 45). Ceci se passa à l'insu des pères du Synode et même, semble-t-il, du cardinal Marty, rapporteur officiel ! La controverse portait principalement sur cinq points. [7]

1) Paragraphe II, n° 1 des « vota »

le projet original du secrétaire spécial exprimait clairement le vœu des évêques que le Saint-Père accepte la collaboration des conférences épiscopales (en donnant leur avis) lors de la préparation de documents romains importants ; dans l'entourage du Pape on voulait à tout prix supprimer ce vœu ; dans la version définitive on trouve une solution de compromis :

— le vœu est explicitement maintenu (« exoptant ») mais tempéré par « pro Sua prudentia » (selon la sagesse du pape)

— cependant un membre de phrase est ajouté, souhaitant la réciprocité afin que les conférences épiscopales acceptent elles aussi des avis préalables avant leurs déclarations ;

— en ce qui concerne cette dernière forme de collaboration, la formule « ad mentem summi pontificis », que l'on voulait imposer, fut refusée par le secrétaire et remplacée par l'expression plus nuancée : « communi cum Summo Pastore mente » (en communion d'esprit avec le Pasteur suprême) [8].

2) Par. II, n° 3

concernant l'échange mutuel et régulier des informations entre dicastères romains et conférences épiscopales, alors que certains épiscopats (surtout en Amérique latine) souhaitaient que cet échange se fasse par les nonciatures, la version définitive des « vota » a inséré la mention des *dicastères romains* pour rétablir les moyens de cet échange.

---

7. Les données qui suivent reposent sur des sources documentaires inédites qui sont en notre possession.

8. Le résumé paru dans l'*Osservarore Romano* du 26-10-1969 donna une traduction plutôt tendancieuse : la phrase « conferenze (...) sentano qual é il pensiero del Papa » ne reflétait pas « communi mente ».

3) Par. II, n° 5

concernant la communication des déclarations et instructions du Saint-Siège aux épiscopats (et des commentaires utiles les accompagnant) *avant* publication dans la presse ; la version définitive prévoit un commun accord entre le Saint-Siège et les conférences épiscopales pour rétablir la manière la plus adéquate de cette communion ;

4) Par. III, n° 3

où il était question de la compétence de secrétariat du Synode. Alors que la version originale du secrétaire spécial prévoyait que ce secrétariat du Synode participerait lui aussi aux tâches de coordination des rapports des épiscopats avec le Saint-Siège, la version définitive limita considérablement cette compétence en la réduisant uniquement « aux matières traitées et à traiter *dans le Synode* ».

5) Par. III n° 4

Par. III n° 6

modifications mineures qui nuancent d'une part la convocation tous les deux ans du Synode (quantum id fieri possit) et d'autre part l'admission d'experts au Synode (secundum normas in Synodi ordine stabiliendas).

Le premier point de cette discussion qui se déroula dans les coulisses du Synode, est le plus significatif : alors qu'un des vœux les plus clairs des délégués synodaux était d'offrir au Saint-Siège la collaboration des conférences épiscopales, certaines instances (restées dans l'ombre de l'entourage du Pape) exigeaient que ce vœu soit rayé des conclusions officielles du synode.

L'autre modification significative concernait la compétence du secrétariat du synode, qui subit finalement une amputation majeure : nous en parlons maintenant de manière plus circonstanciée : le sort du plan Poma.

b) *L'érosion du plan Poma*

Le cardinal Poma, archevêque de Bologne, venait d'être nommé président de la conférence épiscopale italienne à la veille du Synode. Il présidait l'un des carrefours du Synode. Alors que l'apport de ce carrefour fut jugé médiocre au plan doctrinal, le cardinal Poma fit une proposition concrète qui eut un grand retentissement : il proposait de transformer l'actuel secrétariat du synode en un *organe fonctionnel* qui serait réellement *représentatif des conférences épiscopales* et qui aurait pour tâche principale d'être un *centre de liaison actif entre la personne du pape d'une part et l'épiscopat du monde entier d'autre part.* Cet organe, composé d'une vingtaine d'évêques élus par le synode, se réunirait plusieurs fois par an afin de promouvoir les liens directs entre pape et évêques et plus particulièrement d'assurer la préparation des assemblées synodales et l'exécution de ses vœux.

Ce centre serait donc appelé à devenir le promoteur habituel de *toutes les activités collégiales.*

Mgr Haubtmann, témoin privilégié du synode de 1969, nota à ce sujet : « l'audace d'un tel projet effraya le groupe latin, présidé par un autre Italien, le cardinal Felici. Ce groupe (...) plaida pour le statu quo, tout en admettant que l'on renforçât quelque peu l'actuel secrétariat en personnel et en moyens. Un nouvel organisme, différent et à plus forte raison au-dessus des dicastères romains, représente à ces yeux un immense danger » [9].

Le rapport du carrefour du cardinal Poma fut présenté par Mgr Nicodemo ; les fonctions de ce secrétariat y furent justifiées comme suit :

a) être l'interprète auprès du Pape de la sollicitude collégiale des conférences épiscopales, en lui présentant les documents et les conseils qui peuvent l'aider ;

b) servir d'intermédiaire pour permettre au pape de consulter plus facilement l'épiscopat avant de poser des actes particulièrement importants ;

c) recueillir les indications des conférences épiscopales pour l'ordre du jour du Synode et assurer la préparation des sessions [10].

Lorsque le Synode se réunit en séance plénière pour entendre et discuter les rapports des *circuli minores*, le cardinal Poma fit observer que la proposition du groupe linguistique italien de transformer le secrétariat du synode en un organisme fonctionnel et représentatif, avait été reprise, sous des formes diverses, par

---

9. P. Haubtmann, *o.c.* p. 28.
10. Cf. *La Croix,* dd. 23-10-1969 et *The Tablet* dd. 1-11-1969, p. 1083.

plusieurs autres groupes : si l'on voulait dépasser le stade des bonnes intentions, il était temps de mettre en place des instruments appropriés ! Au début de la dernière semaine des débats synodaux, ce qu'on appelait le « Plan Poma » promettait donc d'être une des pierres angulaires d'une réalisation post-conciliaire de la collégialité : le plan eut notamment l'appui de tout un éventail de personnalités en vue : le cardinal Koenig, Mgr Hermaniuk, Mgr Mc Grath et d'autres.

A la fin de cette dernière semaine, il ne restait plus grand chose de cette « pierre d'angle » : dans la version définitive des « vota » la compétence du futur conseil du secrétariat du Synode était réduite uniquement à « ce qui concerne les matières traitées ou à traiter dans le Synode » (« quae ad causas in synodo tractatas aut tractandas pertinent relationibus »).

Une compétence d'ordre général avait été ramenée à une compétence spécifique et limitée.

Selon les déclarations du cardinal Koenig, trois tendances s'étaient partagées le Synode :
1) les minimalistes qui désiraient limiter le secrétariat à des tâches purement techniques,
2) les maximalistes qui voyaient en ce secrétariat une sorte de « synode permanent »,
3) et enfin un groupe très large, englobant les carrefours de langue allemande et de langue italienne qui avaient donné leur appui au plan Poma : celui d'un secrétariat élargi et indépendant de la curie romaine [11].

L'avenir révéla que même le plan Poma était encore trop exigeant pour certaines instances supérieures.

c) *L'étranglement du troisième thème de l'ordre du jour*

Le troisième thème, mis à l'ordre du jour du synode de 1969, concernant les relations des conférences épiscopales entre elles avait suscité le plus grand intérêt de la part des représentants des jeunes églises et en particulier de nombreux délégués latino-américains (un an après Medellin, il faut s'en souvenir). La fin précipitée du synode empêcha une discussion du thème et

---

11. K.J. HAHN, in : *De Tijd. 28-10-1969.*

provoqua un sentiment général de frustration parmi les délégations des continents non-européens.

Dans sa *relatio* introduisant le débat, l'archevêque panaméen Mc Grath avait traité longuement de la logique interne qui reliait «communion des fidèles» et «communion des évêques» et qui fondait l'Église locale dans ses rapports avec les autres églises locales et avec la communion des évêques.

«La tâche de discerner, assumer et exprimer les valeurs et les diversités du peuple de Dieu, appartient à l'évêque dans son propre diocèse ou dans sa Conférence épiscopale, à la Conférence dans les assemblées régionales ou internationales et au Souverain Pontife, ou à l'assemblée des évêques avec lui, pour les matières se rapportant à l'Église universelle. (L.G. 23 ; L.G. 26 ; S.C. 41 ; O.E. 2-4). Ce n'est que de cette manière que l'unité peut être bâtie dans la multiplicité, dans la charité et la liberté. Ceci n'exclut aucunement l'exercice de l'autorité pastorale, mais, au contraire, la renforce. C'est la vérité même si ces biens et avantages semblent souvent liés à de violentes inégalités et discriminations ou falsifiés par elles» (…).

«C'est pourquoi le Concile insiste sur la participation active du clergé, des religieux et des laïcs à tout ce qui regarde les Églises particulières, par l'intermédiaire des prêtres (L.G. 28 ; P.O. 8), de l'assemblée des prêtres (C.D. 17 ; P.O. 7 ; E.S. 1, 15-17) et de l'assemblée pastorale diocésaine et paroissiale (C.D. 17 ; E.S. 1,15-17 ; C.D. 30 ; P.O. 9). Ce n'est que dans la mesure où la coresponsabilité existe réellement dans l'Église particulière, que l'assemblée des évêques peut adéquatement exprimer la rencontre de leurs Églises.»

Malheureusement, par «manque de temps», les Pères du Synode n'eurent pas l'occasion de tenir les discussions enrichissantes que ce thème suggérait.

Les échanges de vue dans les «circuli minores» furent écourtés d'abord et ensuite rapportés en un temps record : entre l'introduction du thème (le 22 X) et la présentation des «vota» (le 25 X) il n'y eut que trois jours.

Et pourtant ce fut à l'occasion de cette troisième partie du Synode que les problèmes Église et Monde furent abordés de front : le devoir missionnaire des Églises et le poids de la justice internationale furent mis à l'avant-plan du rapport conclusif de

Mgr Etchegaray, qui estimait que les applications de Vatican II avaient été insuffisantes à cet égard. Il y avait ici une amorce des synodes de 1971 et 1974. Il fallut bien réaliser que les « vota » concernant le troisième thème *n'offraient pas non plus un reflet réel* de l'acquis de la grande majorité de la série des derniers carrefours. Le rapport de Mgr McGrath n'avait pas retenu toute l'attention qu'il méritait ; le CELAM, qui avait été cité comme un modèle possible dans de nombreux carrefours, ne recevait aucune mention dans les vœux finaux ; des critiques concernant l'aide financière, apportée à l'Église en Amérique latine, avaient été formulées par la majorité des délégués : elles se retrouvaient travesties dans le rapport final.

Conclusion

Quoique peu connue, l'histoire des incidents qui hypothéquèrent le déroulement de la procédure du Synode d'octobre 1969 est extrêmement instructive. Les interventions qui dans le secret des antichambres accompagnent la rédaction définitive des « vota » des représentants de l'épiscopat prennent une signification singulière : elles signifient que les avis que le Synode est appelé à présenter au pape sont d'abord censurés par le pape lui-même. En d'autres mots, le Souverain Pontife est en quelque sorte co-rédacteur des avis qui lui sont présentés. A la limite il se présente des avis à lui-même...

2. *Résultats significatifs*

Cependant, si l'assemblée extraordinaire de 1969 mérita critiques et reproches, elle obtint également des résultats significatifs.

En premier lieu, le synode épiscopal d'octobre 1969 a constitué un moment privilégié où les dirigeants de l'Église ont pu soumettre la réalisation de Vatican II à *un examen critique*. Ce fut une sorte d'examen de conscience collectif à l'égard de l'Église post-conciliaire.

Cette fonction critique, le synode l'a exercée de manière toute particulière en ce qui concerne *l'application vécue de la collégialité*.

On pourrait relever ici deux points d'importance :

a) une première valorisation de l'église locale,
b) une nouvelle dimension de la collégialité au plan international.

a) *Une valorisation de l'église locale*

Le débat ecclésiologique post-conciliaire avait connu un regain
de vigueur à la suite de la publication de «Humanae Vitae» en
juillet 1968. Nous avons déjà fait allusion au fait que ce débat
avait marqué de son empreinte la préparation du Synode de
1969, tant chez les adversaires que chez les partisans d'une
collégialité mieux vécue. On revivait en quelque sorte les deux
ecclésiologies sous-jacentes à Vatican II entre lesquelles les
passages cruciaux de «Lumen Gentium» n'avaient pas pu ou
n'avaient pas voulu choisir.

Mais en outre, des évêques eux-mêmes méritaient le reproche
d'avoir parfois dénaturé Vatican II au plan diocésain et au plan
interdiocésain.

Nous voulons dire leur méconnaissance de la «collégialité»
comprise en un sens plus large, axée sur *L'Église en tant que
communion* dans ses différentes articulations.

Au concile lui-même le thème de *l'Église locale* avait été
touché à plusieurs reprises mais les circonstances ne permirent
pas d'en expliciter les conséquences à l'égard des prêtres et des
laïcs.

L'opposition conservatrice à Vatican II avait forcé la majorité
à concentrer l'attention majeure du concile sur le Ch. III de
Lumen Gentium et de négliger fatalement le chapitre II et les
conséquences que celui-ci appelait. La coordination nécessaire
entre le Ch III et le Ch II avait fait défaut.

De ce fait, une collégialité déficiente par rapport à Rome a
préoccupé davantage les évêques de la majorité dite «ouverte»
que la communauté ecclésiale déficiente à l'intérieur du diocèse
ou de la province ecclésiastique. Aussi le curialisme local avait
parfois pu reprendre vigueur et peser d'un poids plus grand que
des instructions venues de la Rome lointaine.

Une méconnaissance des articulations vitales du Peuple de
Dieu dans l'Église particulière a eu pour effet de couper les
instances locales de ce qui était le plus vivant à leur base.

Même si l'atmosphère et les lenteurs de la procédure au

Synode d'octobre 1969 ont empêché d'expliciter clairement cette problématique, il n'en reste pas moins vrai que l'on y a vu surgir définitivement le thème de l'Église locale. De telle sorte que le synode de 1969 signifie le début d'un redressement de ce que nous pourrions appeler « l'épiscopalisme » de l'après-concile.

Une étude plus poussée de ce phénomène intéressant n'a pas encore été entreprise, à ma connaissance. Une telle étude trouverait des matériaux divers dans les interventions de toute une série de Pères Synodaux, parmi lesquels nous citons :

Mc Cann, Rossi, Perraudin, Marty, Beras Rojas, Amissah, A. Carter, Mc Grath, Corboy, Wright, Wojtyla, Pironio, Kœnig, Hakim et Etchegaray

b) *Une nouvelle dimension de la collégialité au plan international*

Mais l'assemblée extraordinaire de 1969 révèle un autre apport, particulièrement significatif pour l'avenir de l'Église universelle. Nous avons constaté que les délégués des Églises non-occidentales se montraient beaucoup plus sensibles à la méconnaissance de l'Église locale que leurs collègues occidentaux.

Les porte-paroles des épiscopats d'Afrique, d'Europe orientale (plus particulièrement de Pologne) et des églises patriarcales du Moyen-Orient démontrèrent que l'attachement à la primauté pontificale pouvait être intimement lié à la volonté d'une décentralisation collégiale.

La « périphérie » des Églises africaines et latino-américaines a manifesté une tendance très nette à prendre ses distances vis-à-vis de l'Occident (jugé trop « critique » ou trop « négatif ») et à vouloir mener une action plus autonome à l'égard de la Rome curiale.

La dichotomie un peu simpliste entre « conservateurs » et « progressistes » fut dépassée avant même que les Églises d'Occident en prirent conscience.

De ce fait le thème principal de 1969 se trouva placé dans un cadre de pensée imprévu.

Les Pères synodaux non-occidentaux adressaient une requête aux Églises sœurs d'Occident : ils leur demandaient de considérer la collégialité davantage dans un esprit de fraternité entre Églises et de la prolonger en une préoccupation active pour les pays pauvres du Tiers-Monde.

Ils demandaient que la coopération entre Églises riches et Églises pauvres soit poursuivie sur un pied d'égalité.

Non seulement les interventions de porte-paroles africains comme Tchidimbo et Zoungrana, mais aussi les exposés sereins de Pironio — à cette époque secrétaire général du CELAM — et du cardinal est-européen Wojtyla allaient dans le même sens : ils tendaient à démontrer que la collégialité devrait être comprise *comme l'expérience vécue de l'idée de communion.* Ce dernier point a un impact doctrinal certain quoique peu remarqué. Dans un article fameux que le professeur J. Ratzinger consacra durant le concile aux « implications pastorales de la collégialité épiscopale », il est fait état de la nécessité de dépasser la « structure durcie » du collège au ve siècle : il serait souhaitable de remonter plus haut pour retrouver en amont du « collegium episcoporum » *la relation fraternelle* qui se trouve à la base de l'Église tout entière. La collégialité ne pourra porter tous ses fruits que dans cette perspective [12]. Les pères non-occidentaux en 1969 font écho à cette pensée très riche.

Pour les jeunes Églises le Synode de 1969 signifia sans aucun doute un premier tournant, avec une tonalité encore très critique il est vrai mais contenant en puissance un avenir nouveau : c'est le distanciement des Églises pauvres à l'égard des Églises riches et le distanciement de communautés ecclésiales jeunes qui dénoncent avec insistance les « maux » et la « fatigue » dont souffre la chrétienté occidentale :
— plaidoyer pour une décolonisation spirituelle,
— accusations portées contre la société de consommation des pays riches,
— revendication de méthodes pastorales propres,
— opposition à des innovations d'origine étrangère.

Le cardinal Marty s'est réjoui à l'époque de cette entrée en scène des Églises du Tiers Monde et le cardinal Daniélou déclarait : « le fait le plus nouveau du synode est qu'il n'a pas été commandé par l'opposition des conservateurs et des progressistes

12. J. RATZINGER, « Les implications pastorales de la doctrine de la collégialité des évêques », dans *Concilium,* vol. 1, n°. 1, janvier 1965, p. 34.

mais par celle des jeunes églises du Tiers Monde, auxquelles il faut joindre celles de l'Europe de l'Est, qui sont pleines de dynamisme d'une part et d'autre part des Églises de l'Europe de l'Ouest, qui sont en perte de vitalité » [13].

Quoi qu'il en soit, dans les milieux occidentaux, qui avaient assumé le leadership intellectuel et moral de Vatican II, on ressentait un certain dépit à l'égard du nombre proportionnellement élevé des Pères Synodaux non occidentaux par rapport au nombre de délégués occidentaux.

Ces mêmes milieux avaient tendance à juger que le synode sous sa forme actuelle n'était pas encore mûr pour devenir un corps délibératif.

II. L'ASSEMBLÉE GÉNÉRALE DE 1974

Cinq ans plus tard, l'assemblée synodale de l'automne de 1974 démontra que le déplacement du centre de gravité dans l'Église catholique était en train de s'accomplir de manière irrésistible.

Le synode de 1974, consacré cette fois à un seul thème, à savoir « l'évangélisation du monde contemporain » a connu, lui aussi, un sort paradoxal : après avoir parcouru les différentes phases d'une procédure assez complexe, il aboutit enfin à un projet de document final. Trois chapitres sur quatre de ce document final furent repoussés sans hésitation par la très grande majorité des Pères synodaux.

Vu de cette manière, le synode de 1974 fut un échec mais cet échec concernait le déroulement formel de l'assemblée et non pas sa signification historique.

Cette signification fut apparente dès les premiers instants du synode : d'abord par la profondeur avec laquelle les Jeunes Églises d'Afrique et d'Asie avaient entrepris la préparation du synode, ensuite par l'infrastructure propre, amenée sur place à Rome, sur laquelle ces mêmes épiscopats trouvèrent appui et soutien pendant les délibérations.

Ces facteurs, qui eurent une influence décisive sur le déroulement du synode, étaient eux-mêmes le fruit de la

---

13. Cf. *Le Monde*, 29-10-1969.

re-lecture de Vatican II entreprise en 1968 (Medellin), 1969 (Kampala), 1970 (Manille), dans les différents continents par différentes organisations régionales des conférences épiscopales. Ces initiatives avaient créé ou renforcé des structures permanentes par grandes régions du monde.

Cette nouvelle perspective fut donnée d'emblée par le cardinal Lorscheider, qui était chargé de décrire un panorama général de la vie de l'Église depuis le synode précédent ; pour réaliser ce panorama, il s'appuyait sur les 54 réponses reçues de conférences épiscopales. Le prélat brésilien y concluait : « Jusqu'ici le second concile du Vatican a été appliqué davantage selon sa forme extérieure que dans l'esprit qui l'animait (---). Nous autres, évêques, sommes-nous suffisamment préparés à assumer notre ministère aujourd'hui ? » et plus loin : « l'image d'une église hiérarchique, vue au centre de droits et de pouvoirs, a nui et nuit encore aux tentatives d'étendre le Royaume de Dieu ».

Le rapport consacré par Mgr James Sangu (Tanzanie) aux « expériences de l'Église dans l'œuvre évangélisatrice en Afrique » reposait sur un travail intense d'enquêtes sociologiques, de statistiques, de réflexions pastorales et de préoccupations sociales. En soulignant l'importance particulière de la « frontier evangelisation » (la première annonce du Message aux païens), considérés comme tâche prioritaire par les évêques africains, Mgr Cordeiro, pour l'Asie, de Mgr Pironio, pour l'Amérique latine, ouvraient à leur tour des perspectives que les représentants des Églises occidentales n'avaient guère prévues.

Le renouvellement de fait du « personnel politique » du synode — si je puis dire — accentua encore le sentiment d'ouvrir un chapitre nouveau dans l'histoire de l'Église : des 109 membres de l'assemblée de 1974, plus de la moitié étaient de nouveaux venus, qui n'avaient participé ni au Concile ni à aucun des synodes précédents ; ils représentaient une nouvelle génération postconciliaire. Des 97 conférences épiscopales représentées, 70 étaient originaires de pays du Tiers-Monde. Des 176 interventions en séance plénière, 108 étaient faites par des délégués non-occidentaux [14].

---

14. Il est extrêmement regrettable que les documents et les interventions du Synode de 1974 n'aient pas trouvé une maison d'éditions assumant la publication plus ou moins intégrale de ces textes très riches. C'est là aussi une des lacunes

1. *L'échec du synode du point de vue de la procédure*

La procédure boiteuse, qui fut un défaut grave du synode de 1969, se révéla désastreuse à l'assemblée de 1974.

Sans entrer dans le dédale de la procédure rappelons simplement que le comité de rédaction, convoqué très tardivement, se réunit une première fois le 16 octobre 1974 et une seconde fois le 18 octobre 1974. A chaque fois il est décidé de choisir pour base du document final le rapport *inductif* du premier secrétaire spécial ; ceci signifiait que le comité préférait ne pas prendre en considération le rapport plus *déductif* — et considéré comme trop scolastique — du second serétaire spécial. Lors de chacune de ces concertations, il fut décidé de ne rédiger qu'*un seul projet de document final.*

Cependant il devint bientôt évident qu'en « haut lieu » on en avait décidé autrement ; on aurait voulu que deux projets fussent présentés afin de pouvoir les combiner. A une réunion restreinte et secrète, à laquelle ne furent pas convoqués les secrétaires spéciaux, seuls compétents en la matière, il est décidé de faire appel à un « troisième homme », chargé de faire une nouvelle rédaction en reprenant le premier des projets et en faisant des emprunts à l'autre. Cette procédure, qui va à l'encontre des décisions répétées du comité de rédaction prévu au réglement, est réalisée à l'insu aussi des rapporteurs de carrefours.

L'expert appelé au secours chercha à atteindre le compromis introuvable. Sur au moins 5 des points cruciaux du consensus général, le rapport original du secrétaire spécial fut *atténué, travesti* ou *dénaturé* :
1) la signification de l'Église locale,
2) l'œcuménisme,

---

importantes qui empêchèrent l'assemblée d'avoir l'impact qu'elle méritait. Signalons cependant les deux seuls ouvrages qui, à notre connaissance, ont diffusé des textes importants du Synode sur l'Évangélisation :
  1) *L'Église des cinq continents — Bilan et perspectives de l'évangélisation.* (Préface du cardinal Marty) Paris, 1975, pp. 255.
  2) D.S. AMALORPAVADASS, *Evangelisation of the Modern World*, (Mission theology for our times, Series, nᵒ 9), Bangalore, 1975, pp. 176.
  Quant à nous, nous nous basons sur nombre de documents originaux de nos archives personnelles.

3) la tâche d'évangéliser,
4) le lien entre évangélisation et libération,
5) le dialogue avec les religions non-chrétiennes.

Une étude plus approfondie de ces textes, que nous ne pouvons pas entreprendre ici, pourrait démontrer comment le projet préparé ainsi pècha par manque de fidélité à l'assemblée synodale : sur ces différents points on préféra une théologie abstraite de l'évangélisation qui n'avait plus de lien direct avec les discussions très concrètes et très riches des évêques[15].

Lorsque ce texte fut présenté à l'assemblée synodale par le cardinal Wojtyla et Mgr Cordeiro, on passa au vote et trois chapitres sur quatre furent rejetés par des majorités écrasantes. Ce fut alors l'impasse définitive.

Après ce rejet, on rédigea et approuva en toute hâte une brève « déclaration » où l'on retrouvait des points importants des discussions mais où évidemment la richesse extraordinaire de l'événement synodal n'était pas reflétée. A la suite de quoi, toute la documentation du synode avec interventions et rapports fut remise au Saint-Père, afin de lui permettre d'en déduire un texte de conclusion.

Conclusion

Comme en 1969, cette fois encore, des interventions secrètes et répétées firent écarter un rapport du secrétaire compétent qui était le reflet de l'opinion majoritaire de l'assemblée. Ces interventions se réclamaient de la plus haute autorité.

Ainsi que cela était arrivé aux synodes précédents les avis de l'assemblée de 1974 étaient destinées au pape mais au préalable

---

15. Voir à cet égard le témoignage significatif du Père Amalorpavadass, qui fut une des chevilles ouvrières du synode 1974 ; après s'être réjoui de ce synode qui avait permis de « faire l'expérience vécue de la communion horizontale entre les Églises », il déclara : « Je tiens beaucoup à partir de la vie pour découvrir le dessein de Dieu et c'est ce qu'on m'a demandé de faire en tenant compte de l'apport de chaque évêque. Il faut toujours partir de ce que vit le peuple non par calcul tactique ou politique, mais d'un point de vue spirituel, parce que le Seigneur est caché au cœur de cette réalité vécue. C'est de cette manière qu'avait été conçue la première partie du synode. (...) En fait, lorsqu'on échange des expériences, on ne se divise pas comme lorsqu'on discute abstraitement de théologie. On accepte l'autre tel qu'il est. » Dans une interview des *Informations Catholiques Internationales* numéro du 01-2-1974, p. 24.

ils devaient être atténués et modifiés par l'entourage direct ou par la personne même du destinaire. Situation paradoxale qui mena le Synode de 1974 à l'échec ouvert.

Au lendemain de ce synode, comme après chacun des synodes précédents, on s'interrogeait à nouveau sur la signification exacte de l'institution et à nouveau les observateurs étaient contraints de constater que le fonctionnement du synode et les buts précis, qui lui étaient assignés, étaient maintenus dans une confusion totale et apparemment invincible.

Un des rapporteurs, après l'échec subi, reconnaissait trois aspects différents au Synode de 1974, qui pourtant était considéré comme la meilleure des quatre assemblées, tenues jusqu'à ce jour :

1) Le synode est une assemblée qui a sa raison d'être en elle-même : les échanges de vues et les informations du synode sont suffisants pour tenir le synode (même si le but formel était d'être le conseil du pape).

2) Selon son existence statutaire, le but du synode est de fournir des avis au Saint-Père : or, en 1974, celui-ci a reçu l'intégrité des documents synodaux pour en tirer des conclusions (donc 1974 fut une réussite de ce point de vue)

3) Si la troisième raison d'être est de produire un document public, qui de plus aurait eu son utilité pour le pape, alors le synode de 1974 n'était pas une réussite : mais alors on tendait à confondre synode et concile. Un texte final destiné à être publié ne pouvait exprimer que des *avis* sur des objets précis même si ce sont les avis d'une majorité. [16]

Il serait facile de composer une anthologie éloquente des sentiments de frustration profonde qui furent exprimés publiquement au lendemain de chacun des synodes. Chaque fois nous retrouvons les mêmes interrogations ; chaque fois aussi, d'éminents pères synodaux annoncent de bonnes résolutions pour

---

16. Nous reproduisons ici une déclaration faite par Mgr. A. Descamps, Recteur honoraire de l'Université Catholique de Louvain, lors d'une conférence de presse tenue à Bruxelles, au lendemain du Synode, le 31-10-1974 : la même source constatait : certains membres du Synode de 1974 auraient préféré ne pas produire de document public pour éviter toute confusion avec le Concile et pour éviter toute déception, mais alors il aurait fallu le dire clairement.

l'avenir, indiquant chaque fois les moyens à mettre en œuvre pour obtenir un fonctionnement satisfaisant. [17]

2. Résultats significatifs

Comme en 1969 mais de façon plus évidente qu'en 1969, le Synode des évêques de 1974 a autre chose à nous présenter qu'un bilan négatif. Malgré les lacunes d'une procédure insuffisante, l'assemblée synodale de 1974 a constitué un tournant dans la prise de conscience collégiale de l'épiscopat et plus particulièrement dans la maturation des Jeunes Églises. [18]

1) Cette maturation s'est manifestée d'abord à l'égard de l'ordre du jour. Grâce aux interventions des délégués des Jeunes Églises un ordre du jour trop axé sur la problématique de la déchristianisation — donc sur la problématique des chrétiens occidentaux — fut ouvert davantage aux grandes préoccupations des différentes régions de l'Église universelle.

2) Au moment décisif du vote final (le 22-10-74) le projet de document de conclusion fut rejeté de manière radicale sous l'influence des délégués des Jeunes Églises. Ceux-ci préféraient ne pas avoir de texte final plutôt qu'un document qui ne reflétait pas la richesse des échanges de vue ou, pire encore, qui avait dénaturé des points importants du consensus synodal. Pour eux, l'acquis principal du synode était ailleurs. Mgr J.-G. Rakotondravahara (Madagascar) déclarait à ce sujet : « Nous avons eu l'occasion pour la première fois de dire ce que nous pensions ; nous avons eu le droit d'expliquer nos problèmes, nos souhaits, notre désaccord éventuel. Nous avons vu que la majorité de nos collègues pensaient de même. Le Saint-Père a tout entendu. Pourquoi vouloir lui remettre toute cette richesse d'échanges en quelques textes appauvrissants ? »

---

17. Il y eut notamment de nombreuses déclarations des évêques, membres du Conseil du secrétariat du Synode, institué en novembre 1969 ; entre autres celles du cardinal Marty. Non moins remarquables sont les observations critiques du cardinal Luciani — plus tard Jean-Paul I — publiées dans le quotidien *Avvenire* (11-12-1971) et reproduites dans l'*Osservatore Romano* (2-9-1978).

18. Voir le fascicule spécial de la revue *Mondo e Missione* consacré à ces aspects du Synode, n° de janvier 1975, en particulier : C. BONIVENTO, « La missione fra i non cristiani è eppena egli inizi » (pp. 47-51)

3) La prise de conscience collégiale de l'épiscopat en 1974 s'est cristallisée autour des préoccupations prioritaires des Églises dans les différents continents :

— *en Afrique* ce fut la « frontier évangélisation » (la première évangélisation des masses qui n'ont jamais entendu le nom du Christ)

— *en Asie* : l'Esprit-Saint comme principe de toute évangélisation ; le dialogue avec les grandes religions et l'église locale comme instrument privilégié de l'Évangéllisation

— en Amérique latine : e.a. le rôle des communautés de base, le sens de la religion populaire, le lien entre libération et salut.

L'expérience synodale elle-même a permis à la plupart des évêques de mieux comprendre les soucis des autres régions que la leur. De là un sentiment nouveau de solidarité.

Un des résultats du Synode de 1974 fut de découvrir que des thèmes qui nous étaient familiers depuis Vatican II — comme renouveau liturgique, devoir missionnaire, collégialité et Églises locales, ouverture au monde — prenaient tout à coup une coloration nouvelle du fait qu'ils étaient présentés dans la perspective des Jeunes Églises, *émergeant de leur base* et *orientés vers un avenir nouveau.*

Enfin, la conception même du devoir missionnaire se trouvait désoccidentalisée. Les pères W. Goossens, J. Lécuyer, T. Van Asten et T. Agostino, qui étaient les porte-paroles de quatre instituts missionnaires internationaux firent valoir que l'avenir de la mission dans le monde dépendait de plus en plus des vocations originaires des Églises non-occidentales. L'engagement missionnaire des Jeunes Églises en direction d'autres Églises se traduisait non seulement par l'envoi régulier de personnel évangélisateur, mais aussi par la mise en commun de nouvelles conceptions et de nouvelles méthodes.

Ceci appartient aussi à une « intercommunion » d'un style nouveau qui apparut au grand jour au synode des Évêques.

Conclusion générale

En conclusion de ce survol rapide de deux synodes épiscopaux qui caractérisent les quinze années de la période post-conciliaire, je voudrais résumer les grandes lignes de cette perspective.

1. L'institution du synode des évêques connut des débuts extrêmement modestes, non seulement à cause d'une doctrine synodale minimaliste mais aussi à la suite de l'expérience très pauvre de la première assemblée tenue en 1967.

2. Les quatre synodes, qui suivirent en 1969, 1971, 1974 et 1977 eurent des poids spécifiques variables, mais il y en a au moins deux qui ont pris une signification particulière dans l'évolution post-conciliaire de l'Église catholique :
a) l'assemblée extraordinaire de 1969 aida à voir comment la doctrine conciliaire concernant la collégialité pourrait être mieux vécue à l'avenir ;
b) l'assemblée générale de 1974, centré sur le contenu, les moyens et la signification de l'évangélisation dans le monde d'aujourd'hui, révèla un développement remarquable des Jeunes Églises dont l'apport eut un impact décisif sur l'ordre du jour de l'assemblée, sur le déploiement de sa thématique et sur le dénouement (dramatique) de ses délibérations.
L'étude de ces deux assemblées d'évêques permet de mesurer le tournant que prit la *collégialité vécue* dix ans après Vatican II
Les termes de « collégialité vécue » indiquent bien les limites de ce bilan, mais reconnaissent en même temps ses aspects positifs :
a) au plan *doctrinal* on ne voit guère de progrès réalisé
b) au niveau de la *procédure,* chacun des synodes post-conciliaires s'est soldé par un échec plus ou moins retentissant
c) du point de vue de la *vie des Église locales,* de la prise de conscience de leur solidarité, de la confrontation commune à des situations nouvelles, il y eut certainement l'apport positif d'une collégialité vécue par les Évêques du synode.
Au plan institutionnel l'observateur objectif, utilisant les instruments des sciences politiques ne pourra que déceler une

incompatibilité foncière entre une « assemblée » et une « monarchie », entre d'une part une *assemblée synodale*, qui se cherche et se cherchant se voudrait chaque fois l'expression de courants d'opinion, et d'autre part une *monarchie pontificale,* fonctionnant en circuit fermé et ne supportant pas une cristallisation d'opinions qui lui paraît fatalement empiéter sur ses compétences et menacer son fonctionnement.

Et cependant, malgré cette incompatibilité foncière entre la logique propre à une assemblée et les réflexes propres à une monarchie, notre bilan reste positif : les synodes des évêques ont fait progresser la conscience collégiale et ont permis de faire à plusieurs reprises une évaluation critique de l'application des « bonnes résolutions » prises à Vatican II.

3. Chose remarquable mais peu remarquée : notre rétrospective nous permet de mieux situer l'*interaction constante qu'il y eut ces dernières années entre les différents magistères* à l'intérieur d'une église en voie de « collégialisation » En nous limitant aux prises de position ecclésiales dans le seul *domaine social,* nous pouvons constater que Vatican II (« Gaudium et Spes ») influença Paul VI (« Populorum Progressio »), que « Populorum Progressio » influença une conférence régionale à Medellin, que Medellin influença « Octogesima Adveniens » et aussi les synodes de 1969, 1971 et 1974, que « Octogesima Adveniens » influença fortement le synode de 1971, surtout la préparation de celui-ci, que le texte du synode de 1974 fut promulgué comme exhortation apostolique : « Evangelii Nuntiandi », que cette exhortation apostolique eut une influence visible et profonde sur le texte final de Puebla.

Ces quelques exemples dans le domaine des relations Église-Monde sont caractéristiques pour l'après-concile.

4. Ces conclusions — jugées peut-être optimistes par certains — nous permettent de bien augurer de l'avenir de l'institution synodale :

— à condition que son *contenu doctrinal* trouve enfin une expression plus élaborée et mieux axée sur une ecclésiologie de communion ;

— à condition qu'elle suscite une *conscience* plus aiguë des *exigences* de cette ecclésiologie ;

— à condition enfin que les *moyens institutionnels* mis en œuvre correspondent davantage à cette prise de conscience de la collégialité vécue.

John MEYENDORFF

RÉGIONALISME ECCLÉSIASTIQUE, STRUCTURES DE COMMUNION OU COUVERTURE DE SÉPARATISME?

En discutant de questions d'ecclésiologie, la tentation est toujours grande de manier les concepts et les définitions doctrinales, tout en évitant une approche critique de leur application concrète. Il est facile, par exemple, pour un théologien orthodoxe de décrire l'ecclésiologie de saint Ignace d'Antioche et de construire un argument apologétique en faveur de la position orthodoxe contemporaine concernant la primauté romaine. Mais il est plus difficile d'analyser les institutions ecclésiastiques — telles qu'elles se sont développées en Orient et en Occident — dans leur rôle existentiel de maintien de la foi, de conduite pastorale des fidèles et d'accomplissement de la mission de l'Église dans le monde. En tous temps, ces institutions, dont le but est d'exprimer la nature et la mission de l'Église, ont eu tendance à se développer indépendamment de l'ecclésiologie elle-même et de suivre leur propre logique interne. Elles ont été conditionnées non seulement par ce que nous appelons aujourd'hui l'«ecclésiologie eucharistique» de la période primitive, mais aussi par les exigences pratiques du moment, si bien que leur signification originelle est parfois devenue méconnaissable. Parfois certains de ces développements peuvent apparaître comme à la fois inévitables et souhaitables pour autant qu'ils peuvent répondre aux nécessités concrètes de la mission chrétienne dans l'histoire. Mais, dans ce cas, le dialogue sur l'unité chrétienne doit lui-même prendre l'histoire en compte ; il devra s'intéresser non seulement au *contenu* de la foi chrétienne et à la *validité* des institutions chrétiennes, mais aussi à l'efficience dans le présent et l'avenir.

Aussi, toutes les dimensions de la foi chrétienne finissent

nécessairement par être impliquées dans le dialogue pour l'unité : l'événement Jésus est-il un événement ἅπαξ qui juge l'histoire ? L'expérience apostolique — l'expérience des témoins originels de Jésus — contient-elle un modèle permanent et immuable pour les institutions ecclésiales ? Ou bien, certaines institutions sont-elles seulement un produit de l'histoire ultérieure et sont-elles, par conséquent, légitimement modifiables ? En d'autres termes, sont-elles les gardiennes d'une réalité qui transcende l'histoire ou une expression de l'histoire elle-même ?

La plupart des chrétiens — en particulier les chrétiens engagés dans l'œcuménisme — admettraient que ces questions, ainsi formulées, sont des questions légitimes et fondamentales, et qu'elles sont particulièrement à leur place dans le champ de l'ecclésiologie. Orthodoxes et catholiques sont généralement prêts à faire une longue route ensemble pour les affronter. Ils s'accordent à dire que le kérygme apostolique implique les structures sacramentelles et ecclésiales fondamentales, faisant intrinsèquement partie de la nature même de l'Église. C'est à vrai dire, le point de départ du dialogue que Vatican II a considérablement étendu, avec l'insistance nouvelle en ecclésiologie catholique romaine sur l'importance de l'Église locale et sur la conciliarité. Dans chaque communauté sacramentelle, proclame la Constitution sur l'Église, « le Christ est présent » par la vertu de qui se constitue l'Église une, sainte, catholique et apostolique » (III, 26) [1]. Bien que la conciliarité épiscopale, telle qu'elle est définie dans la même Constitution de Vatican II, dépende formellement et strictement de la communion avec Rome et de la *plena potestas* du pape — dimension qui présente nettement un problème majeur pour les orthodoxes —, il y a une nouvelle disposition, de la part de Rome, à accepter des catégories de pensée ecclésiologique telles que le concept d'« Églises-sœurs ». Le terme a été utilisé par rapport à Constantinople et diverses réunions entre papes et patriarches ont adopté une procédure indiquant une certaine parité de fonctions, non une monarchie papale.

Il est donc clair que la question du régionalisme — non pas

---

1. *Lumen Gentium* trad. Cardinal Corrone, Téqui, p. 53.

seulement au sens de la réalité sacramentelle de « l'Église locale »
ayant à sa tête un évêque, mais aussi au sens de primautés
régionales et de synodes — est à l'ordre du jour de la discussion
œcuménique d'aujourd'hui. La même question est évidemment
centrale en ce qui concerne la structure interne de l'Église
catholique romaine (par exemple, l'autorité des synodes nationaux et régionaux par rapport à Rome) et de l'Église orthodoxe,
aujourd'hui constituée par une communion assez lâche d'Églises
indépendantes, « autocéphales ». Mais la discussion de ces
questions implique non seulement des problèmes abstraits
d'ecclésiologie, mais aussi des questions d'administration pratique, d'habitudes et de mentalités ancestrales et d'exigences de
changement dans le monde contemporain. Ces réalités historiques ont existé dans le passé tout comme elles existent
aujourd'hui. Aux yeux de certains, elles justifient une approche
relativiste de l'ecclésiologie. Au vrai, si l'on peut réduire les
institutions ecclésiales à des phénomènes historiques relatifs, il
vaudrait mieux, disent-ils, aborder l'unité chrétienne comme une
fraternité « spirituelle » avec un minimum de coordination
institutionnelle. On utilise aussi une approche herméneutique du
Nouveau Testament mettant l'accent sur le pluralisme institutionnel et théologique dans les premières communautés chrétiennes pour justifier le relativisme ecclésiologique comme
méthodologie œcuménique acceptable.

Cependant, si l'on n'accepte pas une telle approche, et si,
comme le font habituellement catholiques et orthodoxes, on
admet que la nature sacramentelle de l'ecclésiologie chrétienne
implique une structure donnée et immuable traduisant cette
sacramentalité, on doit aussi aborder avec esprit critique le
développement historique et viser à une unité chrétienne
cohérente avec celle qui est originellement et immuablement
donnée. Même alors, on n'a pas le droit d'écarter le développement historique en tant que tel, ni de refuser que les institutions
ne puissent être légitimement adaptées aux exigences particulières de l'histoire.

Aussi, historiens et théologiens ont-ils souvent reconnu que la
primauté romaine n'est pas parvenue à son stade actuel de
développement pour de simples raisons théologiques et ecclésiologiques. Des facteurs historiques — et donc de nature relative —

ont aussi joué un rôle dans cette évolution. L'adoption par l'Église romaine de l'idée de l'empire romain d'Occident, la politique des cours italiennes durant le Moyen Age et la Renaissance, la Contre-Réforme, le défi moderne du sécularisme et beaucoup d'autres facteurs ont influé non seulement sur l'institution de la papauté mais aussi sur certaines des formulations doctrinales qui l'expriment. Le problème est maintenant de déterminer si ces développements étaient légitimes ou non.

Dans cet article, cependant, je ne m'intéresse pas à une critique des changements institutionnels occidentaux, mais au régionalisme dans l'Orthodoxie, que l'on oppose souvent à l'universalisme romain. L'Orient étant resté plus réticent que l'Occident à entériner ses attitudes par des définitions dogmatiques formelles, je crois vraiment que le théologien orthodoxe jouit aujourd'hui d'une totale liberté pour envisager d'un œil critique cet aspect du passé et du présent de son Église. Je regrette personnellement que l'on n'use pas plus largement de cette liberté, et je crois que, à moins que les orthodoxes n'apprennent cette forme légitime d'autocritique, leur prétention de préserver la Vérité apostolique restera inefficace dans les dialogues œcuméniques contemporains.

I. STRUCTURES RÉGIONALES DANS L'HISTOIRE

Il n'est pas nécessaire de rappeler en détail les origines et la base ecclésiologique des synodes épiscopaux régionaux. Selon la *Tradition apostolique* d'Hippolyte (I, 2), la consécration d'un nouvel évêque requérait la présence de plusieurs évêques pour l'imposition des mains. En outre, l'importance de synodes réguliers d'évêques dans chaque *province* est bien attestée au IIIe siècle par Cyprien. Le rôle particulier du synode était de préserver l'orthodoxie doctrinale et l'unité disciplinaire. Il est hors de doute que, à cette époque, l'Église était déjà face au problème d'un conflit possible entre son souci d'unité universelle et la conviction, fréquemment exprimée par les évêques dans leurs Églises locales et les évêques des provinces réunis en concile, d'être responsables de la vérité devant Dieu seul et non devant quelque institution en dehors de leur région propre. D'un côté, des hommes comme Irénée, Tertullien et Cyprien étaient tous conscients de l'unité de l'épiscopat à travers le monde dans la confession de l'unique vérité chrétienne. L'unité, qui, au moins en Occident, incluait un respect particulier pour le Siège « apostolique », apparaissait comme un témoignage majeur à la vérité du christianisme catholique (en opposition au gnosticisme). Mais, en même temps, aucun concile provincial d'évêques — et certainement pas les conciles qui se réunissaient régulièrement à Carthage — n'était prêt à abandonner facilement ses convictions et à accepter une autorité extérieure dans le champ doctrinal. La question du baptême des hérétiques, et le cas du prêtre Apiarius, sanctionné à Carthage et admis à la communion à Rome, est l'illustration classique de cette conscience provinciale, ou régionale, qui réagissait contre le début de centralisation romaine.

La compétence régionale des conciles provinciaux fut formellement codifiée au IVᵉ siècle. Nicée (canons 4 et 5) leur donna l'autorité suprême dans la nomination des évêques, la création de « districts métropolitains » : modèle de base et embryon d'une politique ecclésiastique dont il y aurait de nombreuses variations les siècles suivants. Le concile épiscopal originel traduisait une nécessité ecclésiologique : il était « ecclésial » par nature. Cependant, le principe adopté à Nicée, avoir une organisation ecclésiale coïncidant avec les divisions administratives de l'Empire (« provinces »), impliquait un début de sécularisation. Assurément, l'Église ne pouvait éviter les nécessités pratiques de sa situation nouvelle (et de sa nouvelle mission) dans l'Empire, mais la tendance à une identification graduelle des administrations ecclésiastiques et impériales risquait de confondre les anciens critères ecclésiologiques avec les cadres légaux en vigueur dans l'État.

Les étapes suivantes de ce processus comprenaient l'établissement de groupes de provinces coïncidant avec les unités administratives impériales appelées « diocèses » (voir en particulier le canon 2 de Constantinople, en 381). Les principaux évêques, ou primats, de ces groupes furent même d'abord désignés par le titre purement civil d'« exarques » (cf. « l'exarque du diocèse » dans les canons, 9 et 17 de Chalcédoine, en 451), qui désigna ensuite, durant toute la période byzantine, aussi bien certains hauts dignitaires ecclésiastiques que des administrateurs impériaux. Cependant, le titre biblique de « patriarche » fut choisi pour les sièges majeurs de Rome, Constantinople, Alexandrie, Antioche et Jérusalem (qui constituèrent la fameuse « pentarchie »), ainsi que pour les nouveaux patriarcats de Géorgie, Bulgarie, Serbie et Russie.

Du point de vue ecclésiologique, ces développements se justifiaient par la même logique qui avait à l'origine conduit à des synodes réguliers des évêques d'une province. La pleine intégrité et catholicité de chaque Église locale exigeait sa communion avec toutes les Églises. La forme initiale de cette communion se réalisait normalement avec les Églises voisines dans le cadre des structures politiques en place. Ces groupements canoniques étaient destinés à conserver l'unité, non à créer des divisions. De plus, l'unité universelle de l'Église, qui, au temps d'Irénée, de Tertullien et de Cyprien, apparaissait comme unité, dans une foi commune remontant aux apôtres, avec les Églises dites « apostoliques » jouissant d'un degré particulier d'authenticité et de prestige, cette unité était désormais assurée en pratique par les services qu'offrait l'Empire : l'empereur agissait comme convocateur des conciles œcuméniques et assurait par voie légale l'application de leurs décrets.

Francis Dvornik avait clairement décrit le contraste qui s'établit progressivement entre l'Orient et l'Occident dans l'interprétation des primautés régionales [2]. En Orient, le pouvoir des sièges majeurs, ou patriarcats, fut interprété en un sens pratique, comme expression du prestige des villes autour desquelles les Églises locales se rassemblaient tout naturellement et dont la prépondérance, d'emblée considérée comme acquise, fut formellement définie dans la définition conciliaire. Ainsi Constantinople dut son essor au fait qu'elle était la nouvelle capitale impériale. En Occident, pendant ce temps, la chute rapide de l'administration impériale, et le fait que Rome était le seul siège « apostolique », amena le développement de la

---

2. Cf. en particulier F. Dvornik, *The Idea of Apostolicity in byzantium and the Legend of the Apostle Andrew,*, Cambridge, Mass., 1958. Également J. MEYENDORFF, *Orthodoxy an Catholicity* New York, 1966, 49-78.

primauté papale, qui revendiquait une origine divinement établie et qui servit souvent de contrepoids salutaire aux tendances sécularistes et césaropapistes de Byzance.

Il est intéressant que la chute de la Byzance impériale à la fin du Moyen Age ait donné naissance à un «phénomène de primauté» semblable en Orient. Puisque les empereurs de l'époque paléologue, assiégés dans leur capitale par les envahisseurs turcs, n'étaient pas en position d'agir comme agents unificateurs dans la Chrétienté mondiale, ainsi que l'avaient fait leurs prédécesseurs, le patriarche de Constantinople devint beaucoup plus explicite dans ses prétentions à exercer le leadership mondial. En fait, il se trouvait lui-même dans la position qui avait été celle du pape Grégoire le Grand en Occident au VIIe siècle. L'idée d'un empire chrétien était réduite à un pur symbolisme. L'Église était laissée à elle-même pour maintenir son témoignage universel dans un monde divisé entre une multiplicité d'États «barbares» ou de centres de pouvoir. Aussi les patriarches de Constantinople agirent-ils d'une manière très semblable à celle des papes au temps des invasions barbares. Pour ne citer qu'un seul exemple, le patriarche Philothéos Kokkinos, écrivant en 1370 aux princes russes qui refusaient de se conformer aux mesures prises par l'administration patriarcale en Russie, définissait sa position et son autorité propres en des termes qui allaient au-delà de l'idée de primauté que l'on trouve chez les premiers papes et qu'aurait pu employer Grégoire VII (ou Pie XII). En fait, il supposait une sorte d'«épiscopat universel» du patriarche :

> Puisque Dieu a désigné Notre Humilité comme chef de tous les chrétiens qu'on trouve partout sur le monde habité, comme procureur et gardien de leurs âmes, tous dépendent de moi (πάντες εἰς ἐμὲ ἀνάκεινται), leur père et maître à tous. Si cela avait été possible, il eût donc été de mon devoir d'aller partout sur la terre, à travers villes et campagnes, enseigner la parole de Dieu. J'aurais dû le faire indéfectiblement, puisque tel est mon devoir. Mais, parce que cela dépasse les possibilités d'un homme faible et sans force de parcourir le monde habité, Notre Humilité choisit les meilleurs d'entre les hommes, les plus éminents en

vertu, les établit et les ordonne pasteurs, maîtres et grands prêtres, et les envoie aux extrémités de l'univers. L'un d'eux va vers votre grand pays, vers les multitudes qui y habitent, un autre parvient dans d'autres régions du monde, et un autre ailleurs encore, de sorte que chacun, dans le pays et le lieu qui lui a été assigné, jouit de droits territoriaux, d'une chaire épiscopale, et de tous les droits de Notre Humilité[3].

Il n'y eut point de contestations directes à ces prétentions de Philothéos à l'époque où elles furent émises. Au contraire, le leadership assuré par les puissants patriarches hésychastes du XIVe siècle exerça une durable influence à travers le monde orthodoxe au cours des siècles sombres de la domination ottomane sur les Balkans et le Proche-Orient. L'Orient orthodoxe éprouvait nettement le besoin d'un leadership universel, et la personnalité exceptionnelle de certains patriarches comme Philothéos y pourvut. Cependant, cela se fit sans aucune base ecclésiologique ou canonique formelle. Les définitions canoniques des droits de Constantinople (en particulier les canons de Constantinople I, de Chalcédoine et du concile Quinisexte) étaient d'une portée nettement limitée et ne pouvaient certainement pas justifier les vues d'autorité universelle exprimées par le patriarche Philothéos. Aussi, la tentative de « papisme » oriental échoua-t-elle, et le régionalisme institutionnel prévalut de fait en Orient.

Il n'est pas besoin de discuter ici de l'origine et de l'évolution des Églises « nationales » dans la période médiévale. Depuis le Ve siècle au moins, au-delà des frontières de l'Empire, il y avait des Églises indépendantes, ayant chacune à sa tête un primat qui portait souvent le titre de Catholicos[4]. Très tôt, l'identité de ces Églises se définit en priorité suivant des lignes culturelles ou

3. F. MIKLOSICH et J. MÜLLER, *Acta Patriachatus Constantinopolitani* I, Vienne, 1860, 521 ; sur cette question, J. MEYENDORFF, «The ecumenical patriarch, seen in the light of Orthodox Ecclesiology and History», in *Greek Orthodox Theological Review*, XXIV, 2-3, été-automne 1979, 238-239 ; *Byzantium and the Rise of Russia*, cambridge University Press, 1980.
4. Le *catholicos* arménien était monophysite. Le *catholicos* de Séleucie-Ktésiphon était nestorien. Mais le *catholicos* de Géorgie était resté fidèle au Concile de Chalcédoine et à l'Orthodoxie byzantine.

ethniques. D'un autre côté, les Églises slaves de Bulgarie et de Serbie s'assuraient des titres *patriarcaux* pour leurs primats. Bien que l'idéologie originelle des États bulgare et serbe fût Byzantine et qu'elle acceptât donc le principe d'un empire chrétien universel et uni, ayant Constantinople pour centre, l'échec des dirigeants bulgares et serbes à s'assurer le trône impérial entraîna en pratique la création de monarchies régionales et de patriarcats régionaux. Il n'y avait pas d'obstacles canoniques à l'existence de ce pluralisme patriarcal. Au contraire, les anciens canons de Nicée et des conciles suivants servaient encore d'épine dorsale au droit canonique orthodoxe ; or, ces règles anciennes reconnaissaient le régionalisme ecclésiastique dans le cadre d'une unité de foi universelle, garantie par les conciles. En fait, cette unité du credo est demeurée très réelle et a permis l'émergence occasionnelle d'un leadership universel, comme cela s'est produit en particulier dans le cas de Philothéos Kokkinos ; mais, institutionnellement et structurellement, le régionalisme a nettement prévalu.

Cependant, le caractère et la signification du régionalisme allaient subir un changement radical avec la montée du nationalisme moderne.

II. Le nationalisme, force de division

A notre époque, l'Église orthodoxe universelle se présente comme une fraternité assez lâche d'Églises autocéphales, totalement indépendantes, unies dans la foi et une tradition canonique commune. Formellement, il est possible d'affirmer que cette situation est en conformité avec la règle canonique chrétienne la plus ancienne. La législation du concile de Nicée prévoit l'élection des évêques par les synodes de chaque province (canons 4 et 5) et ne connaît aucune autorité formelle au-dessus de l'évêque de la capitale provinciale, ou « métropolitaine ». Il est vrai que Nicée reconnaît aussi l'autorité traditionnelle de fait de certaines Églises — Alexandrie, Antioche, Rome (cf. canon 6) — sur une vaste région, mais le contenu de cette autorité n'est pas très précis et elle est toujours nettement limitée territorialement. Le canoniste byzantin Balsamon (c. xii), dans son

commentaire du canon 2 de Constantinople, avait raison de dire
que «formellement tous les chefs des provinces était autocéphales et étaient élus par leurs synodes respectifs [5] ». Cependant,
ce régionalisme ancien était destiné uniquement à assurer un
fonctionnement efficace des synodes provinciaux. Il
présupposait aussi un sens de l'unité universelle et de l'interaction
de l'épiscopat, à quoi les « autocéphalies » provinciales n'ont
jamais été destinées à faire obstacle. Rien n'était plus étranger à
la structure ecclésiale ancienne que certaines conceptions
modernes de l'autocéphalie selon lesquelles « dans la sphère des
relations internationales, chaque Église autocéphale est pleinement et également sujet du droit international » [6].

Manifestement, le nationalisme moderne a effectué une
transformation du régionalisme ecclésiastique légitime pour en
faire la couverture d'un séparatisme ethnique.

Pour un historien, il est facile de détecter où et comment s'est
produite cette transformation. Elle est intervenue comme une
conséquence directe du grand réveil des nationalités qui a
commencé en Europe occidentale dans la seconde moitié du
XVIIIe siècle et qui a déterminé toute l'histoire du XIXe. La
nouvelle idéologie nationaliste identifie la nation — entendue en
termes à la fois linguistiques et raciaux — comme l'objet de
loyalismes fondamentaux sociaux et culturels. Ce n'est pas la
chrétienté universelle, selon la conception du Moyen Age, et
certainement pas la communauté sacramentelle créée par la
nouvelle naissance baptismale, selon l'exigence de l'Évangile
chrétien, qui apparaissait comme le facteur déterminant dans la
vie humaine, mais la nation. Ce qui impliquait aussi que chaque
nation avait le droit à un État séparé, si bien que les vieux
empires européens, vestiges inadaptés de l'universalisme romain
ou byzantin, s'écroulèrent l'un après l'autre.

---

5. G.A RHALLIS et M. POTLES (dir.), Σύνταγμα τῶν θείων καὶ ἱερῶν II,
Athènes, 1852, 171. Sur les différents sens du terme «autocéphale» qui n'est
devenu que progressivement et très récemment le terme technique désignant une
Église administrativement indépendante, voir Pierre L'HUILLIER, «Problems
concerning autocephaly», in Greek Orthodox Theological Review, XXIV, 2-3,
été-automne 1979, 166-168.
6. S.V. TROITSKY, in Zhurnal Moskovskoy Patriarkhii, 1948/7, 48.

En Grèce et dans les autres pays balkaniques de Bulgarie, Serbie et Roumanie, le nationalisme fut en général poussé par une *intelligentsia* sécularisée de formation et de tendance occidentales qui ne s'intéressait pas réellement à l'Orthodoxie ni à l'Église sauf comme instrument utile pour atteindre des buts nationalistes séculiers. Quand les divers mouvements nationalistes commencèrent, les responsables de l'Église exprimèrent souvent leur scepticisme et furent instinctivement effrayés du nouvel esprit laïc de division qui s'était emparé du *millet* chrétien, auparavant uni, dans l'Empire ottoman. Mais l'Église manquait manifestement de la force intellectuelle, du discernement théologique et des structures institutionnelles qu'auraient pu exorciser les démons de la révolution nationaliste. Par ailleurs, l'Église n'avait aucune raison de soutenir le statu quo, qui impliquait le maintien de la domination turque ou autrichienne haïes sur la population orthodoxe des Balkans. Aussi, les patriarches, les évêques et, bien entendu, le clergé paroissial, tantôt avec enthousiasme, tantôt par lassitude, se joignirent-ils à l'irrésistible mouvement nationaliste, devenant ainsi directement impliqués dans son succès politique, mais aussi — plus dangereusement, — acceptant ses prises de position idéologiques.

Le résultat immédiat fut l'esprit de division. En effet, si le nationalisme grec se rebellait contre la domination turque, le nationalisme bulgare ne pouvait tolérer la prédominance grecque dans l'Église. Pareillement, dans l'empire des Habsbourg, les Hongrois se rebellaient contre les Autrichiens, mais les Serbes regimbaient contre la suprématie hongroise et, dans la même ligne, les Roumains s'opposaient à la primauté canonique du patriarche serbe de Karlovci. Ainsi, le nationalisme était-il en éruption chez les Orthodoxes de toutes les nationalités et était-il dirigé non seulement contre les maîtres musulmans ou catholiques romains (Autrichiens ou Hongrois), mais aussi bien contre les frères orthodoxes. Et, puisque le but politique de toutes les nationalités était de chercher à créer des États-nations — qui apparaissaient comme l'accomplissement suprême de la croissance et de la maturité culturelles —, on finit par penser l'idée d'« autocéphalie » comme étant l'équivalent ecclésiastique de la nation : chaque nation avait à établir sa propre Église autocéphale. Le patriarcat œcuménique de Constantinople s'opposa à cette tendance, mais sans succès, en partie parce qu'il était devenu lui-même le symbole et, à l'occasion, l'instrument du nationalisme grec, qui, comme tous les nationalismes, était nécessairement aveugle et sourd au nationalisme des autres et, par là-même, incapable de sortir du cercle vicieux des querelles ethniques [7].

Ainsi, le régionalisme légitime et canonique, sanctionné par les canons de l'Église ancienne, s'était transformé dans l'Orthodoxie moderne en un nationalisme ecclésiastique facteur de division.

J'ai dit plus haut que l'autorité ecclésiastique orthodoxe était restée généralement inconsciente de cette dangereuse évolution et était souvent devenue, en pratique, le principal porte-parole de l'idéologie nationaliste. Il y a cependant une exception majeure et heureuse : les décisions du Concile de 1872, qui eut lieu à Constantinople à l'occasion du « schisme bulgare ». Je ne souhaite pas discuter ici du caractère assez pharisaïque des décrets, qui condamnaient les Bulgares comme s'ils étaient seuls coupables de nationalisme ecclésiastique, mais le texte en soi pose des jugements ecclésiologiques clairs d'ordre général et d'une importance considérable pour l'Orthodoxie contemporaine. Il condamne l'hérésie du « phylétisme » (φυλετισμός), défini comme « l'établissement d'Églises particulières, acceptant des membres de la même nationalité et refusant ceux d'autres nationalités, et administrées par des pasteurs de cette même nationalité » et comme « une coexistence d'Églises à limites nationales d'une même foi mais indépendantes les unes des

---

7. Les documents et la littérature de seconde main sur le nationalisme des Balkans abondent. Parmi les ouvrages écrits dans des langues occidentales, on peut citer comme ayant un intérêt direct pour ce qui touche aux dimensions religieuses de la crise : E. PICOT, *Les Serbes de Hongrie: Leur histoire, leurs privilèges, leur Eglise, leur état politique et social*, Prague, 1873 ; Stephen RUNCIMAN *The Great Church in Captivity: A Study of the Patriarchate of Constantinople from the Eve of the Turkich Conquest to the Greek War of Independence*, Cambridge University Press, 1968 ; K. HITCHINS *Orthodoxy and Nationality: Andreiu Saguna and the Rumanians of Transylvania, 1846-1873*, Cambridge, Mass. Harvard University Press, 1977 ; R.W. SETON-WATSON *The Rise of Nationality in the Balkans*, New York, H. Fertig, 1966 ; Ch. A. FRAZEE, *The Orthodox Church and Independent Greece, 1821-1852* Cambridge University Press, 1969.

autres, sur le même territoire, dans la même ville ou le même village »[8]. D'un point de vue ecclésiologique, le décret implique que l'Église ne peut adopter pour critères de sa structure et de son organisation les réalités diviseuses du monde déchu, nationalisme y compris ; que, en tant que communauté eucharistique, elle est appelée à dépasser ces divisions et à réunir les séparés. Dans sa structure même elle doit témoigner de la victoire du Christ sur le monde.

Bien pauvrement suivies dans la pratique (c'est le moins qu'on puisse dire !), les décisions de 1872 témoignent fort heureusement d'un reste de conscience ecclésiologique très forte sans laquelle l'Église orthodoxe ne pourrait plus s'appeler *orthodoxe*.

En traitant du nationalisme facteur de division, j'ai jusqu'ici fait allusion avant tout aux Églises orthodoxes des Balkans sans mentionner la plus grande Église nationale orthodoxe : l'Église de Russie. Le destin historique de cette Église a manifestement été différent, mais les résultats, dans la question qui nous occupe, sont les mêmes. L'idéologie impériale universaliste que Moscou a héritée de Byzance s'est nationalisée et sécularisée au cours des XVIᵉ, XVIIᵉ et XVIIIᵉ siècles, suivant un processus bien décrit par le défunt père Georges Florovsky[9]. La seule différence majeure — et peut-être l'avantage — dont ait joui l'Église russe, pour ce qui est du maintien d'une conscience « catholique » et donc supranationale, a été la possibilité de continuer une activité missionnaire et de conserver ainsi une certaine pratique (et non le seul principe) de l'universalité chrétienne. La naissance en Russie au XIXᵉ siècle d'une science critique et, plus récemment, d'une *intelligentsia* tournée vers l'Église (dont Florovsky lui-même était un représentant éminent) permet aussi l'examen de conscience et l'autocritique. Mais ces facteurs demeurent très insuffisants pour vaincre le nationalisme ecclésiastique dans la pratique et dans la conscience de beaucoup de gens.

8. Cité dans MAXIMOS OF SARDIS, *Le patriarcat œcuménique dans l'Église orthodoxe* (Théologie historique 32) Beauchesne, Paris 1975.

9. En particulier dans *Puti russakago bogosloviya,* Paris, 1937.

III. Questions pour le dialogue

La métamorphose du régionalisme en nationalisme dans l'Orthodoxie moderne requiert une évaluation critique se basant sur ce que les orthodoxes affirment être leur position ecclésiologique. Cette évaluation est un préalable évident au dialogue avec Rome qui a aussi tenté de réexaminer sa propre *praxis* ecclésiastique à la lumière de son ecclésiologie.

En effet, on ne peut nier que la primauté de l'évêque de Rome, telle qu'en témoignent les premiers écrivains chrétiens et la pratique de l'Église ancienne, a aussi passé par une métamorphose. Ayant d'abord comblé le vide politique et culturel créé par la Chute de l'Empire d'Occident, et luttant ensuite pour la suprématie spirituelle et l'indépendance politique contre les empereurs germaniques, l'évêque de Rome devint un «Souverain Pontife» avec pouvoir séculier à l'échelle universelle. Plus tard, après qu'il eût perdu beaucoup de la reconnaissance politique qu'il avait obtenue au Moyen Age, les pouvoirs pastoraux et doctrinaux du pape furent définis en des termes empruntés au vocabulaire du droit médiéval (*plena potestas*). Sous cette nouvelle forme, la papauté a joué un rôle significatif dans la formation spirituelle du christianisme en Occident. Comprise par certains comme fondement nécessaire et divinement établi de la sécurité doctrinale, de la discipline ecclésiastique et d'une direction pastorale cohérente, la papauté est apparue à d'autres comme un substitut antichrétien du Christ ou, en tout cas, comme un obstacle majeur à la liberté humaine et à la responsabilité personnelle.

Le dialogue entre catholicisme romain et Orthodoxie comporte nécessairement la question du régionalisme et de l'universalisme. De part et d'autre, on admet que ce furent toujours des aspects essentiels du témoignage chrétien et de l'unité chrétienne et qui restent essentiels aujourd'hui. Si chacun acceptait aussi une certaine mesure d'autocritique et reconnaissait que le régionalisme chrétien oriental et l'universalisme occidental ont souvent pris, dans le passé, des formes ecclésiologiquement et éthiquement injustifiables, la recherche de la vraie solution pourrait devenir plus facile.

Cependant, quand on découvre, dans une recherche commune, les réalités relatives et changeantes de l'histoire, surgit une autre question théologique fondamentale, la question théologique fondamentale, la question du rôle de l'Esprit Saint dans l'histoire, c'est-à-dire le problème de la révélation continue ou du développement doctrinal. En effet, on peut facilement accorder que les formes et les structures de l'Église peuvent et doivent s'adapter aux conditions changeantes de l'histoire. Nous avons fait allusion plus haut à l'acceptation générale des structures politiques impériales comme critères de fait pour l'organisation de l'Église en Orient, ainsi qu'aux affirmations de soi quasi « papales » de certains prélats orientaux, tant à Byzance que plus tard en Russie, à des époques où l'Église avait à maintenir son témoignage dans des conditions de chaos politique et de désunion. On peut donc légitimement se demander si de semblables développements en Occident — bien que beaucoup plus prolongés et plus cohérents —, qui ont conduit l'évêque de Rome à assumer le leadership universel, ne peuvent s'expliquer et se justifier de la même manière, comme une réponse légitime de l'Église aux exigences concrètes de l'histoire. Et, s'il en est ainsi, n'est-ce pas le Saint-Esprit qui a guidé l'Église romaine tout au long ?

Certes, la question du développement doctrinal, surtout dans son application aux institutions ecclésiales, est soulevée depuis Newman, mais elle implique manifestement aujourd'hui des problèmes encore plus vastes avec l'adoption par tant de théologiens d'une approche évolutive. En effet, le changement est reconnu comme le signe même de la vérité et comme un facteur intrinsèque de la Révélation. Dans le domaine de l'ecclésiologie, cette méthode est, naturellement, capable d'expliquer l'émergence d'une institution comme la papauté, mais aussi de la neutraliser en pratique en se référant à un constant et nécessaire changement dans le présent et dans l'avenir.

Généralement parlant, la manière orthodoxe d'aborder l'ecclésiologie est plutôt mal à l'aise avec la méthode évolutive qui semble négliger le caractère historique unique (ἅπαξ) de l'événement Christ et, par là même, la complétude du témoignage apostolique, renfermé à jamais dans le Nouveau Testament et préservé par l'Église *apostolique*. Sans rejeter l'idée de développement, la théologie orthodoxe la décrirait plutôt en termes de nouveauté de formulation, non de contenu. En conséquence, tout changement historique devrait être évalué en fonction de sa *cohérence* avec le témoignage apostolique et avec la tradition, et en second lieu seulement en fonction de son adaptation aux besoins du moment historique où il se produit. Il n'en reste pas moins que ce souci orthodoxe de la continuité peut facilement se transformer en conservatisme figé, de caractère presque anecdotique. En outre, la peur aveugle de tout changement entraîne une dérive progressive dans le sectarisme : opposé aux sectes, le christianisme « catholique » est à la fois fidèle au *depositum fidei* et ouvert aux réalités de l'histoire.

Il semble donc que si le dialogue entre orthodoxes et catholiques romains doit traiter la question du développement doctrinal, il devra — surtout dans le champ de l'ecclésiologie — redécouvrir son caractère *antinomique* et suprêmement mystérieux : l'antinomie entre révélation divine et perception humaine, entre grâce et liberté, entre universel et local. La plus grande découverte qui puisse intervenir est de s'apercevoir que l'antinomie — qui est toujours un défi à la pensée logique et légaliste — n'est pas en fait une forme d'agnosticisme mais la contemplation libératrice de la vérité divine découverte dans le *sensus ecclesiae,* commune à tous.

Concrètement parlant, les orthodoxes n'ont manifestement pas le droit de faire objection à la primauté romaine en se basant uniquement sur le provincialisme ethnique de leurs Églises nationales autocéphales telles qu'elles existent aujourd'hui. Ce sont indubitablement des couvertures pour le séparatisme. En outre, il leur faut reconnaître que, si des unions régionales d'Églises locales sont réalisées grâce à l'interdépendance institutionnelle (synode régionaux), l'unité universelle de l'Église peut aussi recevoir une forme institutionnalisée, impliquant des canaux définis d'interdépendance et une forme de primauté, dont il existait des modèles dans le collège apostolique et parmi les Églises locales de la chrétienté ancienne.

Si, par la grâce de Dieu, un concile d'union se réunit jamais, il devra inscrire à son ordre du jour la question de l'« autocéphalie » (telle qu'elle est maintenant pratiquée dans l'Église orthodoxe) et naturellement la question de la primauté romaine. Il faudra débattre de ces problèmes non seulement en fonction du contenu de la révélation néo-testamentaire, mais aussi en se demandant ce qui est « développement doctrinal » légitime. Du côté orthodoxe, on essayera sans nul doute de n'interpréter le développement qu'en termes de *jus ecclesiasticum,* mais on devra aussi formuler les moyens de maintenir l'universalité du message chrétien sur un fondement permanent et sous une forme institutionnelle, comme expression nécessaire de la nature de l'Église.

Et puis, le débat devra inclure des sujets pratiques. Qu'est-ce qui se passe *en pratique* dans la chrétienté occidentale quand la primauté papale est soit niée soit simplement réduite dans son officience réelle ? Est-ce que le conciliarisme n'a pas évolué en Réforme, et le nouvel accent mis sur le conciliarisme à Vatican II en une rupture critique de la doctrine et des structures ?

D'autre part, qu'est-ce qui arriverait *concrètement* dans le monde orthodoxe si les actuelles Églises autocéphales acceptaient l'existence d'un réel centre d'autorité, même si ce centre est uniquement défini *jure ecclesiastico ?*

Il me semble que les relations entre l'Orthodoxie et le catholicisme romain n'avanceront guère tant qu'une équipe compétente n'aura pas essayé d'établir un agenda qui inclurait des questions-interpellations pour les deux bords et éprouvant leur conscience d'être membres de l'*Église catholique* du Christ. Des deux côtés, on devrait être prêts à reconnaître :

— que cette appartenance se réalise à plein localement dans l'Eucharistie ;

— que cela implique aussi une mission régionale (c'est-à-dire également culturelle, nationale et sociale) ;

— que le régionalisme n'est pas toujours cohérent avec l'universalisme qui, toutefois, appartient aussi à la *nature* même du message du Christ.

Sur ces trois plans un *sensus* commun devra se développer. Autrement, ni les accords doctrinaux sur des questions théologiques particulières, ni certainement les gestes symboliques, ni la diplomatie ne pourront réaliser l'unité que nous cherchons.

(Traduit de l'anglais par André Divault.)

Jean-Marie R. TILLARD

VATICAN II ET L'APRÈS-CONCILE
ESPOIRS ET CRAINTES

Ce Colloque de Bologne avait pour thème : « L'ecclésiologie de Vatican II ; dynamismes et prospectives ». Un thème ambitieux. Il impliquait à la fois une relecture de *Lumen Gentium* et l'analyse de son impact sur l'Église d'aujourd'hui. Or nul n'ignore que cette dernière est travaillée par des forces ou des influences qui ne trouvent pas toutes leur origine dans l'impulsion donnée par le Concile.

Bien plus, l'Église post-conciliaire est marquée, vis-à-vis de Vatican II, par trois tendances maîtresses. On peut, en les classant par ordre d'importance, les décrire ainsi : la volonté d'appliquer strictement le Concile et d'en suivre l'esprit, le désir d'aller au-delà des décisions conciliaires en s'ouvrant déjà à l'avenir dans un monde en pleine évolution, la nostalgie du passé et l'effort pour bloquer les dynamismes mis en branle au Concile dans la crainte qu'ils compromettent l'identité catholique-romaine. Ceci cause une polarisation parfois profonde. La première tendance elle-même — celle de la fidélité stricte — s'appuie souvent sur une lecture myope des textes, faisant l'économie d'une recherche de leur intention, ce qui en gauchit gravement l'application.

Il n'est donc guère aisé de déceler où en est l'ecclésiologie de Vatican II. Ceci explique sans doute pourquoi plusieurs des interventions — communications, questions, explications — faites durant le colloque ont surtout porté sur une critique des « dynamismes » mis en place. Le présent ne semble guère encore entièrement satisfaisant sur ce point. On a, par exemple, souvent déploré la confusion, renaissante, entre le rôle de Rome comme ciment de la communion et la centralisation vaticane, en regrettant qu'on ne voie pas qu'ecclésiologiquement la centralisation nuit à la *koinônia* puisqu'elle enlève aux églises locales leur vitalité propre et par là leur vocation dans la catholicité. Le code de Droit Canon en préparation fait naître sur ce point des inquiétudes fondées. Et l'action du Siège romain est-elle — s'est-on demandé — entièrement cohérente avec, sinon la lettre, du moins l'esprinovot de Vatican II ? La même question a été posée, sans agressivité, face à des interventions ou à des documents publiés sous le nom de l'évêque de Rome.

On a cherché des explications à cette situation. Des représentants de divers « lieux » de l'Église — dont des théologiens ayant immédiatement collaboré aux textes conciliaires — se sont demandé si Vatican II n'avait pas péché par manque de précision sur des notions fondamentales. La constitution *Lumen Gentium* est-elle assez claire sur les rapports entre l'évêque de Rome et le collège des évêques, l'autorité et le statut des conférences épiscopales, la fonction du laïcat ? Le concile n'a-t-il pas trop négligé le difficile problème de l'articulation de la collégialité des évêques à la synodalité des églises ? Quinze après le concile, on perçoit ainsi que la tâche n'est pas seulement d'appliquer et de prolonger Vatican II. Elle est aussi d'approfondir et de mener à leur pleine cohérence les intuitions fondamentales de celui-ci. On nous a dit que les ambiguïtés et les lacunes des textes conciliaires eux-mêmes pouvaient expliquer le retour — en toute bonne conscience — à des styles de comportement qui contredisent l'esprit du Concile.

Alors, où en sommes-nous ?

La question se pose à deux niveaux, intimement connexes. D'abord, celui de l'approfondissement doctrinal. On s'est rappelé qu'après Trente le manque de réflexion dogmatique sur les indications des documents avait permis à Bellarmin de construire *quasi ex novo* une ecclésiologie étrangère à l'esprit du Concile : la même aventure pourrait nous guetter. L'autre niveau est le niveau « opératif » : comment faire pour que le Concile passe concrètement dans la vie ecclésiale ?

I

Du colloque un premier point se dégage avec netteté. L'Église ne saurait se comprendre comme une entité close sur elle-même. Par vocation et par nature insérée dans l'histoire humaine et par là dans le monde, elle est intrinséquement liée à l'avènement du Règne de Dieu dans ce monde[1]. L'Église post-conciliaire vit cette dialectique Église-monde de façon prophétique en deux lieux majeurs.

Alors qu'en Occident l'effritement des cadres sociaux traditionnels débouche sur une crise grave de l'appartenance, tendant à rompre la tension Église-monde au profit de ce dernier, en Amérique latine la rencontre de l'Église et des pauvres pris dans leur réalité collective apporte à la mission, telle que perçue par Vatican II, un nouveau souffle évangélique. Ici, le monde n'est pas celui que décrivait *Gaudium et Spes*. C'est « le monde des pauvres », à la fois exploité et chrétien. Le rapport Église-monde se vit alors comme une *communion* de l'intérieur entre Église et pauvres. Il s'agit de faire naître « du peuple des non-invités au Banquet » cette Église elle-même. Les communautés de base apparaissent ainsi comme des cellules de renouvellement du tissu ecclésial à partir des milieux populaires. Et elles sont hantées par la volonté d'annoncer l'Évangile, en allant s'il le faut jusqu'au martyre. La grâce du Règne, avec sa dimension eschatologique, s'articule ainsi sur l'exigence des temps. Ceci, certes, exige un jugement spirituel : le rapport essentiel doit être entre Église et pauvres, non entre foi et politique, dans la ligne de l'Évangile et non des idéologies. Mais il faut reconnaître dans cette émergence de l'Église par les pauvres un pôle capital du dynamisme conciliaire. La constitution *Lumen Gentium* ne redit-elle pas la certitude que dans l'église locale c'est l'Église universelle qui se réalise ? Ici cela se fait dans la chair même des Béatitudes.

---

1. Cela marque jusqu'à la fonction épiscopale. L'évêque de Vatican II considère comme partie de sa responsabilité ecclésiale le souci de tous les hommes vivant sur le territoire à lui confié. Il n'est pas seulement homme du culte ; tout ce qui a trait à l'avènement du Règne de Dieu en cette portion d'humanité le concerne.

Au cœur de sa *martyria*, l'Église des pauvres a ses propres martyrs. Il convient de prendre ce fait très au sérieux ecclésiologiquement. Les martyrs ont toujours constitué le signe privilégié et le ferment de l'affrontement victorieux de l'Église avec le monde, à la lumière de la Croix. Le martyre se juge dans la perspective eschatologique du Règne. Ceci nous convie à inscrire dans notre ecclésiologie, telle que marquée par Vatican II, la dimension non pas seulement éthique mais dogmatique du martyre. Nous l'avions oublié. Ce qui n'est pas sans résonance œcuménique si l'on songe à l'autre type d'affrontement avec le monde que vivent, dans une bien autre situation, plusieurs de nos frères orthodoxes, eux aussi appelés parfois au martyre.

C'est à cette lumière prophétique de la *matyria* que doivent être critiquement jugés, dans la perspective de la rencontre entre l'eschatologie et l'histoire, tous les efforts de dialogue entre Église et monde. Le martyre interpelle. D'une part il interdit de sombrer dans la tentation du baiser au monde. Mais d'autre part il montre qu'il ne faut pourtant pas craindre d'aller au monde, dans le sillage de l'envoi du Fils par le Père, quoiqu'il en coûte.

Par les communautés chrétiennes d'Asie et d'Afrique, l'affirmation conciliaire de la pleine valeur ecclésiale des églises locales et particulières vues dans leur rapport au monde se vérifie également d'une façon prophétique. Le contexte est autre, bien que sur plusieurs plans il recoupe le précédent. Il ne s'agit plus d'un contexte de pauvreté économique mais d'un *ethos* culturel. Celui-ci non seulement peut mais doit, pour le plus grand bien de la catholicité, garder son caractère «indigène». Problème de l'église «sujet», se construisant et se renouvelant ici encore en un «monde» longtemps oublié voire méprisé. Mais l'angle précis est cette fois celui de l'enracinement géographique, historique, sociologique ; c'est la prise au sérieux de l'articulation entre Création et Rédemption, qui fut l'une des intuitions maîtresses du Concile. Dieu sauve les hommes tels qu'il les a créés. Dans une ecclésiologie saine, il est donc impossible de mettre entre parenthèses la réalité de l'«appartenance» : appartenance à un peuple, à une tradition culturelle qui implique à la fois un langage ou des schémas de conduite humaine et un héritage religieux. De nouveau en ce cas le souci de l'humain se situe dans la perspective du Règne de Dieu sur la création et l'histoire. L'Église a pour vocation non de s'implanter là mais d'y germer. Il est clair que cette situation requiert, elle aussi, un jugement spirituel portant non seulement sur les valeurs ecclésiales à faire apparaître mais sur l'*humanum* où elle a à prendre forme. L'expérience de la Tradition montre également qu'il faut soigneusement veiller à demeurer ouvert sur l'universel. Nos frères orthodoxes nous ont aidé à percevoir les dangers d'une identification trop absolue entre appartenance à l'église de Dieu et appartenance à une race, une culture, une nation. Mais, compte tenu de ces précisions, il demeure vrai que tout ce qui peut être assumé doit l'être puisque le Règne doit s'infiltrer partout.

Ce jugement ecclésiologique sur les valeurs humaines — valeurs «indigènes» ou pour l'Occident valeurs liées à la nouvelle culture — renverse la façon habituelle de concevoir le rapport Église-monde. La rencontre entre foi et religions prend alors un nouveau relief, différent de celui que lui donnait l'apologétique classique. La conception de l'église locale comme présence et actualisation de l'unique Église de Dieu constitue donc sans nul doute, à tous les plans, l'un des aspects les plus positifs de l'ecclésiologie de Vatican II. Les fruits en sont nombreux et importants.

Il est clair que ces résultats positifs viennent de l'Esprit de Dieu, Esprit dans lequel Jésus a vécu son ministère, mais aussi Esprit donné simplement après la Croix et la Résurrection. Or une autre idée force de ce colloque a été la constatation de la prise de conscience par le peuple de Dieu, dans l'élan de Vatican II, du lien essentiel entre Esprit Saint et Église. Ce lien est constitutif de cette dernière.

Il se peut que les textes conciliaires n'aient pas été aussi explicites et aussi profonds sur ce sujet qu'on le souhaiterait aujourd'hui. Toutefois Vatican II a ouvert nettement en ce domaine une étape nouvelle pour l'ecclésiologie catholique romaine. Le dialogue œcuménique devrait susciter un approfondissement de ce point essentiel en permettant en particulier une réflexion (qui manque encore) sur le rapport fondamental de l'Église à la christologie et à la pneumatologie. Plus précisément, il faudra se demander dans quel rapport sont le Christ et l'Esprit en ce qui concerne non seulement l'institution mais la constitution même de l'Église.

Mais l'un des résultats principaux de la remise en relief de la relation Esprit-Église est la redécouverte du lien essentiel et constitutif entre l'un et le « plusieurs » (« the one and the many »). Parce qu'à la Résurrection, par l'œuvre de l'Esprit, le Christ devient non pas *un* mais la communion de *plusieurs* en un seul Corps, ainsi dans l'Église — qui est ce Corps — l'*un* et le *plusieurs*, l'universel et le local sont nécessairement simultanés. Plus radicalement encore, parce que le Dieu *un* et *Unique* est la communion de plusieurs Personnes, l'Église *une* et *unique* s'identifie à la *koinônia* des églises. L'unité au plan universel ne saurait donc précéder ou conditionner la *koinônia* et, en sens inverse, celle-ci ne saurait précéder ou conditionner l'unité. Unité et multiplicité apparaissent à ce point liées que l'une ne saurait exister sans l'autre. C'est cette relation, constitutive de l'Église, que les institutions rendent visible et, pourrait-on dire, historicisent. Nous sommes ici au cœur de l'ecclésiologie qui perce dans *Lumen Gentium* et, notons-le, toujours dans la ligne de la mise en relief de l'église locale.

L'accent sur l'Esprit permet, dans ces perspectives, de rompre avec les conséquences du christomonisme, voyant le mystère ecclésial de façon pyramidale à partir du ministère et mettant dans l'ombre la responsabilité confiée par l'Esprit à l'ensemble des fidèles (les *plusieurs*). Dans l'Église, de par son lien constitutif avec l'Esprit, la mission et le destin se trouvent portés par tous les membres, quoique de façon différente, chacun agissant selon son charisme et son *munus*. La tradition ancienne montre que cette loi se vérifie jusqu'au plan de l'accès au ministère épiscopal. L'évêque élu par le peuple — qui se porte garant de sa foi apostolique — est ordonné par l'Esprit mais dans la prière de l'assemblée et par l'imposition des mains des évêques voisins. La synaxe eucharistique est, elle aussi, à la fois manifestation et source sacramentelle de cette dialectique du *un* et du *tous* (les *plusieurs*) dans la *koinônia*. C'est d'ailleurs pourquoi elle « fait l'Église ».

Ce qui vaut ainsi de la *koinônia* — *communion* et non pas seulement *communauté* — dans l'église locale vaut aussi du lien des églises entre elles et du lien de tous leurs évêques avec l'évêque de Rome, « église qui préside à la charité ». Primauté et collégialité actualisent ainsi au niveau du ministère dans l'Église entière la relation communionnelle de l'*un* et du *plusieurs* et leur simultanéité constitutive. Le pape ne remplace pas le concile, le concile ne remplace pas le pape. Pour une ecclésiologie de communion, telle du moins qu'elle perce dans *Lumen Gentium* malgré les ambiguïtés du texte, cette relation de l'*un* et du *plusieurs* est normative car sans elle la *koinônia* est rompue. Le lien entre Vatican I et Vatican II pourrait être compris comme le rapport entre deux étapes-clés dans le processus continu (venant de l'Esprit) par lequel l'Église se perçoit et se structure dans son être de *koinônia*. L'affirmation du *prôtos* à Vatican I devait être achevée (et non contredite) par l'affirmation du rôle des autres évêques qui, avec lui et simultanément, constituent à ce niveau du ministère l'assise de la *koinônia*.

La question œcuménique est à situer dans cette perspective. Dès qu'avec Vatican II et les documents qui l'ont suivi on renonce à un œcuménisme du retour, on ne peut concevoir l'Église resoudée autrement que dans la dialectique de l'unité de foi et de la multiplicité des usages. L'unité est catholique ou elle n'est pas. Or le binôme *una-sancta-Ecclesia* et *sancta-catholica-Ecclesia* retranscrit la relation que nous avons découverte au cœur même de la *koinônia*. Dans le *Tomos Agapès* Paul VI le dit d'une façon admirable :

> se retrouver un dans la diversité et la fidélité ne peut être que l'œuvre de l'esprit d'amour. Si l'unité de foi est requise pour la pleine communion, la diversité d'usages n'y est pas un obstacle, bien au contraire. Saint Irénée « qui portait bien son nom car il était pacificateur par son nom comme par sa conduite » (Eusèbe, *Hist Ecclés.*, V, 24,18), ne disait-il pas que la différence des costumes « confirme l'accord de la foi » (*id.* 13) ? Quant au grand docteur de l'Église d'Afrique, Augustin, il voyait dans la diversité des usages une des raisons de la beauté de l'Église du Christ (p. 374).

Telle est la ligne centrale qui, nous semble-t-il, s'affirme très nettement après la relecture que ce colloque a faite de l'ecclésiologie de Vatican II, en confrontant soigneusement les textes à la réalité post-conciliaire. Il faut dorénavant en ouvrir toutes les implications, en communion avec tous nos frères chrétiens, spécialement nos frères orthodoxes que cette ecclésiologie rejoint dans leur tradition la plus ancienne.

Cette ecclésiologie porte déjà des fruits positifs, disions-nous. On a souligné combien, grâce à elle, des valeurs aussi classiques que la vie liturgique et la mission étaient apparues sous un jour nouveau. Et si, en dépit des bavures institutionnelles dont nous parlerons, les synodes (surtout ceux de 1969 et 1974) ont abouti à des résultats positifs tels qu'*Evangelii nuntiandi* de Paul VI (un texte ayant marqué Puebla), on le doit au rôle des épiscopats d'Afrique et d'Asie surtout, mettant en œuvre l'ecclésiologie de l'église locale et de la *koinônia* avec la puissance prophétique qu'elle confère. Le mouvement œcuménique lui-même en a été marqué.

II

Une ecclésiologie doit se traduire dans des institutions en pleine harmonie avec elle. C'est ici surtout que, peut-être de par l'imprécision voire l'ambiguïté des textes conciliaires, peut-être à cause de la permanence de forces puissantes pas encore converties à l'esprit du Vatican II, des problèmes se posent, des inquiétudes sérieuses se manifestent. Le Concile pourrait être mis en échec.

1. L'étude critique mais sereine des institutions mises en place pour concrétiser Vatican II et le faire entrer vraiment dans la vie du Peuple de Dieu révèle, en effet, qu'à ce registre on ne parvient pas encore à se libérer de l'esprit de l'ecclésiologie des derniers siècles. Ce qui se trouve fondamentalement en cause est — dans la traduction institutionnelle de la relation entre l'*un* et le *plusieurs* — l'absence de jonction entre l'évêque de Rome et les autres évêques du Collège épiscopal.

Cette constatation se vérifie à plusieurs plans, manifestant tous le maintien de ce qu'on a appelé la « solitude » du primat universel. On a ajouté de nouvelles institutions mais sans corriger l'ancienne institution pour que les deux s'harmonisent. Rappelons le problème que pose le statut du Synode des évêques, reconnu comme expression non seulement de la communion épiscopale mais de la collégialité elle-même, fonctionnant néanmoins plus comme un conseil que comme un organe de décision ecclésiale. En dépit de ce qu'elle a apporté de positif, la réforme de la curie vaticane a eu pour effet de bureaucratiser les congrégations romaines, en leur faisant ainsi perdre leur rôle de contre-poids du pouvoir du primat.

Tout cela pose de façon aiguë le problème, non résolu par le Concile, du mode d'exercice de la primauté telle que relue par *Lumen Gentium,* compte tenu des exigences qu'impose à l'évêque de Rome sa relation à la collégialité. Là où nous en sommes, on ne sait pas comment relier liberté de l'évêque de Rome et exigences de la collégialité, liberté de l'*un* et exigences des *plusieurs.* Or les vrais rapports entre le primat et les autres membres du collège épiscopal ne peuvent être garantis et assurés que par des moyens institutionnels. Seuls ceux-ci peuvent préserver à la fois la liberté du primat et le droit du collège. Les moyens actuellement mis en œuvre favorisent, manifestement, la première et mettent en veilleuse le second.

La même difficulté se retrouve en ce qui concerne les conférences épiscopales. Certes, elles se sont vu accorder petit à petit une assez large compétence. Mais cette autorité a-t-elle l'ampleur que postule la pleine reconnaissance du fait collégial, articulé sur la référence à Rome mais non dominé par celle-ci ? Ici encore, au lieu du *et...et* on opte plutôt pour le *aut....aut.* On privilégie, parce qu'elle paraît plus sûre, l'option en faveur du pouvoir romain. Ne semble-t-on pas parfois se méfier « de ce que pourraient décider des évêques laissés seuls » ?

Bref, on a l'impression que les nouvelles institutions chargées d'inscrire Vatican II dans le dynamisme de la vie ecclésiale n'ont pas encore réussi à articuler le *munus* de l'évêque de Rome et le *munus* du collège entier. On a conservé comme axe la vision monarchique, sans parvenir à ce que les formes collégiales soient autre chose qu'un *service* de la primauté. Mais n'est-on pas ainsi en retrait face au concile ? celui-ci n'avait-il pas vu plutôt la primauté comme un *service* de la collégialité ? Le problème est grave. Il traduit une hésitation et une ambiguïté qui pourraient même, lentement, aboutir à stériliser l'intuition du Concile, à fausser son intention.

2. Mais il faut être lucide et honnête. Avant d'être canonique, la question posée par les institutions post-conciliaires est fondamentalement un problème dogmatique. On doit, nous semble-t-il, le scruter sous plusieurs angles, complémentaires, s'appelant mutuellement.

Le premier angle — sans doute le plus fondamental — sous lequel il convient d'étudier le problème est le statut de l'ecclésiologie de Vatican I après sa « réception » par Vatican II. Car Vatican II n'a pas entendu remplacer Vatican I. Il a explicitement voulu relire Vatican I à la lumière de la collégialité épiscopale. Mais qu'implique cette relecture ? L'irréformabilité attachée à la définition de 1870 est-elle à comprendre comme si sa reprise par un autre concile, jouissant de la même autorité, ne pouvait et ne devait rien modifier de sa lettre même ? La question, on le voit, déborde le simple cas de *Pastor aeternus*. Elle porte sur la qualification d'infaillibilité attachée à certaines déclarations conciliaires qui, saisies dans le dynamisme de la vie ecclésiale, sont relues par une autre instance du même type et dotée de la même autorité. L'obstacle rencontré par les législateurs des nouvelles normes institutionnelles est, nous semble-t-il, plus ce que nous venons de décrire que l'ambiguïté des textes de Vatican II ou la sombre volonté d'en adoucir l'impact.

Mais le problème doit être aussi abordé sous un autre angle : la repensée de la notion de *plena potestas*. Tout *munus* exige le pouvoir qui permet de l'accomplir. Toutefois, le pouvoir est proportionné au *munus,* et non l'inverse. Si donc le *munus* de l'évêque de Rome ne peut se comprendre qu'en relation avec le *munus* du collège épiscopal, il s'en suit que le pouvoir de l'évêque de Rome ne peut être compris et explicité qu'en relation avec le pouvoir du collège épiscopal. Le pouvoir du primat n'est plus, alors, le pouvoir englobant. Il n'est pas non plus la source du pouvoir du collège : la reconnaissance de la sacramentalité de l'épiscopat par *Lumen Gentium* le montre nettement. La notion de *plena potestas*, ancienne dans ses sources mais aujourd'hui marquée par le vocabulaire juridico-politique du Moyen Age, renvoie au droit du souverain. Par là elle s'harmonise fort bien avec la vision christomoniste, celle précisément dont Vatican II se détache. *Telle qu'elle*, elle ne cadre donc plus avec l'ecclésiologie de communion sur laquelle ouvre *Lumen Gentium*. Ceci explique que des institutions ecclésiales essayant de faire coïncider les deux grincent et (comme dans le cas du Synode des évêques) ne fonctionnent qu'au prix de tensions épuisantes ou de compromis souvent stériles.

Le troisième angle sous lequel cette question dogmatique doit être traitée est celui du Statut du droit dans l'Église. On ne saurait, en effet, dans une ecclésiologie fondant l'Église dans le fait sacramentel, penser uniquement au droit attaché à la norme et à l'organisation interne du Peuple de Dieu, droit suscitant chez le fidèle une attitude d'obéissance et de soumission à l'autorité instituée. Un autre droit existe, plus radical. Il s'agit du *jus* lié au statut du chrétien sous la grâce, à ce qu'il devient par l'Esprit au baptême, mais aussi à ce qui lui revient de par tout *munus* qu'il a sacramentellement reçu. Une ecclésiologie pyramidale (ou christomoniste) est tentée d'oublier ce niveau radical du *jus*, parfois même de s'en méfier. Mais une ecclésiologie de *koinônia* se construit sur lui. Autrement il n'y a plus, en effet, authentique communion. Ici encore, notons-le, le rapport entre évêques de Rome et autres évêques ne représente qu'un cas d'une situation plus large qui vaut aussi dans l'église locale, par exemple pour la relation entre évêques et presbyterium, évêques et religieux, clercs et laïcs. Il importe donc, dans cette optique, de préciser non seulement le *jus* du primat mais aussi celui des *plusieurs* (le collège) en relation avec lesquels s'exerce son *munus* propre.

Il est un dernier angle, à nos yeux déterminant, sous lequel la question dogmatique soulevée par la mise en place des institutions post-conciliaires doit être envisagée. Il s'agit cette fois de la relation entre l'égalité fondamentale de toutes les églises-sœurs en qui et par qui existe la seule et unique Église universelle (*LG* 23) — et la fonction propre et privilégiée de certaines d'entre elles dont, avant tout, l'église de Rome. Celle-ci a une qualité ecclésiale différente des autres églises. Mais quelle est la qualification de cette différence ? Comment le « privilège de situation », qui fait de cette église de Rome le « principe et fondement perpétuel et visible de l'unité de foi et de communion » (*LG* 18), doit-il être vécu pour éviter que les autres églises demeurent en « situation de tutelle » ? Il est ici question non plus des évêques face au primat mais des églises face à Rome.

Doivent-elles être seulement celles qui reçoivent, ou n'ont-elles pas elles aussi à donner ? Doivent-elles être seulement celles qui implorent une dispense, une permission, un indult, une concession, ou ont-elles à prendre — toujours dans la communion — les initiatives qui s'imposent à leurs yeux ? En d'autres termes, leur référence à Rome est-elle référence de perpétuelle dépendance ou référence d'unité, de *koinônia,* de relation privilégiée à l'église « qui préside à la charité » ?

Tant que le problème n'aura pas été théologiquement discuté sous ces quatre angles, il sera difficile de progresser dans l'application de Vatican II. Les structures mises en place ne cesseront, en effet, de traduire l'imprécision de la pensée.

Il faut d'ailleurs souligner que le malaise créé par la façon dont les institutions post-conciliaires situent les autres membres du collège épiscopal face à l'évêque de Rome répond à un malaise analogue au niveau des églises locales : la relation des autres membres de l'église face à l'évêque s'y réalise d'une façon boiteuse. La pratique synodale représente, sans nul doute, une expression majeure de la communion ecclésiale comme telle, laïcs et ministère ordonné s'y trouvant impliqués chacun selon son *munus* et son charisme. Ici, le droit fondamental de chaque baptisé — celui d'être un membre responsable de l'Église — s'actualise, mais toujours dans la *koinônia*. Or, la tendance dominant les règlements synodaux post-conciliaires est de réserver à l'évêque le pouvoir délibératif et de réduire les autres participants à un rôle purement consultatif. Le projet de code de Droit canon va dans cette ligne, et la *Lex fundamentalis* exclut les laïcs de toute participation au pouvoir législatif. Pourtant, Vatican II avait insisté non seulement sur la dignité du laïcat mais aussi sur la responsabilité à l'endroit de l'ensemble de la vie ecclésiale. La fonction de conseiller ou de consulté n'épuise pas cette responsabilité. Le *jus* conféré par le baptême exige plus.

La question dogmatique que nous soulevons traverse donc toute la réalité de l'Église post-conciliaire. Celle-ci n'est pas encore dans sa forme sociale et institutionnelle en pleine concordance avec l'ecclésiologie de communion dont *Lumen Gentium* a posé les assises. Cette ecclésiologie, il est vrai, produit des fruits au plan spirituel. Pourtant si cela est possible c'est que l'esprit du Concile se maintient dans l'Église malgrè la faiblesse des structures institutionnelles chargées de l'incarner.

3. Ceci admis, faut-il chercher à créer des institutions nouvelles, nées explicitement de la nouvelle situation ecclésiologique et évitant les ambiguités signalées et déplorées? On pourrait penser à un « synode délibérant » avec pour complément un organe collégial exécutif : un projet brillant en ce sens nous a été présenté. On pourrait aussi tabler sur le donné, en lui-même lourd de promesses malgré les limites actuelles, que représentent les conférences épiscopales encore en rodage et le regroupement régional ou continental de plusieurs de ces conférences. On pourrait encore commencer par supprimer plusieurs des institutions impliquant, sans que cela soit théologiquement nécessaire, l'accord préalable d'une instance supérieure. Il est trop tôt pour le décider, et nous savons pourquoi : on ne saurait faire l'économie d'une reprise préalable de la réflexion dogmatique sur les lignes de force de Vatican II. De plus, l'application d'un concile ne se fait qu'avec patience. Mais une chose est certaine : on ne saurait se résigner devant les situations. Il faut donc aider l'Église à trouver, fût-ce au prix d'un certain piétinement, ce dont elle a besoin pour actualiser son mystère de *koinônia*, une et *plusieurs* simultanément, à tous les échelons.

Évidemment, pour cette tâche la théologie ne suffit pas. On doit aussi tenir compte des éléments humains qui lient socialement, s'appliquer à une « herméneutique sociologique ». Cette dernière permet de démasquer les illusions, de démonter les processus cachés, de déceler les intentions voilées et par là de prévenir les échecs. L'Église ne se réalise que dans l'humain (qui a ses propres lois) et la *koinônia* s'accomplit dans une *communauté*. Or celle-ci est une forme de la sociabilité humaine. C'est d'ailleurs pourquoi tout le registre de l'organisation — qui ne se confond pas avec l'*ordo* (l'*order*) que fonde le sacrement — est nécessairement relatif et, de ce fait, ouvert au changement. Il n'est pas, lui, de droit divin. Dans la mise en place des institutions ecclésiales alors que la *koinônia* est toujours normative ainsi que ce qui dérive directement du sacrement, l'organisation, doit pour répondre à sa fin, se mettre à l'écoute des besoins typiquement humains, lesquels varient selon les temps et les situations. Pour qu'aujourd'hui la *koinônia* soit vraiment vécue il convient, par exemple, de créer des possibilités institutionnelles de rencontre et de dialogue entre évêque de Rome et autres évêques, évêque et laics, chrétiens du Tiers-monde et chrétiens de l'Occident, etc. Autrement, le décalage entre la réalité et l'idéal que représente la *koinônia* peut rendre impossible une expérience ecclésiale authentique et un témoignage vrai : une église laissant grandir les déchirures ou les distances n'actualise plus pleinement en chair humaine son mystère de *koinônia,*. Cela vaut aussi pour les formes d'exercice du pouvoir. Parce qu'elle est dans une société, l'Église peut dans le domaine de l'organisation — à condition de tout juger à la lumière de la *koinônia,* norme irréformable et absolue — continuer de s'inspirer de certaines institutions civiles comme elle l'a fait par le passé (l'origine du diocèse, l'origine de la notion de *plena potestas,* etc.). Ne tombons-nous pas dans une forme de pélagianisme lorsque nous faisons confiance plus à la patine des structures d'organisation qu'à la présence de l'Esprit qui, dans le sacrement, ne cesse de donner à l'Église sa réalité essentielle ?

Il n'est pas fortuit que nous mentionnions de nouveau l'Esprit-Saint. Car son action dans l'Église est au cœur du difficile problème que ce colloque a cerné. La tâche de l'après-concile consiste surtout à recentrer la vie ecclésiale sur lui et sa grâce (donnée par les sacrements, tout spécialement l'Eucharistie) et à faire de l'Église en ce monde celle qui avec lui prépare l'avènement définitif du Règne de Dieu. C'est pourquoi on doit demeurer dans l'espérance. Sur la base de tout le positif que nous avons signalé, il saura bien aider l'Église (mal à l'aise en ce domaine) à trouver sa voie institutionnelle. Il y va de sa propre mission !

Achevé d'imprimer en novembre 1981
sur les presses de l'imprimerie Laballery et Cie
58500 Clamecy
Dépôt légal : 4e trimestre 1981
Numéro d'imprimeur : 20088

THÉOLOGIE HISTORIQUE

32. — MAXIMOS DE SARDES. Le patriarcat œcuménique dans l'Église orthodoxe. *Étude historique et canonique.*

33. — M.-T. PERRIN *éd.* Laberthonnière et ses amis : L. Birot, H. Bremond, L. Canet, E. Le Roy. *Dossiers de correspondance* (1905-1916). Préface de Mgr POUPARD.

34. — D. DIDEBERG. Augustin et la Ire Épître de saint Jean. *Une théologie de l'agapè.* Préface d'ANNE-MARIE LA BONNARDIÈRE.

35. — C. KANNENGIESSER *éd.* Jean Chrysostome et Augustin. *Actes du Colloque de Chantilly,* 22-24 septembre 1974.

36. — P. LEVILLAIN. La mécanique politique de Vatican II. *La majorité et l'unanimité dans un concile.* Préface de RENÉ RÉMOND.

37. — B.-D. BERGER. Le drame liturgique de Pâques. *Théâtre et Liturgie.* Préface de PIERRE JOUNEL.

38. — J.-M. GARRIGUES. Maxime le Confesseur. *La charité, avenir divin de l'homme.* Préface de M.J. LE GUILLOU.

39. — J. LEDIT. Marie dans la Liturgie de Byzance. Préface de Mgr A. MARTIN, Évêque de Nicolet.

40. — A. FAIVRE. Naissance d'une hiérarchie. *Les premières étapes du cursus clérical.*

41. — P. GISEL. Vérité et Histoire. *La théologie dans la modernité.* Ernst Käsemann.

42. — P. CANIVET. Le monachisme syrien selon Théodoret de Cyr.

43. — J. R. VILLALON. Sacrements dans l'Esprit. *Existence humaine et théologie sacramentelle.*

44. — C. BRESSOLETTE. L'Abbé Maret. *Le combat d'un théologien pour une démocratie chrétienne* (1830-1851).

45. — J. COURVOISIER. De la Réforme au Protestantisme. *Essai d'ecclésiologie réformée.*

46. — G. F. CHESNUT. The First Christian Histories. *Eusebius, Socrates, Sozomen, Theodoret and Evagrius.*

47. — M. H. SMITH III. And Taking Bread. *The development of the Azyme Controversy.*

48. — J. FONTAINE et M. PERRIN. Lactance et son temps. *Actes*

61. — Les Églises après Vatican II. *Dynamisme et perspective.* Actes du Colloque International de Bologne, 1980.
62. — M. HUOT DE LONGCHAMP. Lectures de Jean de La Croix. Essai d'anthropologie mystique. Préface d'Albert Deblaere.

EN PRÉPARATION

B. FRAIGNEAU-JULIEN. Les sens spirituels et la vision de Dieu selon Syméon le Nouveau théologien.
E. DES PLACES. Eusèbe de Césarée commentateur. *Platonisme et Écriture Sainte.*
J. LATHAM. The Religious Symbolism of Salt.
J. MANCEAU. Marie Dominique Auguste Sibour, Archevêque de Paris.
E. OSBORN. Éthique chrétienne aux premiers siècles.